Sea un buen gerente

Hap Klopp y Brian Tarcy

TRADUCCIÓN:
Alberto Santiago Fernández Molina
Ingeniero Industrial, Universidad Iberoamericana
MBA, Stetson University, Florida

PRENTICE HALL

MÉXICO • NUEVA YORK • BOGOTÁ • LONDRES • MADRID
MUNICH • NUEVA DELHI • PARÍS • RÍO DE JANEIRO
SINGAPUR • SYDNEY • TOKIO • TORONTO • ZURICH

Datos de catalogación bibliográfica

Klopp Hap, y Tarcy, Brian
Sea un buen gerente ¡Fácil!
PRENTICE HALL
México, 1999

ISBN: 970-17-0242-5
Área: Negocios

Formato: 18.5 × 23.5 cm Páginas: 288

EDICIÓN EN ESPAÑOL:

EDITORA DIVISIÓN NEGOCIOS: CRISTINA TAPIA MONTES DE OCA
SUPERVISORA DE TRADUCCIÓN: ROCÍO CABAÑAS CHÁVEZ
SUPERVISOR DE PRODUCCIÓN: ALEJANDRO A. GÓMEZ RUIZ
CORRECTOR DE ESTILO: ERNESTO FERNÁNDEZ MOLINA

SEA UN BUEN GERENTE ¡FÁCIL!

Traducido del inglés de la obra: **CIG to business management**

Authorized translation from the English Language edition published by Alpha Books

Spanish language edition published by
Prentice Hall Hispanoamericana, S. A.

Traducción autorizada de la edición en inglés publicada por: Alpha Books

Edición en español publicada por:
Prentice Hall Hispanoamericana, S. A.

Calle 4, Núm. 25, 2o. piso, Fracc. Industrial Alce Blanco
53370 Naucalpan de Juárez, Edo. de México

ISBN 970-17-0242-5

Miembro de la Cámara Nacional de la Industria Editorial, Reg. Núm. 1524.
Original English Language Edition Published by Alpha Books

ISBN 0-02-861744-4

Impreso en México/Printed in Mexico

MAR

LITOGRAFICA INGRAMEX, S.A. DE C.V.
CENTENO NO. 162-1
MEXICO, D.F.
C.P. 09810

4000 1999

Equipo de desarrollo de Alpha

Gerente de marca
Kathy Nebenhaus

Editor ejecutivo
Gary M. Krebs

Editor administrativo
Bob Shuman

Editor Senior
Nancy Mikhail

Asistente editorial
Maureen Horn

Editoras de desarrollo
Kate Layzer
Lynn Northrup

Equipo de producción

Editor de producción
Robyn Burnett

Editor de textos
Lynn Northrup

Diseñador de portada
Michael Freeland

Caricaturista
Judd Winick

Diseñador
Glenn Larsen

Autor del índice
Chris Barrick

Formación y lectura de pruebas
Tricia Flodder, Aleata Howard, Lisa Stumpf

Resumen de contenido

Contenido

Prólogo

El prólogo tiene la intención de despertar el interés por el libro que acaba de escoger, pues usted ya debe de estar interesado en el tema: Los negocios y cómo entenderlos. En *Sea un buen gerente ¡Fácil!* encontrará una mezcla de bases y diversión, la cual es una muy buena manera de descubrir lo que realmente importa en el trabajo, en tanto que usted invierte su vida, su tiempo y su alma en la práctica de los negocios.

El humorismo no es accidental. Pienso que es una buena armadura que impide que la realidad sea abrumadora. El buen humor es el marco mental adecuado para entrar en esta actividad; de otra manera, aunque el tema de las empresas es básicamente serio, corre usted el horrible riesgo de tomarlo, y tomarse usted mismo, demasiado en serio. El camino a la seriedad está empedrado de días tontos y Hap Klopp es bueno agregando toques de magia y apoyo al ordinario martes después del martes y al inevitable miércoles después del miércoles.

Hap ha estado destruyendo la rutina desde muy al principio, y yo también, así que lo recomiendo. La rutina es el enemigo, viene equipada con la repetición, la carencia de la práctica, la falta de mantenimiento, la deflación, nada divertidas, y (a final de cuentas) sin resultados. El camino es una carretera al negocio, es peligrosa y conocida a la vez.

El lector hallará algunas recetas para variar la vida diaria, para la preservación propia, para el entendimiento de que los clientes son la verdadera inspiración de cada negocio exitoso y para convertirse en un anfitrión de otras lecciones de negocios compartidas por un hombre a quien sí le ha importado vivir la administración, que se mueve y se atreve, y que son dignas de leerse.

¿Por qué no debe ser placentera la lectura acerca de los negocios? ¿Por qué no debe causar placer? No hay evidencia que se compare con la emoción de la gente que trabaja con entusiasmo sincronizado. Este libro ayuda a equilibrar el aprendizaje técnico, económico y "de negocios" a través del cual los lectores de esta área acostumbran moverse. Un pequeño respiro de aire fresco nos reanima y nos da la fuerza para seguir, y este libro lo ofrece.

Peter Glen

Peter Glen es autor del best seller, *It's Not My Department*, (Morrow and Co.) y de *10 Years Of Peter Glen*, (ST Publications); también es el editor de la revista *VM & SD*. Peter, es considerado el primer crítico del consumidor de Estados Unidos, es la estrella de un video titulado *Customer Service: Or Else!* (Enterprise Media). Ha impartido innumerables conferencias y es un renombrado asesor de algunas de las mejores y más grandes compañías estadounidenses, entre ellas: Nike, Benetton, Squibb, Transamerica, Espirit y Charles Schwab.

Introducción

Lo primero que hay que hacer es mirar al espejo. Decir hola al nuevo jefe... no igual que al antiguo jefe. Claro que no. Definitivamente no en la misma manera. Después de todo, usted siempre ha dicho que si estuviera a cargo, cambiaría las cosas. Las haría mejor. ¿No es así? Así que, aquí está. Correcto, eche un buen vistazo al espejo. Hay un nuevo gerente que le sonríe al reto. Aquí está usted. Le presento al nuevo jefe.

La administración trata acerca de la acción. Este libro trata sobre la acción y los planes de acción que logran resultados. No somos tontos. Sabemos que nuestro deber como gerentes es conseguir resultados, mejores resultados. Todos entendemos que la administración es una cruzada para obtener resultados cada vez mejores. Escribí este libro para compartir mis experiencias y ayudarle.

El mundo está listo para ser conquistado. Si usted es disciplinado y se siente motivado, si usted es honesto y humano, si usted está apasionado con un plan, entonces puede lograr cualquier cosa. Este libro es una obra acerca de sueños, de conquistas, y yo le daré los métodos.

En *Sea un buen gerente ¡Fácil!* le enseñaré cómo hacer más con menos y cómo hacerlo más rápido que la competencia. Este libro contiene las bases de la administración, abarca todos los aspectos e incluye diagramas y gráficas fáciles de usar. Este libro relaciona todas estas herramientas, y al mismo tiempo proporciona un completo método lógico para atrapar el éxito. Éste es un libro acerca de ganadores.

Me encantan los ganadores. En los deportes, la vida, el negocio. Hay algo, *algo*, acerca de estas historias. Un retroceso y un flujo y luego una electricidad. Me encantan los ganadores y me encantan sus historias.

Las historias de los negocios, en realidad, son simplemente una serie de recopilaciones unidas que han sido elegantemente definidas en el pensamiento. Esta cosa llamada tiempo no para, nunca. Las cosas van bien. Las cosas van mal. Las cosas van bien nuevamente. Y las historias nos impulsan hacia delante. Planeamos y actuamos, reaccionamos y luego aprendemos. Siempre estamos obteniendo conocimientos. Ciertamente yo aprendo, y ahora quiero compartir lo que he aprendido.

He aprendido cómo evitar algunos fracasos y cómo manejar otros que usted enfrentará. Pero lo más importante es que he aprendido a reconocer la oportunidad y a saber cómo obtener lo mejor de ella. Sé que la administración es un trabajo duro, pero que también es divertido. En esta obra le ofrezco mis herramientas y mis métodos con una filosofía. En este libro, le ofrezco la victoria.

Cómo usar este libro

Sea un buen gerente ¡Fácil! le ayudará a desarrollar un sentimiento por el negocio y le mostrará cómo aplicar sus atributos particulares al papel diario de la administración. Le ayudaré a controlar el trabajo, en lugar de que él lo controle a usted. El libro está dividido en seis partes:

La **Parte 1**, *"Prepárese para ser un gerente"*, trata sobre los fundamentos de la administración como un concepto y como una carrera. Hablo sobre cómo aprender a sentirse a gusto en su nuevo papel y lo que se necesita para que sus ideas tengan aceptación.

La **Parte 2**, *"Establezca un sentido del propósito"*, cubre el lado apasionado de la administración, cómo lograr lo mejor de su gente. Explica la diferencia entre ser un líder y ser un administrador y le muestra cómo combinar los dos elementos para garantizar su éxito.

La **Parte 3**, *"Organice su equipo"*, presenta la manera de lograr que un grupo de seres humanos trabaje hacia una meta común. Le mostraré cómo conseguir el ajuste de su equipo y cómo mejorar el desempeño de los individuos en el mismo.

La **Parte 4**, *"El manejo de las finanzas"*, es una clara explicación del valor de mantener un registro en el negocio. En lenguaje llano, describo los métodos utilizados para mantener un registro de los resultados y las maneras de ayudarle a que sus operaciones sean más eficientes y más lucrativas. Le doy las herramientas, le muestro los atajos y las metodologías para alcanzar las metas. Explico con sentido común los términos de los reportes que usted necesita y cómo utilizar éstos.

En **Parte 5**, *"La administración de las ventas y la mercadotecnia"*, explico la diferencia entre los dos términos y cómo usar cada uno eficazmente. Estos capítulos le ayudarán a desechar la teoría que afirma que las ventas y la mercadotecnia son gastos y en su lugar le mostraré cómo y por qué tratarlas como inversiones.

La **Parte 6**, *"Qué hacer cuando surgen los problemas"*, habla acerca de lo que tiene que llevar a cabo cuando sus esperanzas y sueños se enfrentan con la realidad. En estos capítulos, usted aprenderá qué hacer cuando logre el éxito y cómo manejar los problemas que inevitablemente surgirán.

Ayudas adicionales

Además de las explicaciones detalladas que usted recibirá en cada capítulo, incluyo cuatro tipos de recursos didácticos en recuadros, que aclararán su lectura y le descubrirán las gemas de la sabiduría: sugerencias, consejos, resúmenes muy breves y noticias interesantes. Estos cuadros le darán valiosa información adicional:

Inténtelo de esta manera
En estos cuadros, busque consejos sobre formas de hacer más fácil la administración.

Rompetensiones
Estos cuadros presentan advertencias acerca de algunas situaciones estresantes que enfrentará como gerente.

En pocas palabras...
Estos cuadros contienen definiciones de conceptos que encontrará en la administración.

Últimas noticias

La información de estos cuadros consiste en interesantes comentarios del mundo real que le ayudarán a entender su hábitat: el de la administración.

Agradecimientos

A aquellos que aceptan sólo lo mejor y que condenan el resto.

Kudos especiales para Margot, Matt, Kelly y Dave quien monta conmigo en la impulsiva montaña rusa de la exploración de la perfección en el negocio y en la vida.

Además mi cordial aprecio para Brian Tarcy, Dick Staron, Kathy Nebenhaus y toda la gente de Alpha Books por darme la oportunidad de articular mi idea acerca de que la administración puede ser simple, elegante y, lo mejor de todo, divertida.

Gracias también a Paul Sigler (Aka Wally), David Tarcy, Paul y Heidi Perekrests, Dan Ring, Vaughn Sterling, Gregg Alexander, Maureen Anders y Seneca y Martha Anderson. Y por supuesto a Denim, Derek, Kayli y Marissa.

También deseo agradecer a todas aquellas personas con quienes he trabajado, bien o mal, ya que todos me han enseñado lo que comparto en este libro.

Marcas registradas

Todos los términos mencionados en este libro de los que se sepa o se sospeche que sean marcas registradas han sido apropiadamente escritos en mayúsculas. Alpha Books y Macmillan General Reference no pueden atestiguar la precisión de esta información. El uso de un término en este libro no deberá ser tomado en cuenta como una afectación de la validez de cualquier marca registrada o una marca de servicio. Las siguientes marcas registradas y marcas de servicio se mencionan en este libro:

Absolut, Air Jordan, Beefeater, Boeing, Budweiser, Burlington, Chevrolet, Coke, columbia, Cornell University, Dayton Hudson, Dilbert, Dun & Bradstreet, Energizer, Ensure, Ernst & Young, Grio, Gore & Associates, Gore Tex, Harvard University, Head Skis, Holly Hansen, IBM, International Designer Accessories, J.C. Penney, Jaguar, Jan Sport, Kresge, L'Eggs, L.L. Bean, Lanier, Levi's, *Life*, Look, revista *MAD*, Marmot, McDonalds, Mickey Mouse, Microsoft, Milliken, Moonstone, Muzak, National Speakers Bureau, Netscape, *New York Times*, Nordstrom, The North Face, Opti-Con, Oracle, Patagonia, Powerbar, Reebok, Regis McKenna, Royal Robbins, Scott, Semco, Seminole, Stanford University, Sun Micro Systems, Sunglass Hut, Toastmasters, Tour de France, University of Pittsburgh, Wal-Mart, The *Wall Street Journal*, Wild Roses, W. L. Post, Woolrich, Yahoo! y YKK.

Parte 1

Prepárese para ser un gerente

La diferencia entre el genio y el mediocre es que el genio se anticipa y el mediocre sólo reacciona. Así de simple.

Todo mundo ha visto a los gerentes que trabajan 18 horas al día pero que aun así, siempre están retrasados. Estos tan proclamados gerentes, estas víctimas profesionales, casi siempre están "casi a punto de lograr lo que se proponen". O es lo que suelen decir.

Por el otro lado, también todos hemos sido testigos de historias exitosas de gerentes que salvaron todo de paso y viven maravillosas y exitosas vidas. Siempre están adelante de la curva de poder y tienen los números necesarios en las puntas de los dedos, aunque sea en un sobre. Tienen la visión. Son organizados. "Triunfan."

En esta primera parte del libro conocerá los fundamentos para ser un gerente. Aprenderá sobre los dos tipos de administración, a analizar su empresa y el lugar que su negocio ocupa en el mundo. También sabrá cómo empezar a controlar su trabajo y cómo organizar su día.

Adelante. ¡El éxito lo espera!

Capítulo 1

Así que va a dirigir un negocio

En este capítulo

- ¿Qué es la administración?
- Metas, estrategias y políticas
- Los dos estilos de la administración
- Por qué sus habilidades interpersonales son la clave

Un día, alguien de recursos humanos viene a verlo. O probablemente usted reciba una llamada. "Han tomado una decisión y quieren verlo." La persona de recursos humanos sonríe. A continuación usted se entera de que ahora tiene una clase distinta de vida: la vida de un gerente.

O bien, usted puede despertar una mañana y darse cuenta de que está cansado de trabajar para otros. Es tiempo de que usted controle su destino dirigiendo su propio negocio. Éste podría ser una franquicia; una empresa que operara con una sola persona o con muchas personas. Cualquiera que sea el caso, usted acaba de ascenderse a gerente.

Puede ser muy emocionante saber que va a manejar una empresa o una gran división de una compañía. También puede ser algo tenebroso. Pero, como Mark Twain dijo una vez sobre la música de Wagner: "No es tan mala como suena".

¡Oiga, probablemente obtenga un aumento! ¿Qué tan malo puede ser eso?

La administración es responsabilidad. Si la responsabilidad no le atemoriza, si de hecho, lo vigoriza, entonces usted está listo para empezar a pensar en la administración, su significado y la forma en que se lleva a cabo. En este capítulo, se describirán los dos tipos de estilos de administración y unos métodos básicos. ¡Pula sus habilidades interpersonales! Las va a necesitar.

Todo cambia

Ser gerente es simplemente diferente. Diferente de ser un empleado. En realidad, mucho muy diferente. Cuando usted es un gerente, su éxito depende de la forma en que los demás se desempeñen. Usted es el jefe y cuando es así, la responsabilidad final recae en usted. ¡No pase! Si usted quiere administrar un negocio, no puede tener miedo y tampoco puede ser un tonto. Cuando menos, no si desea *seguir* administrándolo.

Si administra un negocio o una división o si aspira ser gerente, probablemente tenga el temperamento de gerente. ¿Qué quiere decir esto? Podría significar muchas cosas, pero lo esencial es que quiere tomar decisiones.

Así que esto es lo que hará. Póngase su mejor atuendo de poder —aun si se trata de unos pantalones de mezclilla y una camiseta, cosa que dudo— y continúe leyendo. Es tiempo de usar esa ropa.

Pensó que estaba trabajando duro con anterioridad. Antes era hora de renunciar o de tiempo extra. Ahora *no hay suficiente* tiempo. Y ése es el primer cambio. Lo siguiente son las relaciones. Ahora usted es jefe; sus amistados serán puestas a prueba por los celos y las críticas hacia sus resultados. Probablemente pierda algunos amigos, haga otros y aprenda mucho acerca de mucha gente. Aprenderá mucho más aun acerca de usted mismo.

Se trata de adornarse, no de caer en peligros latentes. A la responsabilidad le sigue el crecimiento. Y más le conviene pensar en usted mismo, pues muchas personas cuentan con usted. Su buena administración depende de la seguridad como también de la habilidad. Un gerente debe tener la confianza en su habilidad para manejar gente y dinero.

¿Qué es la administración?

Como concepto, "la administración" es simple, en realidad. Si los demás hacen un buen trabajo, usted habrá hecho un buen trabajo. *Creerá que estoy bromeando.* Pues no es así. Todo lo que usted tiene que hacer es lograr que otros realicen un buen trabajo. Muy fácil, ¿no es así? Seguro, pero espere: la administración es un trabajo duro.

Existe otro componente de la administración, es de colores variados, según el país del que se trate: el *dinero.* ¿Ha oído hablar de él? En los negocios rara vez se tiene lo suficiente. Dependerá de usted tomar las decisiones acerca de la distribución del dinero a los canales adecuados. Bienvenido a la cultura de los antiácidos.

Así que, ¿en realidad quiere hacer esto? ¿Tiene alguna idea acerca de en dónde se está metiendo? ¿Está listo para ser un gerente? Para saberlo, eche una mirada a la siguiente lista.

¿Está preparado para ser un gerente?

- ❑ ¿Le gusta la gente?
- ❑ ¿Está dispuesto a trabajar 100 horas a la semana?
- ❑ ¿Está insatisfecho con la forma en que se hacen las cosas?
- ❑ ¿Piensa que puede cambiarlas?
- ❑ ¿Se siente triste por las ventas que no realizó su compañía?
- ❑ ¿Puede manejar a gente que critique sus decisiones?
- ❑ ¿Progresa bajo presión?
- ❑ ¿Aceptaría el trabajo aun cuando no tuviera más poder?
- ❑ ¿Aceptaría el trabajo aun si no recibiera más dinero?

Si usted contestó afirmativamente a 7 o más preguntas, probablemente esté listo para ser un gerente. Si no, tome un día de descanso y piénselo de nuevo. Si cree que está preparado o si considera lo contrario, existe una buena posibilidad de que esté en lo correcto. Otra manera de evaluar sus deseos gerenciales es examinar sus características en comparación con las características comunes de un buen gerente, que son nueve y se enuncian a continuación:

1. Demuestra liderazgo
2. Es flexible
3. Progresa bajo presión
4. Es organizado
5. Es fuerte
6. Cree en él mismo
7. Se conoce a sí mismo y conoce su negocio
8. Respeta a los demás
9. Muestra paciencia con un sentido de la urgencia

La administración está empacada a presión y llena de adrenalina. Es mucho más que el duro trabajo del empleado. Aquéllas fueron sólo horas; ahora también hay presión. Cuando las cosas van mal, aun cuando otros cometan los errores, el trabajo del gerente es adoptar toda la responsabilidad.

Decisiones, decisiones

Así, pues, la administración trata de gente y dinero. Usted habrá tenido que manejar ambos. ¿Pero qué es un gerente? ¿Qué *hacen* los gerentes?

Inténtelo de esta manera
La administración es un trabajo duro. Recuerde el viejo dicho: "el negocio es 10% inspiración y 90% transpiración". Los grandes gerentes tienen ese 10%. El 90% restante proviene del territorio.

Toman decisiones.

La administración es un proceso continuo de hacer que se realicen las cosas. Es una vocación. Cuando usted es bueno, usted está entregado a su vocación, come, duerme, respira y sueña con ella. Usted toma sus decisiones con seriedad. La administración es un estilo de vida, donde la siguiente crisis siempre está a la vuelta de la esquina y su mente debe estar lo suficientemente afilada para vencerla.

La mayoría de los problemas con los que se enfrentará serán financieros y humanos. Finalmente, la administración consiste en conseguir *que se hagan las cosas*. Eso significa que su primera tarea es decidir qué se *hará*.

Alcanzar lo alcanzable

¿Cuál es su meta? ¿Qué es lo que quiere lograr? Eso es una decisión administrativa.

Hay dos clases de metas: las *cuantitativas* y las *cualitativas*. Las metas cuantitativas se fundamentan en números. Muchos gerentes se enfocan en las metas cuantitativas y excluyen las cualitativas. Las metas cualitativas, aunque son más difíciles de medir, definen a la compañía y la diferencian de la competencia. Ambos grupos de metas tienen igual importancia y son complementarias para el éxito de la compañía.

En pocas palabras...
Las *metas cuantitativas* se refieren a números y a los resultados mensurables. Las *metas cualitativas* se relacionan con éxitos intangibles, lo que es especial o diferente en su compañía. Usted necesita pensar en ambos tipos de metas.

Los gerentes establecen las metas y luego trabajan para asegurarse que la compañía, el departamento o la división que dirigen alcance esas metas. Es como cuando usted iba a la escuela y necesitaba hacer su tarea: establecía un objetivo y luego lo cumplía. Es como si se tratara de matemáticas avanzadas o de estudios sociales avanzados, excepto que ahora usted está en la escuela de la vida, en las grandes ligas. Aquí hay consecuencias reales. Usted podría perder su trabajo y sus amigos. Terrible ¿verdad?, pero es real.

Las recompensas, sin embargo, son igualmente reales: la satisfacción, un sentimiento de triunfo, mayores oportunidades, una remuneración mucho mayor. Establecer una meta, conseguirla y atrapar sus ganancias, eso es la administración. Hablaremos más acerca del establecimiento de metas en el capítulo 10.

Estrategias para alcanzar las metas

Una vez que ha definido su meta, el siguiente paso es desarrollar una estrategia para conseguirla. Una estrategia hace una recreación de cómo realizará su tarea. Las mejores estrategias son adaptables al cambio. Las empresas se basan en la gente, en los sistemas sociales y en la tecnología; esto significa que ni usted ni la estrategia de su negocio pueden quedarse estáticos. El capítulo 10 cubrirá con detenimiento el desarrollo y las estrategias flexibles.

Políticas para apoyar las estrategias y las metas

Finalmente, usted necesita políticas a fin de implementar sus estrategias. Las políticas crean un ambiente que le permite tener éxito.

Cuando usted tiene metas, una estrategia y políticas (y trata de lograrlas en esa secuencia) usted está listo para la acción, lo cual significa distribuir los recursos. Los recursos de un negocio son el dinero y la gente. Solamente cuando usted ha seguido esos cuatro pasos, puede empezar a realizar el trabajo del negocio: producir.

> **Últimas noticias**
>
> Ahora el cambio está presente, más presente que antes en nuestra vida. Por ejemplo, ¿sabía que el 99% de toda la tecnología fue inventada en los pasados 20 años? ¿O que en los siguientes cinco años se desarrollará más tecnología que en los últimos 20 años? Los avances en la tecnología son cambios exponenciales y continuarán siéndolo. ¡Prepárese para ser flexible!

Conforme avance, mida constantemente su nivel real de rendimiento y compruébelo con el que planeó, con su meta o con parte de ella. Si hay una desviación significativa, emprenda acciones correctivas.

El papel del sentido común

Aprenda y estudie tanto como pueda, pero no olvide su gran fortaleza: su sentido común, también conocido como sus instintos. Después de todo, la empresa está constituida en su mayor parte por personas. No se requiere de años de experiencia como gerente para entender a la gente. Se necesita sentido común. Éste toma en cuenta el talento, las necesidades y las motivaciones de la gente al planear el negocio. Usted quiere formar un equipo, ¿no es así? Bien. Use su sentido común.

A continuación exponemos un ejemplo. He descubierto que la mejor manera de manejar a las personas es tratarlas en la forma en que a usted le hubiera gustado ser tratado cuando era empleado. ¿Qué lo habría motivado a trabajar con más ahínco? ¿A estar más interesado? Eso es todo. Ésas son sus políticas.

Es esto a lo que me refiero cuando hablo acerca del sentido común, a lo largo del libro. Claro, a juzgar por todas las empresas mal administradas que existen, puede decirse que el sentido común probablemente no sea tan común como debería ser.

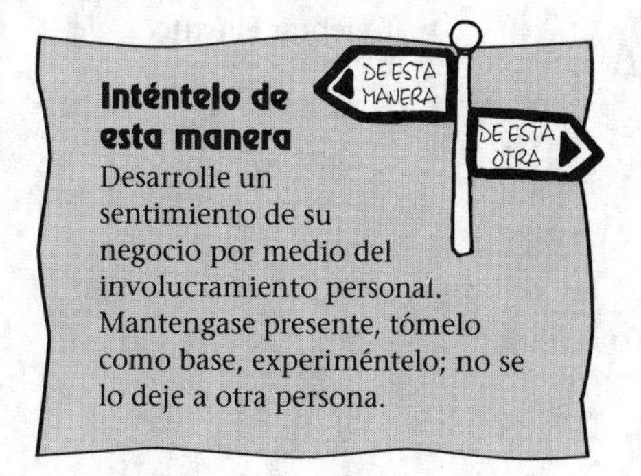

> **Inténtelo de esta manera**
>
> Desarrolle un sentimiento de su negocio por medio del involucramiento personal. Mantengase presente, tómelo como base, experiméntelo; no se lo deje a otra persona.

Es más fácil evitar los peligros si sabe cuáles son. A continuación se enumeran algunos peligros comunes que minan la confiabilidad de su sentido común:

- *Arrogancia.* El título de gerente no es una licencia para ser condescendiente con los demás. Usted puede ver a la gente de abajo de la misma manera en que ve a la de arriba.
- *Temor.* No tenga miedo de que la gente descubra que usted no es perfecto, ya que usted no lo es y ellos ya lo saben, así que relájese. Y no utilice el método de "gritar cuando alguien lo cuestione". Tampoco funciona *infundir* temor.
- *Hambre de poder.* La búsqueda del poder concuerda con el sentido común y la mayoría de la gente lo reconoce. Como Lord Acton dijo: "El poder corrompe; el poder absoluto corrompe absolutamente".
- *Deformar el papel de gerente.* Si no entiende su trabajo, no comprenderá el método del sentido común. No es un dictador y nadie permitirá que lo sea. Esto es sólo sentido común.

Manejo de las prioridades

Para tener éxito, usted tiene que estar preparado para tomar decisiones. Lee Iacocca comentó en una ocasión: "si tuviera que resumir en una palabra lo que hace a un buen gerente, esa palabra sería 'determinación'". Los gerentes deciden qué se hará. Deciden cuándo se hará y por quién y establecen las prioridades.

Los gerentes necesitan estar organizados y tener mucha vitalidad. No es un trabajo para los perezosos o los desorientados. Así que antes de que usted empiece a pensar en cómo manejar su nueva posición, necesita entender que un ascenso a gerente no equivale a encontrarse el billete ganador del premio mayor de la lotería, en la calle de la facilidad. Es, sin embargo, el premio mayor de la oportunidad. Lo que haga con esta oportunidad depende de usted.

La administración es:

- Aclarar las metas
- Organizar a la gente y los recursos
- Establecer el ambiente para el éxito
- Medir regularmente el desempeño
- Tomar las acciones correctivas necesarias
- Celebrar el éxito

Los dos tipos de administración

Hay dos tipos de administración fundamentales y probados que son válidos sin importar que se tenga un empleado o miles. Si se encuentra parado en medio de una cultura corporativa establecida, como probablemente sea el caso, tal vez no tenga muchas opciones acerca de qué estilo adoptará, pero de cualquier manera las discutiremos en la siguiente sección.

Si corre con la suficiente suerte y comienza su propio negocio teniendo una *tábula rasa* (mente libre de prejuicios), puede escoger su estilo. Mi consejo es escoger uno que sea consistente con su personalidad. Será el más honesto y el más fácil para usted y, por tanto, con él conseguirá mejores resultados.

Rompetensiones
Si usted está tomando posesión de la gerencia de una compañía establecida, de una división o de un departamento, desvíese de los cambios de gran influencia, los cuales pueden causar un caos de corto plazo. Empiece por trabajar con el estilo existente de administración. Una vez que haya obtenido la confianza de la gente y que haya logrado algunos resultados, puede empezar a introducir cambios.

La administración de la cultura grande: el estilo estadounidense

El primer tipo es el de la administración de la *cultura grande*. Sus características son un estilo ordenado de ejecución y una meta predecible. Un sistema de verificaciones y equilibrios que impide que se cometan varios errores.

En este tipo de administración no se corren riesgos; se toman decisiones calculadas. Tiene formas precisas de operar, por lo que es necesario ajustarse a la forma de trabajo. Usted no puede ser un inconforme en una cultura grande, pero si se decide a ajustarse a ella, puede experimentar grandes progresos.

El sistema de administración de una cultura grande se encuentra, aunque no siempre, en una compañía grande. Esta clase de administración se caracteriza por muchas reuniones, muchos equipos y una responsabilidad compartida. El poder está delineado claramente, existen muchos niveles de administración, las decisiones formales se someten a la aprobación de los superiores, el rango de autoridad se encuentra muy bien definido y aun las introducciones de producto se realizan en una forma ordenada y aprobada por mucha gente.

Una cultura grande se parece mucho a un ejército, donde la posición es igual a la autoridad. La suposición es que si alguien tiene una posición, debe tener el talento. La administración de la cultura grande cree que el proceso es lo primero. Si todo se realiza en forma adecuada, los resultados sobrevendrán de modo inevitable.

Claro, los dinosaurios son prueba de que lo grande no siempre es lo mejor.

Últimas noticias

El ejército de Estados Unidos sostiene que el área de control máximo eficaz —el número máximo de personas que un individuo puede manejar directamente— se limita a seis personas. Esto se debe a los límites de tiempo que tiene un gerente. La mejor manera de probar que está en lo correcto es tratando de manejar mucha gente.

Si usted sabe cómo adentrarse en la compañía y si es bueno al dirigirla, el tamaño de la empresa puede agregarle poder a sus ideas. Sí, ello lo hará formal. Sí, *actuar de acuerdo con las normas* será su mantra. Pero actuar según lo estipulado es sólo una forma de asegurar que los engranes embonen. Y cuando esto pasa y asegura el poder, usted tiene una gran oportunidad.

Administración emprendedora: un estilo, no una etapa

Rompetensiones

Piense dos veces antes de tratar de ser un gerente emprendedor en una gran compañía. La administración emprendedora funciona mas fácilmente en organizaciones pequeñas, donde la coordinación no es tanto un elemento clave y donde los empleados son jóvenes, más flexibles y no se preocupan mucho por el caos y el cambio.

La segunda clase de administración es el famoso *estilo emprendedor*. La administración emprendedora cree en la maximización de la oportunidad. Ser emprendedor consiste en tomar las decisiones rápido con información limitada. Tiene una alta tolerancia por el riesgo y una fuerte capacidad de manejar la ambigüedad. El emprendedor aprovecha las oportunidades. La mantra de un gerente de este tipo es *¡conseguir lo que se propone!*

Este estilo cree que el caos es bueno si es resultado de la búsqueda de la excelencia. Se establece para lograr velocidad y flexibilidad y tener la seguridad de que no se pierdan oportunidades.

La administración emprendedora está tan dispuesta a ser un líder que establecerá reinicios y cambios de dirección tendientes a maximizar la oportunidad. No es una etapa en la administración, es un estilo, dirigido al mundo de los noventa, cada vez más cambiante. La administración emprendedora no le teme al riesgo. De acuerdo con este enfoque, los grandes fracasos son la mediocridad y las oportunidades perdidas.

En este extremo, la administración emprendedora puede parecer un caos total: cada oficina dirige sus cosas a su manera. Microsoft es un buen ejemplo de este estilo. La administración emprendedora cree que por encima de todo están los resultados.

IBM y Microsoft, dos compañías grandes, dos estilos

Dos gigantes del campo de la alta tecnología han mostrado que sí funcionan ambos estilos de la administración.

IBM, también conocida como la *Big Blue* (el gigante azul), es la clásica compañía de cultura grande, con niveles y líneas de autoridad y montones de reglas. IBM insiste en una introducción ordenada de productos, nombramientos claros, códigos de vestuario (solía pedirse camisas blancas y traje, aunque han comenzado a relajarse algunas exigencias), y una exhaustiva investigación antes de tratar nuevos productos en el mercado. El enfoque en este caso es la certidumbre: IBM se apoya en sus grandes recursos en lugar de en la velocidad o en el riesgo de obtener el dominio. Y le ha funcionado. Durante los 80 años que ha estado en el negocio, la compañía ha seguido una línea fina desde sus inicios (cajas registradoras de efectivo) hasta el mundo de la alta tecnología de las computadoras. Una introducción lógica y ordenada de los productos le asegura que ningún producto podrá amenazar a la línea completa de productos si fracasa y que habrá un mínimo de canibalismo entre los productos existentes.

Microsoft, por otra parte, ha crecido para tener un valor de mercado aun mayor que el de IBM aplicando el enfoque emprendedor con una infraestructura informal. Algunos empleados no tienen escritorios en sus oficinas, tienen tambores, sí, un conjunto de tambores. Otros tienen escritorios y es común encontrarlos sentados y con las piernas cruzadas sobre el escritorio. No es raro ver a un empleado trabajando con una gorra de béisbol invertida, junto a otro empleado con un traje de tres piezas. El estilo y la informalidad de la compañía le permite cambiar direcciones rápidamente y mantenerse vibrante.

En un fin de semana, por ejemplo, la gerencia de alto nivel de Microsoft decidió que la compañía estaba ignorando por error Internet. Ese fin de semana, la compañía más grande de software en el mundo cambió de dirección. Su nuevo enfoque fue Windows 95, con interfaces directas con Internet. La compañía se comprometió a ser el líder de Internet, gastó un millón de dólares cada semana para lograr su meta y funcionó.

Existen dos maneras de observar esta historia. Una dice que IBM nunca ha sido capaz de hacer tales cambios tan rápido: una de las razones de que ya no sea la compañía líder en alta tecnología. La otra es que existen tanto compañías que han decaído por haber cambiado de dirección después de un retiro de fin de semana, como aquellas que han tenido éxito.

Y la gente sigue siendo lo más importante

Ya que la administración trata sobre todo de la gente, es esencial que un gerente sea un buen motivador, alguien que inspire, aliente y dirija. Se acabaron los días fáciles, una vez que se ha convertido en gerente, aunque tampoco habrá muchos días aburridos.

Las personas son impredecibles. Les afecta su vida, así como también sus actitudes y sus metas. Usted no puede tomar una sola percepción de alguien y asumir que siempre y para siempre esa persona va a actuar el mismo papel. Cualquiera que sea la estructura de su organización, usted siempre tendrá que manejar gente: motivarla, guiarla y señalarle el punto de la meta. Usted tiene que ser el animador, el alentador y el visionario. Tiene que *conseguir que se hagan las cosas*.

Rompetensiones
Una forma segura de fracasar es tratar de complacer a todos. No puede hacerlo, así que no lo intente.

Lo mínimo que necesita saber

- Los gerentes consiguen que se hagan las cosas al tomar decisiones de cómo distribuir a la gente y el dinero y al instar a los empleados a que sean tan productivos como puedan.
- El sentido común le llevará por un largo camino como gerente. El análisis es bueno, pero al final usted tendrá que confiar en sus instintos.
- La administración de la cultura grande se apoya en las verificaciones y los balances y está diseñada para evitar los errores.
- La administración emprendedora es un estilo de actuación rápida con una alta tolerancia al riesgo y un gran apetito por la oportunidad.

Capítulo 2

¿Por dónde empezar? Pues por el principio

En este capítulo

- Preguntas fundamentales acerca de su negocio
- Herramientas para identificar su posición en el mercado
- Cuatro tendencias que afectan a todos los negocios
- El porqué la simplicidad es el mejor método

Pues bien. Usted es el gerente. ¿Por dónde va a comenzar? En cuanto a ese asunto, *¿cómo* va a empezar? Le aconsejo que se tranquilice. Ningún beisbolista espera entrar al salón de la fama en su primer juego. No trate de hacer mucho en su primer día en el trabajo y no espere ser perfecto. Usted no necesita ser *bueno*, sólo lo suficientemente bueno. Lo suficientemente bueno para sobrevivir y para vencer a la competencia.

Emplearé otra analogía de los deportes (puede creer que soy un aficionado a los deportes o que soy demasiado complicado). En el básquetbol, los grandes recuperadores de pelotas no siempre son los jugadores más altos, no son necesariamente aquellos que pueden saltar más alto. Son los jugadores que saben a dónde se dirigirá la pelota y quién llegará ahí antes que nadie. Anticipación. Conocimiento. Instintos. Los grandes jugadores de básquetbol cuentan con estos tres elementos, así como también los grandes entrenadores.

¡Sujétese las cuerdas de sus zapatos deportivos! Este capítulo le dirá por qué necesita analizar su organización. Y el cómo y el por qué es crucial el marco de referencia. Este capítulo trata sobre las bases.

Empezar desde el principio

Usted quiere entender el manejo de su compañía o departamento, pero no está seguro de dónde empezar. Eso es normal. También (afortunadamente) es temporal, sobre todo si usted lee este libro y toma mi consejo con seriedad. Por ahora, recuerde respirar y ponerse a trabajar para descubrir su marco de referencia.

En pocas palabras...
Un *marco de referencia* es un contexto dentro del cual los hechos y las ideas pueden interpretarse correctamente.

¿Marco de referencia? ¿Qué rayos es esto? Simple. Es su contexto. Qué es lo que está pasando en su negocio, por qué y dónde entra usted. Para tener un marco de referencia, necesita el conocimiento. Ahora es el momento de descubrir todo lo que pueda acerca de lo que su compañía (división, departamento...) fabrica o produce, qué servicio proporciona o cualesquiera que sean las funciones que usted va a administrar. Mientras más aprenda, más seguro se sentirá.

Conozca su producto o servicio

Utilice los productos. Use el producto de su competidor. Lea las críticas y las descripciones de los productos. Haga de su negocio su propio negocio.

Probablemente su negocio es fabricar, vender o dar servicio a ciertas piezas mecánicas. ¿Pero en realidad conoce estas piezas? Un gran administrador de piezas mecánicas conoce las piezas, especialmente las *suyas*. Ese gerente entiende el negocio de estas piezas, estudia su mercado y pasa la mitad del día dilucidando formas de fabricar una mejor pieza. Estoy generalizando, pero ésta es la idea. Cuando digo "conozca su producto", me refiero a que se deje consumir por lo que usted hace y vuélvase la persona con mayor conocimiento en el mundo sobre tal materia. Si las piezas mecánicas son su negocio, aprenda todo lo que pueda sobre estos objetos.

Cualquiera que sea su producto o servicio, hágase las siguientes preguntas:

- *¿Qué hay de particular en mi ofrecimiento?* Si no hay ninguna diferencia, probablemente el precio será la herramienta para sacar a algún competidor del mercado.
- *¿Qué característica mantendrá mi producto o servicio en el futuro?* Si no tiene una característica de este tipo y no está preparado para concretar su operación, necesitará invertir en investigación y desarrollo para crear algo nuevo o elaborar un plan de mercadotecnia que le haga creer a la gente que es necesario lo que usted tiene.
- *¿Cómo es el costo de mi servicio/producto en relación con mi competencia?* El costo es determinante.

Conozca a sus empleados y crea en ellos

Reúnase con sus empleados en forma periódica, tanto formal como informalmente. Déles la oportunidad de hablar. Conozca sus capacidades, sus límites y sus móviles. Conózcalos como personas. Ellos tienen que creer en usted y saber que usted cree en ellos. Todo eso comienza con una conexión personal, humana. Al mismo tiempo y en silencio está midiendo a los empleados. ¿Puede contar con ellos para cumplir con las fechas límite? ¿Quiénes están menos comprometidos con la compañía? ¿Pueden manejar el cambio? Usted cultivará este tipo de comprensión en su vida como gerente.

Plantéese las siguientes preguntas acerca de sus empleados:

- ¿Están alcanzando su potencial?
- ¿Cuáles son sus aspiraciones?
- ¿Tienen el potencial de crecer?
- ¿Tienen la energía?
- ¿Tienen el entusiasmo?
- ¿Buscan corromper el orden?
- ¿Están relacionados con mis metas?

Rompetensiones

No utilice la administración ESP. Usted debe saber lo que está pasando: ¡Pregunte! Usted desea que la gente sepa lo que usted piensa: ¡Dígaselos! Investigue su organización a conciencia y luego enuncie claramente lo que espera.

Conozca a sus clientes y ofrézcales satisfacción

Está trabajando para su compañía, pero lo hace llegando a conocer a sus clientes y sabiendo lo que necesitan. Conózcalos, visite sus instalaciones, invítelos a visitar las suyas. Hágales preguntas. Muéstrese dispuesto a escuchar las sugerencias y críticas acerca de los productos de su compañía, así construirá fuertes relaciones y obtendrá un conocimiento importante del mercado.

Llegar a conocer a sus clientes y tomar en serio sus necesidades es simple sentido común del negocio. También es la clave del crecimiento. Atraer nuevos clientes es esencial, por supuesto; pero para hacerlo la compañía tiene también que crear una lealtad del cliente al ofrecer productos y servicios superiores. En la mayoría de las compañías, es válido el *principio de Pareto*, el cual enuncia que el 80% del negocio proviene del 20% de los clientes.

En pocas palabras...

El *principio de Pareto* —que estima que el 80% de sus negocios provienen del 20% de sus clientes y que el 80% de sus negocios provienen del 20% de sus productos— constituye una buena herramienta para establecer la prioridad en sus acciones y es una guía de hacia dónde enfocar sus recursos.

Conforme usted examina la base de su clientela, pregúntese lo siguiente:

- ¿Es válido en este caso el principio de Pareto? Si es así, ¿cómo puedo usarlo para enfocar mis energías y mis inversiones?

- ¿De qué tamaño es mi participación de mercado? ¿A quién estoy llegando y a quién no? ¿Quién está usando mi producto y mediante cuál canal estoy vendiendo?
- ¿Cuán saludables están mis clientes desde el punto de vista financiero? ¿Puedo hacer más saludable la relación con mis clientes y crear una situación de ganar-ganar?

Conózcase

Evalúe su propio rendimiento utilizando una evaluación de desempeño. Pregunte a sus empleados y amigos de confianza lo que ellos consideran que son sus fortalezas y debilidades. Mídase tomando como referencia sus metas escritas.

Conforme usted aprende más acerca de usted mismo, puede comenzar a planear cómo conseguir que se hagan las cosas, en su calidad de gerente.

Inténtelo de esta manera

Estar a gusto en el papel de gerente toma algo de una búsqueda en el alma. Haga una lista de las características que desea construir en usted y aquellas que quiera evitar. Medite, camine largas distancias, hable con alguien cuyas opiniones respete usted. Haga de este tiempo un crecimiento personal.

Pregúntese lo siguiente:

- ¿Me motiva el trabajo?
- ¿Soy lo suficientemente capaz de tomar las decisiones adecuadas?
- ¿Mis habilidades gerenciales son organizacionales o carismáticas? (No se preocupe si no puede hacer ambas. Si su fortaleza es "leer" o "interpretar" a la gente y motivarla, tenga en cuenta que siempre puede contratar a alguien que se encargue de organizar.)
- ¿Qué planes tengo respecto a este trabajo? Es ésta la cúspide o sólo un escalón?

Mantenga su sentido del humor. Tiene que ser capaz de reír. De lo contrario, ni todas las herramientas y técnicas del mundo podrán ayudarle. Los negocios a menudo se asemejan al teatro del absurdo: ¡Así que puede disfrutarlo!

Analice su negocio

¿Qué es lo que administra? Sí, usted administra un negocio o una división llamada *lo que sea*, pero qué es lo que realmente administra? Ahora es tiempo de ir al grano, debido a que necesita entender con exactitud lo que tiene a fin de presentarlo de la mejor manera posible. *Primero obtenga los hechos. Después déles su propio toque.*

¿Su compañía tiene o no tiene sindicato?

Si existe un sindicato en su compañía, usted debe saber todo acerca de él. *Lea el contrato sindical*. Las compañías con sindicatos normalmente tienen reglas más formales para la contratación, el despido, la cesantía y la compensación que las compañías sin sindicatos. Estos temas, junto con la planta, las evaluaciones y el ascenso formales dentro de la compañía, serán cubiertos en el contrato sindical. Así como también la estructura de salario. Hay menos margen para el abuso en una compañía sindicalizada, pero también menos flexibilidad para la administración.

Los sindicatos constituyen un tercer elemento en cualquier comunicación con el empleado, uno con su propia agenda. A veces la contribución de este tercer elemento es benéfica; otras no. Tiende a hacer más lenta la comunicación. Si usted tiene un sindicato, le sugiero:

- ➤ Reunirse con su abogado laboral y revisar problemas que se hayan suscitado y las diferencias de opinión.
- ➤ Conversar con el representante del sindicato para discutir en forma abierta sobre las necesidades de cada uno.
- ➤ Escuchar a todas las partes que intervienen en un problema, a todo el mundo (empleados, abogados, funcionarios del sindicato, su jefe o consejo de accionistas, etc.).
- ➤ No asuma algo que no esté basado en hechos.

¿Los demás consideran que usted es un jefe o un compañero?

La percepción es la realidad. La manera en que usted se presente a sus empleados hace la gran diferencia en cómo los manejará. Si es percibido como un compañero, usted inevitablemente será puesto a prueba por sus empleados para descubrir cuáles son sus límites. Un ascenso de compañero a gerente cambia las relaciones y usted tal vez pase por un periodo de ajuste conforme se vayan estableciendo los nuevos límites.

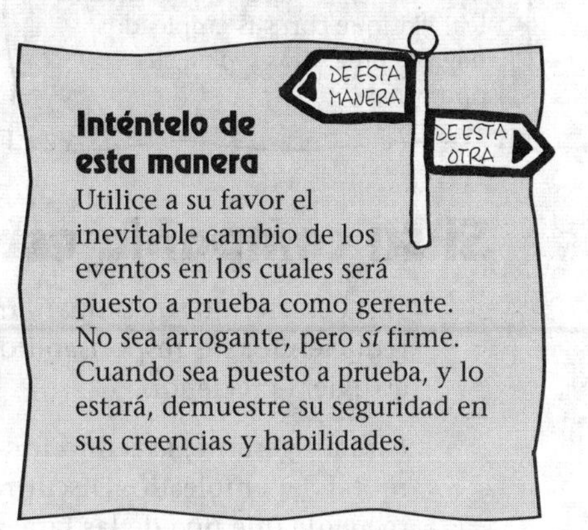

Inténtelo de esta manera
Utilice a su favor el inevitable cambio de los eventos en los cuales será puesto a prueba como gerente. No sea arrogante, pero *sí* firme. Cuando sea puesto a prueba, y lo estará, demuestre su seguridad en sus creencias y habilidades.

Aun si es nuevo en la compañía o en el departamento, es importante que usted se imponga como jefe y líder. Para administrar eficazmente, necesita infundir respeto. Esto depende de dos características fundamentales, la honestidad y la determinación. No sólo tiene el derecho sino la responsabilidad de tomar decisiones y tiene que hacer entender a la gente que es eso lo que intenta hacer.

¿Su compañía tiene recursos financieros abundantes o escasos?

El negocio requiere recursos, especialmente dinero. Mientras más tenga, más fácil es hacer cambios. El dinero le da mayor oportunidad de poner en práctica sus ideas y programas; le proporciona un colchón para cuando se tomen decisiones equivocadas. Con un gran presupuesto, usted puede poner en marcha una gran estrategia, una mayor campaña de publicidad, por ejemplo.

Si sus recursos son escasos tendrá que compensarlos con la creatividad y una acción rápida. Tendrá que volverse un guerrillero urbano. El objeto es entender la situación financiera de su compañía o división para que pueda planear una estrategia. Por ejemplo: una pequeña compañía de productos para el cuidado de la cabellera contrató a un gerente de ventas de Procter & Gamble. Este individuo tenía grandes cualidades, pero estaba acostumbrado a los grandes presupuestos corporativos y no pudo ajustar su método a las realidades de una compañía pequeña. Comience la realidad y parta desde ese punto.

¿Su compañía tiene recursos humanos abundantes o escasos?

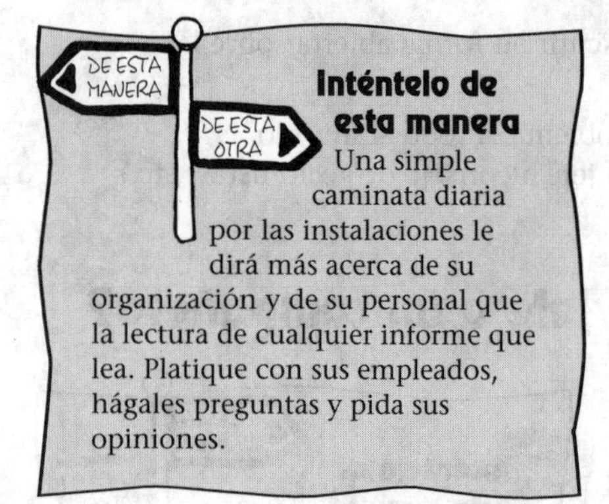

Inténtelo de esta manera

Una simple caminata diaria por las instalaciones le dirá más acerca de su organización y de su personal que la lectura de cualquier informe que lea. Platique con sus empleados, hágales preguntas y pida sus opiniones.

"Tengo los mejores empleados que existen en este negocio." Todo mundo dice eso. No se preocupe acerca de quién tiene la razón. Mejor pregúntese, ¿qué tienen sus competidores que no tenga usted?

Las cosas tangibles, por pocas que sean, pueden ser determinantes cuando se trata de sus empleados, educación, habilidades técnicas especializadas, por ejemplo. Aquellos que son respetados en la industria, quienes han sido elegidos para los comités, o quienes han publicado en revistas técnicas, indudablemente merecen una consideración especial. Al final, sin embargo, lo que realmente cuenta es el desempeño. Confíe en sus instintos.

Si su compañía está en reducción...

¿Está creciendo su compañía? ¿Se está reduciendo? ¿Se mantiene? Si su organización se está reduciendo, sus responsabilidades y preocupaciones son bastante diferentes de lo que serían si estuviera creciendo.

Para un gerente, la reducción presenta peligros particulares, especialmente en el área de la moral del empleado. Discutiré la moral con más detalle en el capítulo 9, por ahora sólo recuerde que una de las tareas como gerente es ofrecer el aliento y fomentar en los empleados el sentimiento de que están trabajando en una compañía ganadora.

A continuación se enuncian con brevedad algunos de los problemas potenciales para una compañía que se reduce"

En pocas palabras...

Los *gastos generales* son cualquier costo de los bienes o servicios que no están directamente relacionados con su producción. Servicios públicos (luz, teléfono, etc.), salarios e hipotecas son todos ejemplos de los gastos generales.

- *Los gastos generales son demasiado altos para los niveles de venta*. Usted necesitará cortar gastos en concordancia con el pronóstico más pesimista.
- *Pérdida de empleados clave*. Considere comenzar un programa de retención de empleados. Reúnase con sus empleados clave, descubra sus principales necesidades y preocupaciones y diríjase a todos los que usted pueda.

- *Disminución de la motivación.* No discuta acerca de ella, eso sólo ratifica los sentimientos. Encuentre algo nuevo para motivar a sus empleados. Déles algo que puedan controlar: ofrezca evaluaciones y bonos basados en el desempeño.
- *Activos no utilizados.* Úselos o véndalos.

Si su compañía está en crecimiento...

Las organizaciones que crecen tienen problemas muy diferentes. Tienen una gran moral, pero usualmente son muy caóticas. A pesar de la seguridad, las posibilidades de éxito no son maravillosas. No se tiene control sobre el gasto, se ejerce poder excesivo, que va destruyendo el negocio y demasiada gente se enfoca en el mañana en lugar de en el presente.

Las políticas que usted establezca con respecto a los precios, la publicidad, el personal, etc., deben reflejar la situación de la compañía. Aquí se listan algunos retos comunes que enfrenta una compañía en crecimiento:

- *Los gastos crecen más rápido que las ventas.* Diseñe presupuestos y haga que los empleados se atengan a ellos. Establezca metas por debajo de las expectativas (las cifras del año pasado o el 80% del crecimiento proyectado). Mantenga algún dinero en la reserva y acuerde gastarlo después de obtener los resultados, no antes.
- *Mala comunicación.* Asegúrese de que las líneas de autoridad sean claras. Agrupe a los equipos de trabajo interfuncionales, ponga una caja de sugerencias e instituya un periódico organizacional.
- *El grupo se dirige a muchas direcciones.* Establezca prioridades y elimine la de menor nivel. Requiera un análisis escrito de cualquier otra nueva dirección antes de adoptarla.
- *Se devalúa a los clientes.* Envíe equipos de empleados para que se reúnan con sus clientes; invite a sus clientes y déles un paseo por sus instalaciones. Evalúe regularmente el servicio al cliente.
- *Los empleados se interesan en el poder.* Haga nuevamente su organigrama y anuncie que todos serán responsables de los deberes que se les asignen, para hacer más exitosa la compañía con los negocios asociados. Si alguien viola lo establecido, despídalo. Esto constituye un poderoso y eficaz mensaje.
- *Las necesidades de efectivo crecen más rápido que lo que la organización puede generar.* Considere elevar los precios para disminuir el crecimiento e incrementar las utilidades.

Su método para administrar tendrá que tomar en consideración muchas cosas, pero el escenario de crecimiento (o de reducción) de su compañía es una de las consideraciones más esenciales.

El mejor tipo de administración: la administración simple

Mientras más compleja sea la organización, más fácil es echarla a perder. Al establecer una estrategia intrincada y compleja, se propicia que algo marche mal. Existen también muchas partes en movimiento. No importa si su estilo es empresarial o de cultura grande. La complejidad incrementa las posibilidades de errar.

La buena administración es simple. Si es buena su filosofía, podrá explicarla a sus empleados durante el café. Una buena filosofía es algo que funcionará cuando las cosas vayan mal, porque, admítalo (espero que esté listo para la realidad): las cosas salen mal.

Se ha dicho que, en una escala de 10 puntos, los estudiantes de "10" son los mejores profesores, los de "8" los mejores contadores y los de "6" los mejores administradores. Esto pudiera ser o no ser cierto, pero pienso que estos últimos saben mejor cómo tratar y manejar todo. Se sienten libres de enfocarse en lo importante. Aquellos que saben y han experimentado sus limitaciones se dan cuenta de la necesidad de hacer lo que hacen bien y no tratar de sobrepasarse. Se sienten más a gusto delegando, pues se dan cuenta de que no pueden hacer todo por sí solos. Confían en las habilidades de sus empleados y les asignan los proyectos y las tareas. Usted no tiene que ser un genio para ser un gerente. Sólo tiene que ser lo suficientemente brillante para conocer sus limitaciones.

Inténtelo de esta manera

No pierda su tiempo tratando de hacer que todo mejore 1%. Enfóquese en hacer que lo importante sea significativamente mejor. Esto será determinante en su compañía y en su desempeño como gerente.

Enfoque. No existe mejor palabra que ésta para describir la administración. Algunas cosas, *algunas cosas*, hacen la diferencia. En los negocios, lo inteligente a veces es estúpido y lo estúpido a veces es inteligente. Los gerentes conocen la diferencia. Los buenos gerentes saben que lo inteligente casi siempre es lo simple.

Lo mínimo que necesita saber

- Para tener éxito, debe conocer su producto o servicio, a sus empleados, a sus clientes y a usted mismo. Esto es fundamental.
- Algunos aspectos de su organización (recursos financieros, recursos humanos, si está sindicalizada o no lo está, ciclos de la industria) están determinados desde antes de que usted tome el control. Es necesario entenderlos y administrarlos en consecuencia.
- La etapa de crecimiento de su grupo tendrá un impacto importante en su manera de administrar. Las organizaciones que se encuentran en reducción ofrecen retos y oportunidades diferentes de las que están en crecimiento.
- Es sencillo, la administración directa consigue resultados más rápido y mejores.

Capítulo 3

Observe el escenario completo

En este capítulo

- Cómo encuadra su organización en el escenario
- Cuatro tendencias que afectan a todas las organizaciones
- Un vistazo al ciclo de vida básico de un negocio

En medio de la neblina de las complejidades que representa administrar un negocio, es fácil olvidar que el mundo, en toda su extensión, será *su* negocio. Y, sin embargo, lo que ocurre fuera de la oficina tiene un efecto directo y moldeador sobre lo que pasa adentro. Usted necesita conocer las fuerzas y los eventos que afectan a su organización y estar preparado para responder de la mejor manera posible.

Si se está en el mercado adecuado es fácil ser un genio. La mayoría de las organizaciones se expanden a un mercado creciente. El gerente que esté a cargo será bien visto. Desafortunadamente para él (o para ella), cuando el mercado cambia, las perspectivas también lo hacen. El mismo gerente puede dejar de ser considerado un genio y empezar a ser apreciado como una persona normal.

Este capítulo le ayudará a entender y anticipar algunas de las fuerzas externas a su organización y que pueden ser determinantes en ésta.

El gran escenario

Las organizaciones no son islas, se parecen más a botes en corriente. ¿La corriente de qué? De las fuerzas sociales, políticas y económicas, para mencionar sólo algunos ejemplos. Las tasas de interés. La economía mundial. La recesión. El crecimiento. La política gubernamental. ¿Me comprende? No importa cuán experto sea, no puede salirse del gran escenario.

Su plan interno es importante, pero asegúrese de considerar lo que está ocurriendo global y económicamente, y en su industria en particular. El mundo tiene un efecto mayor sobre usted del que alguna vez usted podrá tener en el mundo. Lea. Estudie. Analice. Aprenda.

La mayoría de las tendencias están dirigidas por los eventos sociológicos y los cambios demográficos. Esto explica por qué a veces es mejor tener suerte que ser inteligente, esté prevenido para cuando la suerte esté en su camino.

Últimas noticias

La generación de los "baby boomers", conformada por aquellos que nacieron entre 1945 y 1960, es el grupo demográfico más grande que existe. Conforme este grupo envejece, las oportunidades siguen relacionándose con ellos. Van apareciendo tintes para el cabello, aparatos para el oído, productos para la salud y comunidades de retiro, etc. El segundo grupo más grande es el de los hijos de los baby boomers, conocido como el "Echo Boomers".

Una historia de éxito

Rompetensiones

A principios de este siglo, el negocio de los carruajes empezó a declinar. El problema no fue causado por errores de diseño, de precio o por una mala administración; simplemente la sociedad estaba cambiando los caballos por los automóviles. Las compañías que fueron tomadas por sorpresa no sobrevivieron. Esté al pendiente: la tecnología crea nuevos negocios como éste cada año.

Lo que sigue es la historia de una compañía que mantuvo una gran tendencia hacia el verdadero bienestar.

Una compañía noruega, RGI, se encontraba en la industria de la pesca, donde abundaban los problemas. Cuando la pesca era buena, todo el mundo pescaba algo. El mercado se inundaba y los precios bajaban. Cuando la pesca era poca, los precios subían, pero no había suficiente pescado para vender. Además de todo eso, algunas áreas de pesca se habían explotado tanto que ya no quedaba nada que pescar.

Muchos pescadores caían en bancarrota y vendían sus botes.

Entonces RGI empezó a comprar los botes a precios muy bajos, los adecuaba y los convertía en los mejores botes para pescar del mundo. ¿Suena ilógico, verdad? ¿Por qué buenos botes en un mercado deprimido? Continúe leyendo.

Los botes que RGI acondicionaba podían viajar a cualquier lugar donde la pesca fuera buena. Estaban equipados con lo último en refrigeración, de esta manera la pesca nunca se echaría a perder. Eso significaba que los pescadores podían viajar más lejos; pero lo más importante era que podían llevar el pescado a cualquier mercado del mundo, a donde los precios fueran más altos.

RGI no tuvo que controlar la tendencia para obtener una ganancia. Los propietarios de la compañía ahora viajan a todo el mundo en aviones a reacción.

Muchas tendencias son intuitivamente obvias

A veces hay demasiada información. Esto se debe a que ayuda a mantener los ojos abiertos. Déjeme darle un ejemplo personal.

Trabajo en la industria de los viajes. De hecho, soy el fundador de The North Face Company. Hace unos años, en una excursión noté que por primera vez, que cerca de la mitad de mis compañeros eran mujeres.

Esto me puso a pensar. Algo estaba definitivamente mal. No sólo en mi negocio, sino en toda la industria del excursionismo, tanto en manufactura como en venta al menudeo, se vendía a mujeres menos del 33% de los productos. Obviamente estábamos perdiendo un mercado.

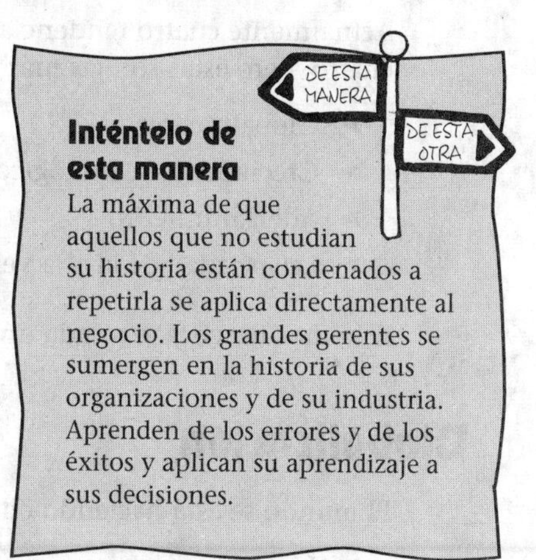

Inténtelo de esta manera

La máxima de que aquellos que no estudian su historia están condenados a repetirla se aplica directamente al negocio. Los grandes gerentes se sumergen en la historia de sus organizaciones y de su industria. Aprenden de los errores y de los éxitos y aplican su aprendizaje a sus decisiones.

¿Por qué? Empecé a hacer preguntas a las mujeres que conocí en mis excursiones de tipo aventura. Sus respuestas fueron intrigantes y un poco vergonzosas.

Ellas me dijeron que la ropa que se fabricaba y se vendía en mi industria no les quedaba muy bien a las mujeres y que tampoco se veía bien; que sólo ofrecíamos un estilo unisex que no a todas las mujeres les gustaba. Además, aseguraron que nuestras tiendas tenían una orientación a lo machista, hacia la testosterona, que eran locales atendidos por vendedores hombres. Además, dijeron que habíamos creado una atmósfera elitista donde a las mujeres se les trataba con condescendencia. ¡Augh!

Entre la neblina de mi vergüenza, divisé una oportunidad en mi error. Me dirigí a una compañía pequeña llamada Wild Roses, la cual diseñaba ropa para excursionistas, especialmente para mujeres. Les pregunté si les gustaría tener un inversionista y se emocionaron.

Yo también estaba emocionado. Invertí y les ayudé a promover su producto. La compañía era dirigida por mujeres, tenía diseñadoras y vendedoras, además de que fabricaban ropa especialmente para mujeres. Esta compañía encontró un nicho al que ninguna compañía, incluida la mía, se dirigía.

DE ESTA MANERA
DE ESTA OTRA

Inténtelo de esta manera

Aproveche los cambios sociológicos. Más y más familias tienen dos salarios hoy en día, debido a la necesidad. El tiempo se ha vuelto un artículo de necesidad. Los servicios de compra, la comida para llevar y otros servicios actualmente están entre las mejores oportunidades.

El éxito de Wild Roses ha sido fenomenal.

Pude haber puesto mi concentración en mis números, en reducir gastos e incrementar los márgenes de venta. Pero estoy feliz de no haberlo hecho.

Cuando usted mira todo el escenario, usualmente es bastante claro. Aproveche su ventaja. Observe las tendencias económicas, de desempleo, regionales y sueñe. Sea creativo.

Las cuatro tendencias

Actualmente cuatro tendencias están moldeando la forma del mundo. Está bien, hay más de cuatro, pero éstas son las más grandes:

- Globalización
- Crecimiento tecnológico
- Adelgazamiento
- La sociedad de la alta velocidad

Echemos un vistazo a cada una de estas tendencias con más detalle.

Globalización

El mundo se está haciendo chico. Considere lo siguiente:

- Los sistemas de comunicación se han vuelto mucho muy eficientes. Cada vez es más rápido y más barato viajar. La cultura popular estadounidense poco a poco se está convirtiendo en la cultura popular del mundo.
- Los avances en la comunicación y en los viajes significan que las compañías pueden mudar a su personal y llevar su producción a cualquier parte del mundo, donde se encuentren los mercados más eficientes. Esto significa que aun las compañías más pequeñas enfrentan ahora la competencia global.
- Los productos y servicios pueden ser transportados eficientemente casi a cualquier mercado. Los gustos se están volviendo menos regionales. Basta ver la proliferación de las comidas étnicas en los restaurantes y en las tiendas de abarrotes.
- Las marcas como Levi y Nike prevalecen tanto fuera como dentro de Estados Unidos.

No se asuste. Mire la globalización como una oportunidad. La clave es leer y mantenerse en contacto con el mercado global. No tiene que ser tan bueno como para vencer a todos, sólo a su competencia. Si entiende el aspecto global de su industria, tendrá una mejor oportunidad de tener éxito.

Una vieja historia ejemplifica bien lo anterior. Dos hombres acampaban en un pastizal cuando de repente apareció un enorme oso grizzly. Uno de ellos se levantó y corrió; el otro se puso sus zapatos de carreras.

"¿Por qué haces eso?", gritó el primero. "A ese paso no podrás correr más rápido que el oso."

"No necesito correr más rápido que el oso, sólo tengo que correr más rápido que tú", contestó el compañero.

Una cosa más acerca de la globalización. El mundo se ha dividido en tres grupos de comercio distintos: la Unión Europea, el Tratado de Libre Comercio de Norteamérica (TLC) y el Lejano Oriente (principalmente Japón).

Los acuerdos como el TLC y el Mercado Común, estimulan el comercio dentro de cada región pero trabajan para excluir o desalentar el comercio entre regiones. Esto no necesariamente reduce las oportunidades, pero hace que el negocio internacional sea extremadamente complicado. Cuando tenga duda, busque el consejo de un experto.

Crecimiento tecnológico

¿Recuerda cuando nadie conocía la Internet?

Ahora la gente dice que es la mejor oportunidad que se ha tenido en décadas. Ya sea que esto resulte cierto o falso sin duda se trata de una gran oportunidad ahora. El futuro es incierto para todos.

El avance de la tecnología ya está cambiando la sociedad en forma profunda. Aun la tasa de cambio está incrementándose de manera drástica. En el capítulo 1, señalé que en los siguientes cinco años se habrá de inventar más tecnología que lo que hemos visto en las últimas dos décadas. Deténgase y piense acerca de los avances en los últimos 20 años, luego trate de imaginar cómo serán los siguientes cinco años, en caso de que estas predicciones sean ciertas. Las oportunidades para algunas compañías serán increíbles. Otras caerán en el camino.

Ésta no es una buena época para ser tímido. Aprenda a usar la Internet en su beneficio o contrate a alguien que sepa. La tecnología está nivelando el campo de juego, obligando a las grandes compañías a pensar y actuar como empresas pequeñas a fin de seguir siendo competitivas.

Pero las grandes compañías todavía tienen algunas ventajas, el dinero no es la menor. No espere a que la tecnología se ponga a prueba. Hoy en día, las compañías que tienen los recursos para mantenerse a la cabeza de la curva actúan con inteligencia y crean la mayor parte de la tecnología.

Sin embargo, permita que el comprador esté consciente. Un problema con el rápido avance tecnológico es que las reglas de contabilidad y las leyes fiscales no siempre se actualizan con la misma velocidad. En Estados Unidos, por ejemplo, tal como aquéllas están escritas, fuerzan a depreciar las inversiones en hardware durante un periodo más largo que el tiempo real de vida útil de los productos. La única opción es cancelar una gran suma al deshacerse de la tecnología vieja y adquirir nuevos productos. Es frustrante, pero no permita que esto le impida invertir en productos más actualizados.

Rompetensiones

Cuando se trata de tecnología, usted no quiere quedarse atrás, pero tampoco quiere ser conejillo de indias de los nuevos productos. A mí me gustaría estar en la cola de la cabeza directriz.

Haga un análisis de retorno sobre las compras. Resuelva cuánto le tomará recuperar su inversión, incluyendo el extra, luego compárelo con su situación actual. Esto debería facilitar la decisión.

Una última observación acerca del software. ¿Necesita su compañía un sistema diseñado de acuerdo con sus necesidades? Pudiera ser que sí. Antes de invertir vea lo que está disponible en los anaqueles. Mucho de esto es más adecuado para la mayoría de las compañías y, sorprendentemente, es más adaptable a sus necesidades específicas.

Adelgazamiento

> **En pocas palabras...**
> En una *alianza estratégica* entre dos organizaciones, una utiliza los servicios de la otra en un área específica —contabilidad, por ejemplo— para desarrollar tareas que solían hacerse en la organización.

Reducir costos, incrementar las utilidades. Esto es el adelgazamiento dentro de una cáscara de nuez. Muchas organizaciones están reduciendo la nómina para incrementar las ganancias. ¿Quién debe manejar los efectos de estas decisiones? Los gerentes, por supuesto. Usted puede verse en la necesidad de tomar estas decisiones.

Mientras tanto, la política de despedir empleados está obligando a muchas organizaciones a formar *alianzas estratégicas* para aumentar su personal interno.

El tiempo de respuesta de una organización se incrementa gracias a estas alianzas, pero el sentimiento de control disminuye.

La sociedad de la alta velocidad

Todos los negocios se han creado en las décadas pasadas sobre el concepto de la velocidad. La comida de elaboración y servicio rápidos y las entregas de mensajería en un día son sólo dos ejemplos. Aun si su organización no pertenece a estos sectores impulsados por la velocidad, probablemente necesite acelerar su ritmo.

Aquel que vacila es eliminado. Como gerente, tendrá que tomar decisiones en muy poco tiempo con poca información. Esta aceleración desenfrenada puede provocar un poco de aprehensión en un gerente. La indisposición es común, pero nada puede ser peor. Los lobos no se sentarán a esperar su cena.

El ciclo de vida

Todas las industrias siguen el mismo patrón básico de crecimiento y maduración. Este ciclo está ilustrado por la curva de la gráfica de la página siguiente.

Típicamente las industrias empiezan con lentitud y con un crecimiento limitado. En un momento dado comienzan a crecer rápidamente hasta que alcanzan la madurez con un crecimiento lento. ¿En qué parte del ciclo se encuentra su negocio? Si tiene números sobre la industria (la mayoría de nosotros no cuenta con éstos), es fácil calcular. De lo contrario le recomiendo que los investigue. Las revistas sobre la industria, los informes anuales y las bibliotecas son todos recursos útiles.

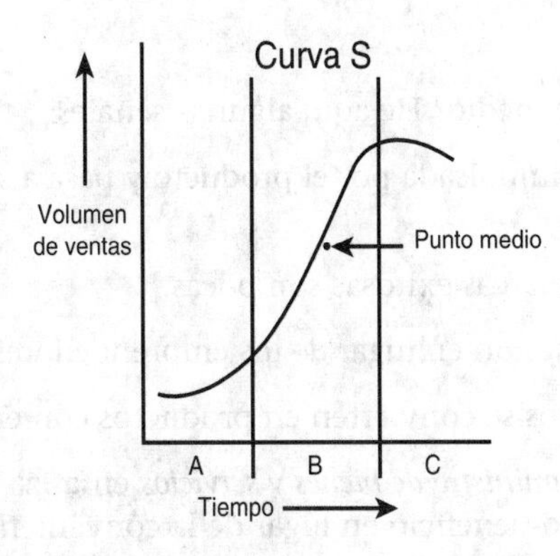

El ciclo de vida típico de un producto.

¿En qué parte del ciclo se encuentra?

Piense en qué etapa está su negocio:

- *Etapa A: Impulsado por el producto.* La competencia no es muy dura; es probable que la demanda sea mayor que la oferta. Las energías de la compañía se dirigen hacia un consumidor con un conocimiento cada vez mayor del producto o de la compañía. En la etapa A, típicamente las compañías son pequeñas y sencillas de dirigir.
- *Etapa B: Crecimiento.* El crecimiento es propiciado por algún evento externo que ocasiona que las ventas se eleven. Ésta es una etapa muy emocionante para las compañías. Un buen producto deja de ser el único requisito para la supervivencia; la administración efectiva y la toma de decisiones se vuelven cruciales conforme los decisores se multiplican y el ritmo de las operaciones se incrementa.
- *Etapa C: Madurez.* El crecimiento de las ventas se desacelera. La producción supera la demanda y el consumidor dirige el mercado. Debido al alto nivel de competencia, la eficiencia en los costos adquiere un carácter imperativo. Ésta es la etapa en la cual las industrias se consolidan. Algunas compañías son adquiridas; otras cierran. Es emocionante para las sobrevivientes, pero traumático para las otras.

Saber en qué parte de la curva se encuentra su compañía le da varias ventajas. Sabrá en qué enfocarse, será capaz de hacer predicciones razonables acerca de a dónde se dirige su compañía y podrá dar algún sentido a la información contradictoria que provenga de su industria.

Observe nuevamente la curva. ¿Vio el punto marcado como punto medio? Éste es el punto donde empieza a disminuir el crecimiento. La compañía (o industria) está creciendo todavía, pero a una tasa desacelerada.

El punto medio en la curva S

¿Cómo sabe si su negocio ya llegó al punto medio? He aquí algunas señales:

- El mercado deja de ser una industria impulsada por el producto y pasa a ser una impulsada por el cliente.
- Los productos son muchos, pero las marcas exitosas son pocas.
- Los gerentes profesionales toman posesión en lugar de los emprendedores.
- Los productos altamente especializados se convierten en productos comerciales.
- El *suministro de bienes y servicios* enfatiza la relación costo-beneficio en lugar de la conveniencia.
- La industria presiona los cambios de historias de éxitos por historias acerca de adquisiciones y fracasos. Existe un cambio sutil pero notable de lo optimista a lo pesimista.

En pocas palabras...
El *suministro* o abastecimiento es la obtención de bienes o servicios para facilitar la dirección del negocio. Un ejemplo es comprar productos o componentes de productos para la reventa.

Todos los negocios siguen este patrón. Las únicas variaciones están en el volumen de ventas y en el tiempo en que un negocio completa su ciclo. Mientras más tecnológico sea el cambio, más lenta será la evolución. El cambio de comida fresca a comida congelada fue lento y deliberado; el cambio de los palos de golf de madera a los de metal y luego a los de titanio fue exactamente lo contrario.

Conozca a su competencia

¿Qué está haciendo la competencia? A propósito, ¿quiénes son sus competidores? Dése tiempo para identificarlos y para analizar sus fortalezas y debilidades. De esta forma puede llegar a determinar las oportunidades que podría aprovechar o las formas en las cuales su negocio podría mejorar. También es posible que se anticipe a las estrategias de sus competidores y posicione su negocio de acuerdo con la situación. Mientras más sepa, mejor administrará. Hasta la información acerca de anécdotas ayuda.

Claro, hay un riego en realizar un análisis exhaustivo de la competencia. Puede llevar a la parálisis, o peor aún, a hacer que se copie la estrategia del competidor. Pero también le puede ayudar a evitar las colisiones de frente e improductivas con su competencia.

Cuando dirigía The North Face, la compañía de excursiones, observé que uno de nuestros competidores utilizaba el análisis de la competencia con extremada eficacia. Columbia quería expanderse en la industria, pero la competencia era formidable, no sólo mi compañía, sino también Patagonia, Helly Hansen, Moonstone, Marmot, Woolrich y otros. Todos nos enfocábamos en un nicho estrecho del mercado, con altos precios y ropa deportiva altamente funcional.

En lugar de tratar de competir con todos nosotros, Columbia tomó un camino diferente. Primero realizó un análisis matricial de mercado. Este análisis es una simple técnica gráfica que representa las posiciones de varios competidores. La figura siguiente muestra la gráfica que Columbia utilizó para descubrir su nicho en la industria. Sólo cambie las etiquetas de los ejes de las *x* y las *y* para acomodarlos a sus necesidades.

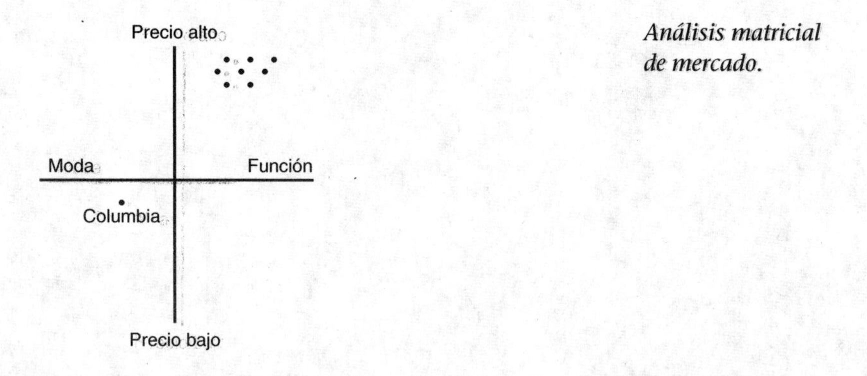

Análisis matricial de mercado.

Columbia notó una saturación de la competencia en el cuadrante funcional de altos precios (el cuadro superior de la derecha, donde se concentran los puntos).

Para diferenciarse, Columbia decidió ofrecer equipos más de moda a precios más bajos. Su "Bugaboo", una chamarra con mangas desprendibles, tenía un precio por debajo de los $100, entre 50 y 100% menos que el producto equivalente de la competencia.

Habiendo escogido este cuadrante, Columbia inteligentemente permitió que éste dictara toda la operación, desde el suministro de bienes y servicios hasta el margen de las ventas para financiarlo. En 25 años, Columbia ha crecido de cero a $300 millones en ventas. ¡No está mal!

Lo mínimo que necesita saber

- Ninguna compañía existe en el vacío. No puede controlar las fuerzas económicas y sociales para ajustarlas a su compañía, pero puede beneficiarse de ellas si pone atención y permanece flexible.
- Observe las cuatro grandes tendencias: la globalización, los avances tecnológicos, el adelgazamiento y la sociedad de alta velocidad.
- El crecimiento organizacional sigue una curva en forma de S para el crecimiento inicial, el crecimiento acelerado y el crecimiento lento (madurez).
- Estudiar a su competencia puede indicarle dónde están las oportunidades.

Capítulo 4

Controle todos los aspectos de su trabajo

En este capítulo

- Lo que necesita un gerente para sobrevivir
- Formas de manejar el estar ocupado
- Métodos para la toma de decisiones

Cualquier trabajo es abrumador cuando empieza. Hay mucho que aprender y muy poco tiempo para hacerlo. Esto es especialmente cierto para los gerentes.

Ésta es la razón de que uno de los aspectos más difíciles de aprender y más importantes de su trabajo es cómo distribuir eficazmente su tiempo. Es su única defensa en contra del correr del reloj. Distribuir significa tomar decisiones inteligentes. A veces todo parecerá ser urgente, pero un buen gerente sabe que pasar todo el día apagando fuegos sólo garantiza que habrá más fuegos al siguiente día. Al mismo tiempo, no debe perder la pista de lo más importante por resolver lo urgente. Recuerde, usted es un gerente porque alguien piensa que usted tiene la visión. Pruébele a esa persona que está en lo correcto y tendrá éxito.

Este capítulo trata del aprendizaje para tomar el control del trabajo. Le dice qué necesita para sobrevivir y cómo puede capacitarse para tomar decisiones inteligentes. Por supuesto que es abrumador, pero no se asuste. Sólo continúe leyendo.

Tres herramientas para la supervivencia

Cuando usted es el gerente, tiene que ponerse a prueba muchas veces; en ocasiones serán otros quienes lo pongan a prueba y en otras será usted mismo. Puede darse por vencido o sobrevivir, yo prefiero la supervivencia. ¿Pero por dónde va a comenzar? ¿Cómo puede involucrarse por completo con el trabajo de gerente y tomar el control?

Mi consejo es comenzar con una autoevaluación honesta. ¿Tiene las tres cualidades esenciales para ser un buen gerente?

- Visión
- Seguridad en uno mismo
- Automotivación

A continuación presento mi percepción de estas cualidades. ¿Está de acuerdo conmigo?

Visión

La gente no sigue a la gente, sigue las visiones. Como gerente tiene la tarea de articular su visión de la compañía, de sus empleados y de usted mismo. La visión proviene primero del conocimiento de usted mismo, luego del conocimiento de su organización y de la industria. No me cansaré de decir que *usted fue contratado por una razón*. Alguien, en algún lugar, cree en su habilidad para tomar decisiones y articular una clara visión. Si usted no tiene una visión, le será difícil administrar. Sus empleados esperan que tenga una visión, ¿visión? Sí, una imagen de un futuro mejor. ¿Cómo se vería?

Probablemente desde hace tiempo ha estado estudiando la organización y el mercado y ha desarrollado una perspectiva basada en el conocimiento. Si no lo ha hecho, ésta es su primera prioridad. Primero entienda qué está pasando; luego piense hacia dónde se dirige todo.

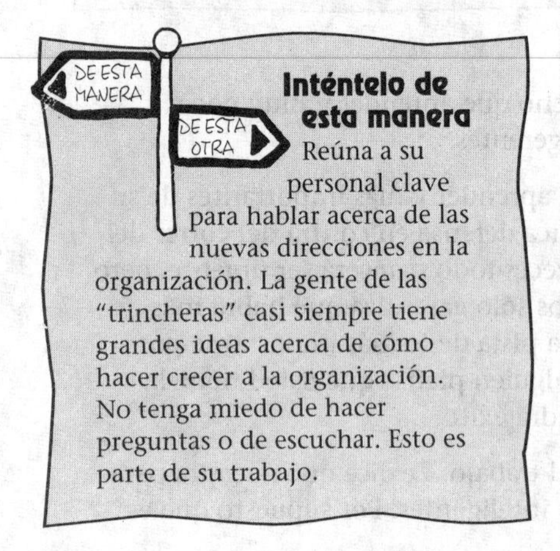

Inténtelo de esta manera
Reúna a su personal clave para hablar acerca de las nuevas direcciones en la organización. La gente de las "trincheras" casi siempre tiene grandes ideas acerca de cómo hacer crecer a la organización. No tenga miedo de hacer preguntas o de escuchar. Esto es parte de su trabajo.

Eso es la visión. La visión consiste en definir hacia dónde se dirige la organización y cómo debe ser dirigida. Es su concepto de cómo mejorar la organización, con base en su investigación acerca de la historia de ésta.

Cuando fundé The North Face, mi organización se basaba en la visión de una sociedad en cambio. Era la época de la guerra de Vietnam y la gente cambiaba sus estilos de vida. Se mudaban de las ciudades a las áreas suburbanas, viajaban más y buscaban inspiración.

Abrir The North Face, que fabricaba bolsas de dormir, mochilas, tiendas y ropa funcional, permitió a la gente convivir a gusto con la naturaleza. Fue la respuesta adecuada a las necesidades y cambios que vimos en la sociedad. También fue el núcleo de nuestros planes para el futuro.

Como gerente, su visión de cómo debe ser dirigida la organización deberá ser su contribución distintiva. No hay un estilo que garantice el éxito. Por el contrario, he visto muchos estilos que han tenido éxito. La única fórmula garantizada es la siguiente: Siga sus sentimientos. Es la única manera de tener éxito.

Éstos son tres estilos comunes de administrar:

- ➤ *Delegar.* "Necesitamos que se hagan las cosas, así que quiero que usted realice esto, usted esto otro y ustedes dos efectúen esto."
- ➤ *Dictar.* "¡Hazlo ahora mismo! ¡hazlo o estás despedido!"
- ➤ *Hacer consenso.* "Así que, ¿esto es lo que todo mundo piensa? ¿Cuántos están en favor? Bien, Mark, dime por qué. Jane, ¿qué piensas acerca de esto?"

¿Qué clase de gerente es usted? Yo delego. Ése es el estilo que me funciona, y estoy diciendo que *a mí* me funciona.

Usted no es yo. Usted es usted. Es la persona en la que usted tiene que confiar. No me crea a mí o a mi estilo. Usted solamente puede confiar en usted.

Cuando haya pasado un tiempo como gerente, empezará a notar que la gente que trabaja para usted ha escogido hacerlo. Aquellos a quienes no les guste su estilo saldrán huyendo. Y está bien. Usted está formando un equipo.

Seguridad en uno mismo

Usted no siempre tiene que estar en lo cierto. Acéptelo y continúe. La seguridad en uno mismo es la habilidad de tomar decisiones tanto equivocadas como correctas y saber que está bien. Oiga, todo el mundo toma malas decisiones. Que no le dé miedo. "Con frecuencia equivocado, pero nunca en duda" es una descripción que queda bien en mi caso. Funciona para mí. Funciona para todo gerente exitoso.

Como gerente, usted tiene que tomar decisiones que cuestionarán muchas personas. Bien. Bien por ellos, bien por usted. No va a obtener un acuerdo absoluto muy a menudo. Cuando eso pase, compre un boleto de lotería, pues ese será su día de suerte.

El punto es que usted no es la única persona con respuestas. Un buen gerente es un buen escucha. ¿Por qué? Porque las buenas decisiones dependen de los insumos. Cuando las cosas no suceden del modo que usted esperaba, resuélvalas y continúe. Crea en usted mismo y los demás harán lo mismo.

Un amigo mío tuvo una compañía de electrónica basada en algunas patentes exclusivas. Cuando su socio se fue después de una pelea, se enfrentó con la posibilidad de una batalla larga y costosa por esas patentes, así como con retrasos potenciales.

No dejó de pensar ni un minuto. Contrató una excavadora, cavó un hoyo en el patio trasero de su negocio y enterró todos los productos. No tenía idea de qué clase de productos produciría a continuación, pero él sabía que no podía y no debía mirar hacia atrás. Supo que la energía que invirtiera en mirar hacia delante le traería mejores resultados. Y así lo hizo. Ahora es un millonario gracias a ese negocio, un negocio basado casi por completo en la confianza en sí mismo.

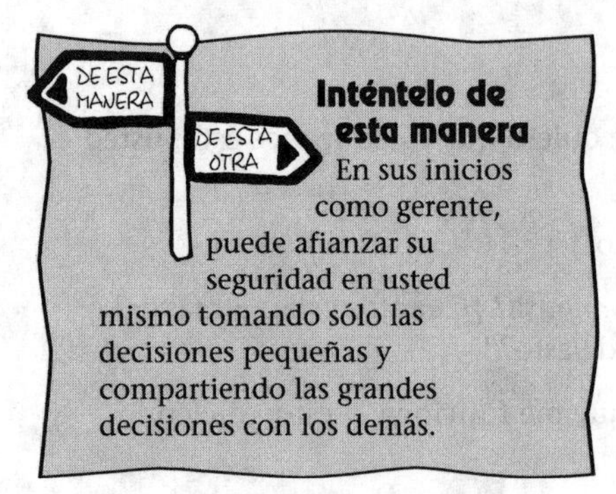

Inténtelo de esta manera
En sus inicios como gerente, puede afianzar su seguridad en usted mismo tomando sólo las decisiones pequeñas y compartiendo las grandes decisiones con los demás.

La seguridad se obtiene de la información, entre otras cosas. Si usted sabe de qué está hablando, se sentirá más fuerte al tomar una decisión. Trate de seguir estos pasos para fomentar la seguridad:

1. Defina el problema o la oportunidad.
2. Investigue las causas y las soluciones.
3. Formule los hechos.
4. Ordene, por importancia, las opciones basadas en aquello que es mejor para la compañía.
5. Tome una decisión.

Automotivación

Rompetensiones
Si usted no hace que las cosas ocurran, nadie lo hará. Absténgase de realizar cualquier acción y nada pasará. Haga algo y algo sucederá. Hágalo lo suficientemente rápido para que siempre tenga tiempo de hacer las cosas todavía mejor.

Inspírese e inspire a otros. Cuente con ello.

¿Está motivado? ¿Se siente deseoso de enfrentar el reto que representa su trabajo? Si no, pudiera ser el momento para una buena evaluación. Probablemente usted en realidad no quiere el trabajo. Transmitirá ese sentimiento a los demás. ¿Es tiempo de hacer un cambio? Admítalo, hay muchos trabajos ahí afuera esperando a alguien como usted, alguien que ame su trabajo.

Pruebe su automotivación mediante la contestación de estas preguntas:

1. ¿Le gusta ir al trabajo cada mañana?
2. ¿Se siente frustrado por las ineficiencias en su organización?
3. ¿Le gustaría gritar cuando pierde frente a otra organización?
4. ¿Busca constantemente cambiar y mejorar las cosas?

Si contestó sí a todas estas preguntas, tiene una motivación gerencial adecuada. Enfóquese en esos atributos y hágase dueño del mundo.

Si su carencia motivacional es de corto plazo, descubra la causa y corríjala. Como gerente, su trabajo es mantener un alto nivel de motivación en su personal y eso sólo es posible si usted tiene y suda ese nivel de motivación. Esto también es cuestión de sentido común.

¿Adivine qué? Va a estar ocupado

Nunca hay tiempo suficiente. Todo gerente lo sabe. Algunos se levantan a las 4:00 a.m. y aun así no tienen el suficiente tiempo para hacer cosas. No importa lo que hagan, sienten que se están quedando atrás. Así que se quedan en la oficina hasta muy tarde y tratan de trabajar más rápido. ¡Ayuda! ¡Tensión!

Hay una mejor forma. Se relaciona con la forma en que divida su tiempo. No puede hacer todo, así que empiece con lo más importante y luego haga lo siguiente más importante. *Establezca la prioridad* en sus tareas.

Haga una lista de todo lo que tiene que hacer y luego establezca la prioridad de los conceptos de la lista: 1, 2, 3... Enfóquese en lo más importante; de ser posible asigne las tareas de menor importancia a los demás. Algunas cosas simplemente quedarán pendientes.

En pocas palabras...
Establecer la prioridad entre sus tareas es clasificarlas de la más importante a la menos importante y después enfocarse en las que aparecen al principio de la lista.

Simplificar, empezando con los comités

La complejidad es la némesis de la administración eficiente. Las cosas complejas toman tiempo, su posesión más preciada. Dos de los más comunes consumidores de tiempo en los negocios son los informes y los comités. Algunos son necesarios pero he encontrado que muchos no lo son. Podemos ahorrar mucho tiempo al eliminar estos últimos.

Piense en los comités. Un grupo de personas se reúne y trata de que la contribución de cada una se contraponga con la de las demás. Es una linda idea en teoría, pero en la práctica lleva a menudo a un caos de compromisos.

Con los comités, es difícil lograr la simplicidad. Además de que toma mucho tiempo tomar las decisiones, éstas tienden a estar basadas en factores irrelevantes: amistad, complacencia con los compañeros (para que sea fácil trabajar con ellos), personalidades individuales y así sucesivamente. Las decisiones deberían estar basadas en resultados.

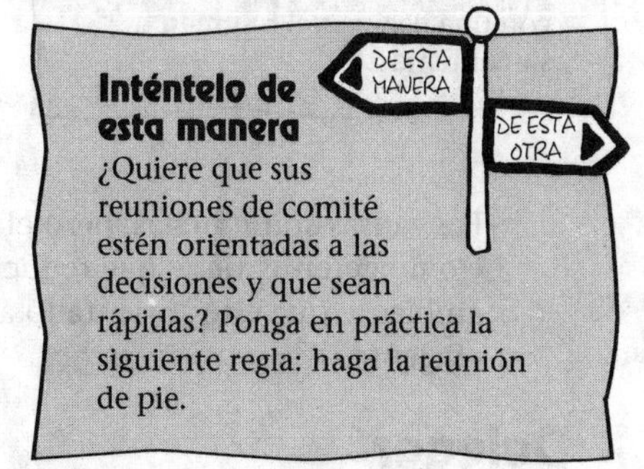

Inténtelo de esta manera
¿Quiere que sus reuniones de comité estén orientadas a las decisiones y que sean rápidas? Ponga en práctica la siguiente regla: haga la reunión de pie.

La dinámica del comité usualmente se enfoca en el consenso, sin importar si el consenso favorece o no la mejor solución. El consenso es bueno, pero no cuando se logra *a expensas de* los resultados.

"Busque en los parques de todas las ciudades" —alguien dijo una vez— "y no encontrará estatuas de comités". Es un punto interesante. Los comités son de gran ayuda cuando se trata de compartir información y establecer una discusión de dos vías, pero no necesariamente favorecen un liderazgo fuerte.

Últimas noticias

Hace unos años, el museo de arte moderno casi emprende un estudio con valor de $100,000, pues se deseaba determinar qué áreas del museo eran las más populares. El comité que lo propuso pensó que era una buena idea, pero en el último minuto, un miembro pensó otra cosa. El comité logró su meta preguntando a los mozos dónde limpiaban más.

Rompetensiones

Generalmente la ecuación que funciona mejor es aquélla en donde una parte es análisis y las otras tres son acción.

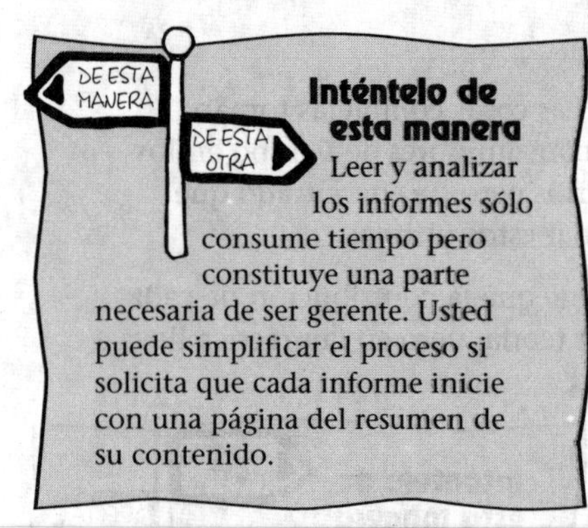

Inténtelo de esta manera

Leer y analizar los informes sólo consume tiempo pero constituye una parte necesaria de ser gerente. Usted puede simplificar el proceso si solicita que cada informe inicie con una página del resumen de su contenido.

Reducir la ineficiencia del comité es sólo una forma de simplificar. En el siguiente capítulo hablaré de otras formas, incluyendo los organigramas, los sistemas de retroalimentación y los reportes financieros. También es posible simplificar su sistema de teléfonos, pero necesitará hablar con la compañía telefónica.

Los informes pueden ser benéficos o confusos, pero demasiados informes siempre son abrumadores. Sin embargo, analizar por qué se producen tantos informes puede ser educativo y placentero.

- ¿Es porque su equipo teme las confrontaciones cara a cara?
- ¿Es porque la gente quiere algo en papel para cubrir su espalda?
- ¿Es porque su equipo es más académico y no está tan orientado a los resultados?
- ¿Es porque su gente es más literal que verbal?

Las causas son muchas, pero el resultado de muchos informes es siempre el mismo: parálisis. Como gerente, tiene que reducir los reportes excesivos y las razones de ellos. Necesita crear un ambiente que esté "orientado a los resultados" y que conduzca a una toma de decisiones eficiente.

Delegar

Hacer que otras personas hagan las cosas es el papel de un gerente. Eso es delegar, asignar a alguien más el trabajo que hay en su escritorio.

Por supuesto, hay mucho más cosas involucradas. He dividido el proceso de delegación en tres pasos:

1. Asignar tareas específicas con programas de tiempo específicos.
2. Si asigna una tarea a un equipo, designe también a un líder.
3. Asegúrese que todos entiendan el objetivo, cuánto trabajo implica éste, cómo se medirán los resultados y cuál es la meta final.

Nunca olvide que, aunque transfiere responsabilidad, toda la responsabilidad realmente recae sobre sus hombros.

Administre por excepción

Una forma de mantener identificadas sus áreas de responsabilidad es establecer estándares y luego medir el desempeño en comparación con éstos. Si se cumple un estándar dentro de un rango que considera razonable, grandioso. Puede dejar esa función por sí sola. Una desviación significativa, sin embargo, por encima o por abajo del estándar merece su atención.

La administración por excepción significa poner sólo la suficiente atención a las variaciones positivas y negativas. Por ejemplo, si las ventas sobrepasan el presupuesto, podría quedarse sin inventario. Si las ventas están por abajo del presupuesto, sabrá que las utilidades también estarán por debajo del estándar.

Decidir para tomar una decisión

Así que es un decisor. ¿Sabe cómo tomar decisiones? ¿Cómo va a aprender a hacerlo con eficacia? ¡Rápido, decida!

¿Qué clase de equipo quiere? ¿Cómo planea dirigir? Éstas no son preguntas fáciles. A veces abordará estas interrogantes con pluma y lápiz; a veces en un cuarto silencioso o con el ejercicio vigoroso, otras más con un confidente confiable. Pero al final, la decisión será suya.

Para hacer bien esta encomienda, tiene que conocerse muy bien. Las grandes cosas cuentan pero las pequeñas lo atraparán. Tiene que tomar decisiones todo el día, todos los días, en un estilo mesurado y racional. Lo que menos quisiera sería volver a revisar todas las decisiones pasadas.

Pero tampoco desearía desaprovechar una oportunidad.

Rompetensiones

Cuando se trata de tomar decisiones, la perfección es igual a la parálisis. Usted no tiene tiempo de realizar una investigación y un análisis exhaustivos cada vez que va a tomar una decisión. A veces sólo tiene que aprovechar la oportunidad. Después de todo, mientras usted analiza, puede ser que sus competidores *actúen*. Correr un riesgo es preferible a hacer nada.

Si cree que le será difícil sentirse a gusto con la toma de decisiones, no se asuste. Pruebe mi método de tres pasos a prueba de tontos:

1. *Establezca metas claras.* ¿Qué trata de lograr? Escríbalo de la manera más completa que pueda. Mientras más detalladamente defina su meta, más fácil será tomar decisiones que la apoyen.

2. *Investigue*. Pregunte, observe y lea. Recopile números, si es que están disponibles. Obtenga información.
3. *Exponga los hechos*. Eso significa organizar la investigación para que sea más fácil analizar y actuar.

Finalmente, confíe en su intelecto y en sus instintos. Formule opciones. Éste es el momento en que probará que usted vale.

La disciplina del análisis de decisión

La toma de decisiones tiene un aspecto matemático. Una técnica que he aplicado con gran éxito es una disciplina que se enseña ampliamente y que se llama análisis de decisiones. Ello implica analizar alternativas y asignar un valor a cada una de ellas. El análisis de decisiones ayuda a elegir opciones lógicas basadas en la probabilidad de un evento dado.

Considere el siguiente ejemplo. Digamos que un gerente trata de resolver cómo distribuir el tiempo de su personal de ventas. Existen tres tipos de cuentas: las de los compradores grandes, quienes requieren pocas órdenes pero generan $100,000 en ganancias cuando compran; las de los compradores medianos que solicitan más órdenes que los anteriores pero que en promedio sólo producen $50,000 en ganancias; y por último, las de los compradores pequeños que piden todavía más órdenes pero que generan apenas $25,000. Hasta aquí todo va bien.

Ahora asuma que los competidores están tratando de conquistar a los compradores grandes. Con base en la experiencia con este mercado y en el sentido común, tal gerente tiene una oportunidad de éxito de 10% con ese mercado.

Los compradores medianos no son tan asediados por los competidores. Así, pues, con base en su experiencia con este grupo asume que tiene 25% de posibilidades de éxito en este segmento.

Con esta información se construye la siguiente ecuación:

Canal de ventas	Resultado	Probabilidad	Valor esperado
	(a)	(b)	(a) × (b) = (c)
Compradores grandes	$100,000	10 %	$10,000
Compradores medianos	$50,000	25 %	$12,500
Compradores pequeños	$25,000	80 %	$20,000

La solución resulta obvia ahora: Deberá enfocarse en los compradores pequeños.

Claro que no hay garantía. No hay muchas cosas garantizadas en la vida, aparte de la muerte y el pago de los impuestos. Pero la lógica y la razón son un buen fundamento para el instinto.

La escuela de negocios de Stanford University (650-723-1670) ofrece un curso de dos días sobre análisis de decisiones. Usted puede investigar si existen escuelas en su área donde se imparta un curso similar.

Yo decido finalizar este capítulo

La administración consiste en tomar decisiones. Una vez que usted se haya involucrado con su trabajo, no tiene otra opción: tendrá que comenzar a tomar decisiones difíciles. Recuerde que si usted toma una decisión equivocada muy rápido, siempre podrá corregirla. ¿Cómo se siente?

Por ejemplo: yo decido que este capítulo termine aquí mismo.

No, cambié de opinión...está bien. AHORA finalizo. ¿Lo ve? Funciona.

Lo mínimo que necesita saber

- Conózcase y crea en usted. Crea en que tiene la habilidad de aprender y ajustarse a las exigencias de cada situación.
- Haga el mejor uso de su tiempo limitado, practique la simplificación de su método y la delegación de su trabajo.
- Las técnicas como la administración por excepción y análisis de decisiones pueden ser extremadamente útiles. Al final, sin embargo, lo que contará será su instinto. ¿Quién es usted?

Capítulo 5

Organice su trabajo y su día

En este capítulo

- Dos métodos de administración del tiempo
- Cómo y cuándo planear su día
- Tres ladrones del tiempo y cómo evitarlos

Usted cree que su día está planeado, de repente suena el teléfono. Contesta y súbitamente se encuentra tratando de resolver una crisis. En ese momento le entregan el correo en su escritorio.

Conforme habla, abre el correo. Oiga, algo le acaba de dar una gran idea. Es la oportunidad que quería. Escribe una nota mientras trata de manejar la crisis.

Usted realiza un registro de los hechos, divide los factores de las tendencias, maneja la personalidad de alguien y revisa su correo electrónico al mismo tiempo. Hay una nota de su abogado acerca de la adquisición. Todo está en orden excepto por un pequeño detalle: subió el precio.

Bienvenido al mundo de los negocios, donde todo marcha de acuerdo con lo planeado, previendo que usted haya planeado esperando el caos. Este capítulo trata sobre cómo tomar el control de su tiempo, cómo organizar reuniones y llamadas telefónicas, cómo manejar las demandas de la competencia y cómo sobrevivir ante una crisis. Aprenda a trabajar con el tiempo y podrá controlarlo. De lo contrario éste lo controlará a usted.

Obtenga lo más que se pueda de su tiempo

La administración es un maratón, pero también es una carrera de velocidad. Para sobrellevar ambos aspectos usted necesita un plan y un sistema de organización. No hay una sola manera correcta, aunque sí hay muchas maneras equivocadas. Básicamente, cualquier cosa que absorba tiempo de forma improductiva cae en la segunda categoría.

Ésta es un área en la cual puede aprender de los demás. Platique con otros gerentes y pregúnteles qué trucos utilizan para maximizar su tiempo. Algunas personas utilizan un organizador diario. Otras consideran de gran ayuda las clases de administración del tiempo. Existen muchos métodos. El tiempo es el activo más preciado de usted y el de su organización. Inviértalo con mucho cuidado.

Aquí hay dos métodos básicos para la administración del tiempo. ¿Cuál se adapta mejor a usted?

Comience con lo que le disgusta

Dejar al final las actividades que más le gustan le allanará la carrera a través del trabajo aburrido en lugar de desperdiciar el tiempo o posponer la labor: según los gerentes de este tipo, saber que se llegará a las tareas divertidas proporciona energía cuando se realizan labores no muy agradables.

¡NOTICIAS!

Últimas noticias

Leonardo da Vinci utilizó un método singular para maximizar su tiempo. Simultáneamente dibujaba con su mano derecha y escribía con la izquierda. No aceptaba que las formas convencionales de hacer las cosas fueran la única manera de realizarlas. Como resultado, encontró tiempo donde parecía que no había.

Comience con lo que le gusta

El otro método es empezar con lo que le gusta. Éste es el que a mí me funciona. El trabajo que me gusta me da energía y establece un patrón para la solución de problemas que me lleva a través del trabajo que no me gusta. Si las tareas divertidas son también las más importantes, mejor aún.

Este método funciona bien especialmente si a usted no le disgusta que algunas cosas se queden en el aire y sin terminar. Por la naturaleza de este método, usted puede llegar a emocionarse tanto por lo que está realizando y nunca conocer todo a detalle.

¿Tiene los planes?

Ésta es una estrategia simple que tal vez no pensaría en probar pero que realmente funciona. La noche anterior realice una lista de las cosas que hay que hacer. Usted no quiere empezar su día tratando de saber dónde empezar y qué debe hacer. Lo que desea es estar listo para trabajar. Hacer un proyecto del siguiente día, antes de que usted se vaya de la oficina significa que puede aprovechar la mayor parte del tiempo fuera de su trabajo en lugar de preocuparse por éste. Disfrute un juego de pelota, la ópera o a sus hijos. (¡Sí, los gerentes eficaces tienen vida propia fuera del trabajo!)

El formato que utilizo para planear el siguiente día de mi negocio es simple y eficaz. Una lista diaria de lo que hay que hacer, como la que se muestra a continuación, me da una idea de mi carga de trabajo. Luego voy realizando las actividades de arriba hacia abajo y voy marcando las cosas que he realizado o que he terminado.

Lista diaria de las cosas por hacer

Llamadas:

Matt Smith	(212) 555-5555
Mary Jones	(508) 555-4444
Denny White	(312) 555-3333
Jane Brown	(970) 555-2222
Kelly Green	(415) 555-1111
________	________
________	________

Juntas:

10:00: Reunión de personal, salón de juntas

2:00: Agente de seguros, en su oficina

____

____

Tareas:

1. Escribir un fax para los representantes de ventas de Europa
2. Realizar una investigación sobre los competidores
3. Pagar a los consultores
4. Preparar la reunión de consejo
5. Preparar la exhibición; hacer los planes de viaje
6. ________________________
7. ________________________

Mis llamadas telefónicas están "clasificadas" de acuerdo con la zona del tiempo del este y del oeste para asegurarme de que llamo durante las horas de oficina. Esto es especialmente importante cuando haga negocios internacionales. (¡No le ayudará mucho a su negocio si llama a alguien a media noche!) Note que dejo espacios en blanco en cada sección para acomodar cualquier cosa que surja durante el día.

La sección de juntas se explica por sí sola, sólo necesito saber cuándo y dónde estar.

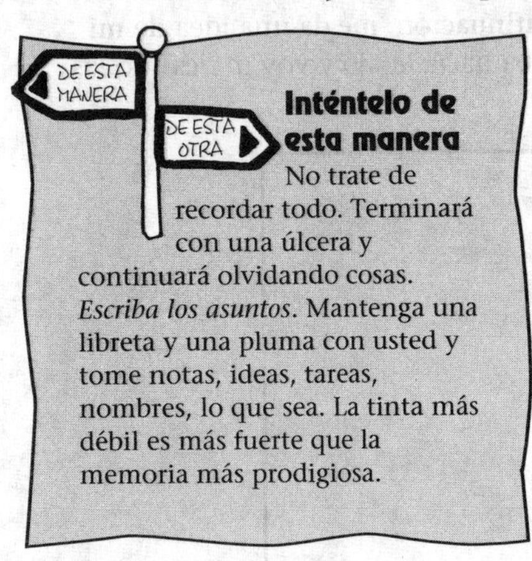

Inténtelo de esta manera

No trate de recordar todo. Terminará con una úlcera y continuará olvidando cosas. *Escriba los asuntos*. Mantenga una libreta y una pluma con usted y tome notas, ideas, tareas, nombres, lo que sea. La tinta más débil es más fuerte que la memoria más prodigiosa.

La parte de "tareas" de mi programa está organizada de lo más a lo menos importante.

Tengo una regla que consiste en que si hay algo en la sección de "llamadas" o "tareas" que permanece por más de una semana, lo elimino de mi hoja de trabajo. Si lo estoy pasando por alto, de todas maneras no haré nada, así que no tiene caso mantenerlo en la lista. Si es importante, lo más seguro es que surja de nuevo.

Sobreviva a la presión

Las demandas de su tiempo y presencia vienen de arriba y de abajo: de su jefe inmediato, de la junta de directores, de los inversionistas y de sus empleados. A menos que usted haya sido clonado (lo cual es todavía irreal, a menos que sea una oveja), sólo puede estar en un lugar en cierto momento. Sin embargo, tiene que ser capaz de responder.

Rompetensiones

Un calendario rígido puede ser tan malo como carecer de uno. A veces necesita hacerce cargo de las emergencias y las urgencias conforme aparecen, aun si usted tenía otros planes para su día. Un poco de flexibilidad hace que las eventualidades sean más fáciles de manejar.

A continuación se presentan algunas recomendaciones para manejar los reclamos de su atención:

1. Si alguien está en su oficina y el teléfono suena, conteste el teléfono y dígale al que está llamando que está en una reunión y que le llamará más tarde. La persona que llama no sabe que tiene un visitante y puede desesperarse por su correo de voz o su carencia continua de disponibilidad, mientras que el visitante que está en su oficina sabe que está recibiendo una llamada y entenderá.
2. Prevea reuniones que se traslapen o que entren en conflicto y encierre en un círculo la fecha indicada en su calendario para reprogramarlas. Una reunión retrasada es mejor que una cancelada. Sus empleados estarán contentos de que tenga tiempo para reunirse con ellos, aun si tuvieran que esperar.
3. Cuando le conteste el correo de voz de alguien, no sólo pida que le llame. Dígale cuándo llamó, por qué, qué desea y cuándo quiere que lo llamen. Sea específico.
4. Envíe los faxes por la tarde. En unos países las tarifas serán más bajas y el fax estará listo en el escritorio del destinatario la mañana siguiente.
5. Antes de que haga una llamada internacional, envíe un fax. Dígale a la persona cuándo llamará y sobre qué quiere hablar.

6. Si tiene un teléfono celular, haga un buen uso de él. No es sólo para verse interesante. Cuando esté atrapado en el tráfico, puede aprovechar para hablar con alguna persona. Una llamada telefónica no es una buena reunión cara a cara, pero le permitirá hacer un poco más.
7. Cada día, haga saber a qué hora estará disponible. Le aseguro que será interrumpido cada vez menos, garantizado.

¡NOTICIAS!

Últimas noticias

Northwestern Mutual Life, el gigante de los seguros, tiene una regla acerca de que no hay llamadas internas los martes. Esto da a los empleados todo un día para manejar asuntos sin ser interrumpidos. Si algo urgente ocurre, los empleados pueden enviar un mensaje por correo electrónico, sin embargo, deben asegurarse que realmente es urgente.

Cuando surge un antagonismo en las actividades que debe atender, utilice el sentido común. Decida qué reunión/llamada/contacto es más urgente y explique la importancia a la persona que tiene que esperar. Si ella está en el mismo equipo luchando por una meta en común, entenderá que no es un asunto de quién es más importante, sino de quién puede ayudar más a la organización. Aun si no lo entienden, al menos sabrá que será medida con base en resultados, solamente resultados.

Los obstáculos para un día organizado

No importa cuán bien organizado esté, siempre tendrá que enfrentarse con conflictos. Todos los días tendrá que encontrar tiempo para las cosas que simplemente no tenía tiempo. En otras palabras, se espera que usted convierta lo imposible en rutinario, todos los días.

Tres grandes obstáculos probarán su habilidad para hacer su trabajo. Esas tres cosas son:

- ➤ Reuniones
- ➤ Sobrecarga de información
- ➤ La aparición de una crisis

Reuniones, ¿TENGO qué asistir...?

La mejor manera de manejar el problema de las reuniones es no tenerlas. De acuerdo, esto quizá no funcione muy bien. Pero en realidad si minimiza el tiempo que pasa en las reuniones podrá destinarlo a cosas más productivas.

Aquí hay algunas formas útiles tendientes a ese propósito:

- Establezca firmemente un límite de tiempo de la reunión. De todos modos la mayoría de la gente no puede concentrarse por más de dos horas. Programe la reunión justo antes del almuerzo y nadie querrá prolongar las cosas.
- Envíe una agenda escrita por adelantado.
- Escriba los resultados de la reunión y distribúyalos a cada participante con la petición de que editen lo necesario y que se lo regresen.

El tercer paso es especialmente importante si no quiere sentir que el tiempo que pasó en la reunión fue un desperdicio. Algo que me pasó ilustra este punto.

Una vez, en una reunión de ventas, anuncié que el porcentaje de ventas pagado en comisiones a los representantes se reduciría debido a que las ventas estaban subiendo rápidamente y que estábamos empezando a incurrir en toda clase de costos adicionales para apoyar estas ventas crecientes. Con gran detalle expliqué que, en dólares reales, sus salarios continuarían subiendo si se desempeñaban bien. Lo único que se reduciría sería su porcentaje. Hubo un silencio que interpreté como aceptación. Semanas más tarde recibí la visita de dos representantes de ventas que habían estado en la reunión. Me preguntaron si el rumor acerca de la reducción de la comisión era cierto. Me dijeron que habían escuchado el rumor de otros representantes. Aparentemente los dos representantes no escucharon y quienes les informaron habían interpretado mal lo que dije. La moraleja es que el hecho de que usted diga algo no quiere decir que la gente lo escuche.

Sobrecarga de información

No es difícil que se encuentre usted bajo una avalancha de información. La ironía es que la mayor parte de la información que recibe no tiene uso, o en el mejor de los casos es repetitiva. Casi toda es más extensa de lo que necesita ser. Aliente la brevedad y la claridad en los memorandos e informes de la oficina.

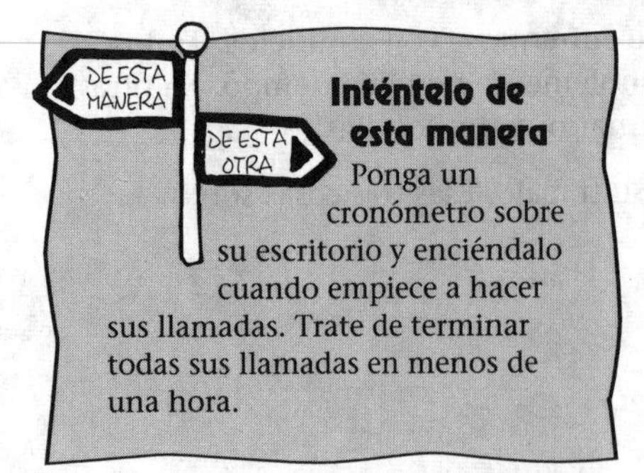

Inténtelo de esta manera

Ponga un cronómetro sobre su escritorio y enciéndalo cuando empiece a hacer sus llamadas. Trate de terminar todas sus llamadas en menos de una hora.

Formatos de respuesta rutinaria para asuntos que surgen regularmente pueden ser grandes ahorradores de tiempo. Siga ejemplos de plantillas de cartas y memorandos: no tiene caso reinventar la rueda.

Si tiene a alguien que filtre sus llamadas telefónicas o correo déle a esa persona la autoridad de tomar decisiones por usted. Sólo asegúrese de obtener copias de lo que se haya enviado en su nombre. Revisar y firmar las cartas y faxes antes de que se envíen le da una medición del control. Pero después de un tiempo, probablemente ya no tenga que revisar esos asuntos.

Reserve cierta parte del día para no contestar llamadas. Asegúrese que todo mundo en la organización sepa esto.

Una manera final de limitar la sobrecarga de información es responder rápidamente a los faxes sobre el papel de fax original. Sólo escriba en el mismo papel y envíelo de regreso. Así no tiene que aludir al problema para dar una respuesta formal y el que la recibe no tiene que referirse al fax original.

Eliminación de crisis

A todo mundo le encanta una buena crisis. Bueno, no en realidad, pero ciertamente no hay nada como ello para probar sus habilidades gerenciales. Lo primero que debe recordar es que muchas de las crisis no lo son. A menudo son sólo problemas ante los cuales alguien ha estado tentado a sobrerreaccionar. Esta clase de situaciones requiere un manejo diestro: el empleado quiere su atención y, sin embargo, usted sabe que entre más responsivo se muestre ante una crisis, más crisis tendrá que enfrentar. Esto es malo para usted y malo para la psique colectiva de la compañía. Puede minar su autoridad como gerente.

Haga saber a sus empleados que cualquiera que desee llamar su atención con un problema, de antemano debe llevar una solución. Esto forzará a la gente a detenerse y a pensar en lugar de dejarse llevar. (Adoptar una solución en particular depende de usted.)

Lo importante es no sentirse presionado a emitir un juicio sólo porque alguien percibe una crisis. Cuando la gente sepa que usted no responderá de manera automática, dejarán de utilizar la técnica de la crisis para llamar su atención.

Rompetensiones
Nunca reaccione a un fax o a una carta de manera emocional. Dése un tiempo para calmarse y elabore una respuesta razonable y profesional. Tendrá menos que explicar después.

Lleve un registro de la gente que le presenta crisis. Cuando vea un patrón de comportamiento que se apoya en las crisis, reúnase con la persona para determinar la mejor manera de manejar la situación.

Cuando ocurran crisis legítimas, que sí las habrá, no trate de ignorarlas, manéjelas de una manera profesional. Mantenga en mente las siguientes recomendaciones: no permita que cunda el pánico, pida un resumen escrito de la situación, solicite una lista de soluciones por prioridad, y lo más importante es: tome una decisión.

Lo mínimo que necesita saber

- Decida qué es lo que quiere hacer primero: las tareas que le gustan o las tareas que le disgustan. ¿Cuál funciona mejor para usted?
- Realice el programa para el siguiente día, la noche anterior; eso le ahorrará mucho tiempo.
- No permita que las reuniones, la sobrecarga de información o las crisis constantes le roben su valioso tiempo.

Parte 2
Establezca un sentido del propósito

La vida es corta.

La administración es una oportunidad para hacer algo electrificante. Debe creer eso, de lo contrario, mejor desista. No lo haga sólo por dinero, pues sin importar cuánto sea, si usted no está compenetrado con su trabajo, el dinero no lo valdrá. Hay demasiado que hacer en la administración para que no la disfrute.

En esta parte del libro, aprenderá a convertir su motivación en la de sus empleados. Es importante conocer qué lo enciende a usted para que pueda hacer lo mismo con ellos. Estos capítulos tratan sobre la pasión. Aprenderá a dirigir y a descubrir su fortaleza. Hablaré de administrar a su gerente, ya que para que usted tenga éxito, deberá contar con la aprobación de él. Por último, trataré sobre el establecimiento de metas. La vida es corta. Hágala su meta para que sea grandiosa.

Capítulo 6

Aprender a dirigir

En este capítulo

- Las múltiples caras del liderazgo
- Liderazgo con visión
- Búsqueda de su estilo de liderazgo
- Sacar a flote el héroe que hay en sus empleados
- Hacer que todos trabajen unidos

Usted debe adoptar un estilo, un estilo de administrar. Esto significa mucho más que sólo asignar tareas. Tiene que alentar a la gente a dar su mejor esfuerzo. Su papel no es nada más administrar sino también inspirar.

Todo este capítulo trata acerca del liderazgo. Abarca aspectos pragmáticos como el método, la comunicación y el tiempo, además de algunos temas cuya puesta en práctica es difícil de establecer, como el estilo, la presencia y el sacar a flote los héroes y las heroínas que hay en los miembros de su equipo. El liderazgo involucra muchos pasos complejos, pero el concepto que lo fundamenta es muy simple: necesita hacer que la gente crea en usted y en su visión. Sígame, le mostraré el camino.

Los gerentes toman el liderazgo

En pocas palabras...
La *administración* es el arte de dirigir, asesorar e instruir a otros. El *liderazgo* es inspirar y motivar a los demás a trabajar hacia una meta común.

No sea tímido. La timidez y el liderazgo van tan de la mano como el azúcar y la mayonesa. No estoy diciendo que tiene que ser orador. Si ése no es su estilo, ni lo intente. Pero sí tiene que ser un líder ya que ése es su trabajo. Además, la vida se amplía o se angosta en proporción al valor que uno tenga.

El liderazgo en la administración significa que todos los empleados trabajen juntos y amigablemente por una meta común, a menudo (aunque no siempre) definida por usted. Es la formación de un equipo cuyo instructor sea usted. El liderazgo no es sinónimo de la administración, pero es muy difícil administrar sin tenerlo.

La parte visionaria, la parte administradora

Ya tiene a las personas. Ya consiguió los recursos. Tiene el producto. ¿Qué más necesita? Alguien que dirija las cosas. Aquí es donde usted entra en acción.

El liderazgo en las empresas significa concebir la manera de utilizar esas personas y esos recursos para hacer realidad una visión y una meta. Usualmente dista mucho de ser esa clase de liderazgo en el cual uno se monta en un caballo blanco. Es una serie continua de responsabilidades que combinan los papeles de visionario, administrador, maestro y jefe, a fin de lograr las metas. ¿Cuáles son esas responsabilidades? Usted ya las conoce, pero por si acaso, son éstas:

- Entender la meta
- Identificar las tareas
- Dividir las tareas
- Unir las tareas
- Alentar a la gente
- Evaluar a la gente
- Poner en práctica acciones correctivas

Así de simple, el liderazgo es encargarse de que las cosas se lleven a cabo

¡NOTICIAS!

Últimas noticias
Hace años, a unos trabajadores se les dio el control de una línea de ensamble, como parte de un estudio sobre la productividad. Ellos variaron la velocidad dependiendo de la hora del día. La línea de producción era rápida en la mañana y lenta después del almuerzo. A los trabajadores les gustaba de esa manera. También a la administración le agradó, una vez que se dio cuenta de que la medida de control hizo que la fuerza de trabajo fuera más productiva.

Establezca el tono

Usted es la pila de su unidad de negocio. Su estilo, sus emociones, sus técnicas impulsan a la compañía. No hace mucho tiempo, esto me llevó de una manera muy poderosa a tener un trabajo de consultoría en casa.

Cuando "Joe" me llamó, se oía decepcionado. "Tuvimos un problema con las ventas y las ganancias", dijo. "¿Podrías ayudarnos?" Hicimos una cita y fui a verlo. Me gusta entrevistar tanta gente como sea posible en la compañía, pero trato de ver primero al gerente. El gerente es de alguna manera el agua bendita del proyecto de consultoría.

Cuando entré a la oficina de Joe, me sentí como si estuviera en un funeral. Tenía una voz monótona de descontento y tristeza. Aunque no tenía más de 40 años, sus ojos se veían viejos y agotados.

"Te ves como si odiaras tu trabajo", le dije.

"Tienes razón", refunfuñó. "No soporto tener que venir aquí cada mañana."

"¿Por qué no renuncias?"

Joe esbozó una sonrisa sarcástica. "Me faltan solamente 15 años para el retiro", me contestó.

No había que pensar mucho en por qué las ventas andaban mal. Si Joe no podía siquiera encontrar el podio, mucho menos era capaz de subirse y motivar a alguien.

Rompetensiones
Los resultados son el mejor motivador. Sin ellos, la mayoría de los propósitos conscientes de los discursos y de la socialización están condenados al fracaso. Rápido empiezan a sentirse como manipulación.

Si tiene el entusiasmo, se notará. Si no, bueno, también se verá en los resultados.

Aunque sea motivación, tiene un método

Como usted sabe por sus años de empleado, la motivación es mucho más que unas fanfarrias vacías. El liderazgo necesita ser intencional; necesita un método que logre que la gente trabaje más fuerte y mejor. Es como los bailes de pareja, donde uno guía y el otro sigue. Si usted guía y sabe hacia dónde se dirige, le será más fácil a su pareja seguirlo y ambos disfrutarán el baile. Si el bailarín que guía se siente inseguro de sí mismo (o de ella misma), nadie se divertirá.

A continuación enuncio 10 pasos que he desarrollado, tendientes al liderazgo motivacional:

1. Defina la responsabilidad de todos los subordinados.
2. Pronostique el futuro.
3. Establezca los objetivos específicos que se buscará lograr.
4. Elabore un plan de acción para alcanzar los objetivos.
5. Calendarice las actividades.
6. Divida el presupuesto entre los individuos que le reporten a usted.

7. Identifique puntos de revisión a lo largo del camino a la meta.
8. Mida el desempeño en comparación con sus estándares.
9. Tome acción correctiva cuando sea necesario.
10. Alcance sus objetivos.

La clave es una buena comunicación y una asignación clara de la responsabilidad, particularmente la cuantificable, aquella financiera que está ligada a las metas de la compañía.

Ehhh...¿Qué dijo?

¡Qué gran diferencia hace una buena comunicación! Articule sus metas de manera que puedan ser entendidas y estará en el camino al éxito.

¿Cuáles son exactamente sus expectativas? Comuníquelas en términos cuantitativos. "Amanda, usted es responsable de..." *¿Qué?* Bueno, algunos miembros son responsables de las ganancias y se espera que otros controlen los costos. Por supuesto que los ingresos y los gastos no son su única preocupación, pero son buenos puntos para comenzar.

Los centros de ganancias son áreas de responsabilidad donde un individuo se encarga de los ingresos y de los costos. Una división como ventas y mercadotecnia es un buen ejemplo de un centro de ganancias; otro pudiera ser un grupo geográfico de una división. Quien está a cargo de un centro de ese tipo es responsable de la ganancia o de la pérdida de ese centro. La siguiente forma es útil para evaluar y guiar a sus empleados, según la periodicidad que crea necesaria.

Evaluación del rendimiento de un centro de ganancias.

DEPARTAMENTO — CENTRO DE COSTOS						
Mes						
Ventas	Mensual			A la fecha		
	Real	Presupuesto	Diferencia	Real	Presupuesto	Diferencia
Costo de los bienes	$ %	$ %	$	$ %	$ %	$
Utilidad bruta						
Gastos						
1er. presup. más grande						
2do. presup. más grande						
3er presup. más grande						
4to. presup. más grande						
etc.						
Gastos totales						
Contribuciones						
Cuentas por cobrar						

La siguiente forma para un centro de costo es similar y se utiliza para medir la responsabilidad y el progreso de los empleados que solamente controlan los gastos, en departamentos como finanzas, administración o embarques.

DEPARTAMENTO — CENTRO DE COSTOS										
Mes										
	Mensual					A la fecha				
	Real		Presupuesto		Diferencia	Real		Presupuesto		Diferencia
Gastos	$	%	$	%	$	$	%	$	%	$
1er. presup. más grande										
2do. presup. más grande										
3er. presup. más grande										
4to. presup. más grande										
etc.										
Gastos totales										

Evaluación de los controles de gastos en un centro de costos.

Al emplear estas formas hará que su gente cuantifique su propio desempeño con regularidad, mucho antes de que se siente con ellos para revisar los resultados. Sin embargo, las revisiones frecuentes son importantes. Una vez que haya establecido su sistema de medición, le recomiendo evaluar el progreso una vez al mes, con una revisión a profundidad una vez al año. ¿Dónde se encuentra en relación con sus metas? Los números son importantes, pero no olvide observar también los porcentajes.

Alguien, *aquél* en particular, necesita estar a cargo y ser responsable de cada centro de ganancias y de costos. Revise estos asuntos con esa persona una vez al mes, guíela, ofrezca su apoyo y desarrolle una acción correctiva, en caso de ser necesario, pero *hágase a un lado*. La gente necesita tener una autoridad a la par de su responsabilidad. Un buen líder no microadministra.

En pocas palabras...
Un *centro de ganancias* es una agrupación de ingresos y gastos de los cuales es responsable una persona.

Un *centro de costos* es similar a un centro de ganancias excepto que no se incluyen ni ingresos ni ganancias debido a que la persona a cargo es responsable únicamente del control de costos.

Sea un visionario

La visión es importante para un líder. Usted no necesita estar muy por encima de todos: con uno o dos escalones serán suficientes. Su gente necesita conocer su visión y confiar en ella. Debe tener seguridad en usted mismo.

Los patrones importantes en un negocio se repiten con frecuencia, pero el mundo cambia. Manténgase al tanto de las tendencias (vea el capítulo 3). Si puede descubrir lo que se repite y que cambia, entonces podrá predecir acerca del futuro en su organización. Esto es una visión.

Inténtelo de esta manera
Cuando los contadores se apoyen en usted para organizar los gastos a su manera, permanezca firme. Es importante que usted organice sus reportes, sus encabezados y sus categorías para reflejar cómo dirige su compañía, división o departamento y de una forma que *usted* pueda entender.

Últimas noticias

A la visión no siempre se le reconoce como tal. Fred Smith, fundador de Federal Express, obtuvo un 6 —en una escala de 10— en su ensayo para su clase de economía en Yale. ¿Cuál era el tema de su ensayo? El desarrollo de un servicio de entrega nocturno. Las grandes ideas y las grandes visiones a menudo no son claras para todos. Pero como Fred Smith, ¡no deberíamos apartarlas de nuestro camino!

Los productos tienen un ciclo de vida o una trayectoria predecible que siguen continuamente. Una forma de graficar el futuro es familiarizarse con este ciclo y utilizarlo para planear las actividades de su organización. Eche un vistazo a la siguiente gráfica y vea si puede identificar en qué parte del ciclo está su producto.

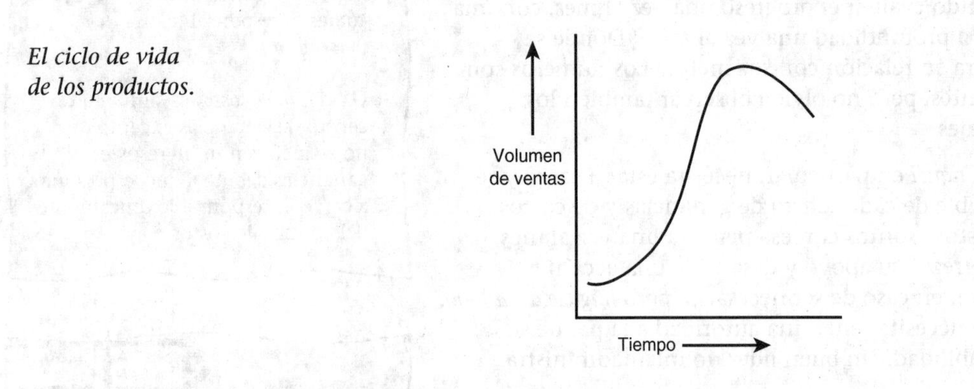

El ciclo de vida de los productos.

Si sabe este dato, entonces puede tomar una decisión razonable acerca de cuánto invertir, en caso de que se vaya a invertir y cuál deberá ser la ganancia. También puede decidir cuándo dejar de producir ese producto.

El ciclo no varía. Lo único que distingue el producto de una compañía con respecto a otro es el volumen de ventas y el tiempo que toma completar el ciclo.

Ya que todos los productos buenos deben tener un fin algún día, es necesario tener nuevos productos, si se quiere seguir en el negocio. Al estudiar el ciclo, puede saber cuándo es momento de introducir nuevos productos, buscar nuevos mercados o extender el ciclo de vida de los productos existentes. Gráficamente, el proceso se asemeja a la siguiente figura.

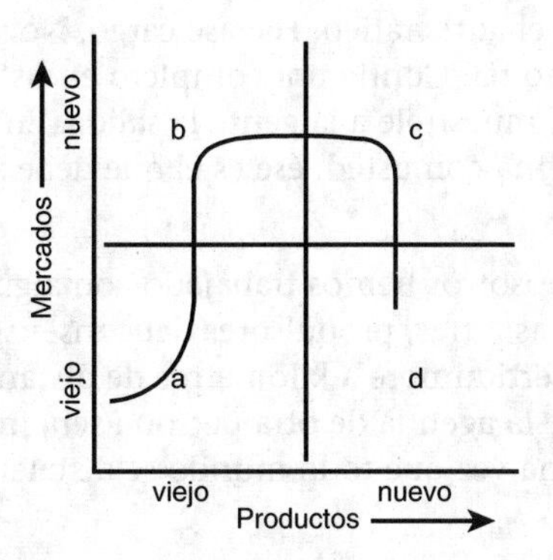

Los cuadrantes del ciclo de vida de un producto.

El **cuadrante a** es la fase alfa o de inicio. Los departamentos de investigación y desarrollo y mercadotecnia demandan mucho efectivo, y probablemente durante un tiempo se pierda dinero. Los precios no están bajo presión durante esta fase. A pesar del flujo de efectivo negativo y de las ausentes ganancias, las compañías persisten, esperando la fase de crecimiento.

El **cuadrante b** es la fase de punto de equilibrio. Los viejos productos se establecen en nuevos mercados. Las ganancias son maravillosas, el flujo de efectivo es bueno; hay muy poca necesidad de invertir, excepto para fondear el inventario y las ventas. Ésta es la fase de crecimiento.

El **cuadrante c** es la fase de la vaca de efectivo. Ya no se necesita hacer más inversión. El producto está activo. Probablemente se angosten los márgenes de utilidad, pero habrá utilidades.

El **cuadrante d** es la fase del perro. El negocio se encuentra en descenso, el producto está muriendo y usted se encuentra en riesgo de quedarse atorado con mucho inventario. Es una trampa de efectivo: es hora de salir del mercado.

¿Ha entendido? Con esta información, puede guiar con seguridad el diseño de su producto y a su equipo de ventas hacia el futuro.

¿Democracia, autocracia o "ni idea"?

Hay muchos estilos de administrar ese trabajo. El que funciona para usted es que le permite ser verdaderamente usted mismo.

Mucha gente prefiere un estilo democrático, en el cual se alienta a los empleados a que formulen preguntas, hagan sugerencias y generalmente a que contribuyan con algo. Me gusta este estilo, pues involucra a todo el equipo en el proceso de toma de decisiones y fomenta un buen sentimiento respecto de mí, de ellos mismos y, lo más importante, de la compañía. Hace que se sientan más comprometidos.

La actitud de "Esto *no* funcionará" entra en crisis. Aquí es cuando necesita asumir un papel de autoridad. Para esto necesita conocer y confiar en sus instintos.

Otro estilo de administración popular es el autocrático. Hágase cargo. No se preocupe de lo que otros piensen. Usted es el jefe: actúe como tal. Confíe por completo en usted. Si es necesario, y probablemente lo será de vez en cuando, muéstrele a la gente la salida. En lo personal no me gusta este estilo. Pero si cree que compagina con usted, ése es el que debe adoptar. Puede funcionar y en efecto funciona.

Lo peor es no tener ni idea. Muchos de nosotros hemos trabajado con alguien de este tipo de estilo. Son evasivos. A veces son autócratas; otras, propulsores del consenso. Están condenados al fracaso. Los empleados detectan la incertidumbre a kilómetros de distancia. Si se vuelve vulnerable a esta enfermedad, de repente la agenda de otra persona será más importante que la de usted. Nadie creerá en sus instintos una vez que todo mundo se dé cuenta de que ni usted mismo cree en ellos.

Descubra quién es usted y sea auténtico con usted mismo. Sea alguien.

Convierta a sus empleados en héroes

Nadie es perfecto. Ni sus empleados, ni usted. Puede enfocarse en los negativos o en los positivos; es una elección simple.

Haga que sus empleados sean ganadores. Hágalos sentir y actuar como ganadores. Hágalos socios orgullosos de la organización. Los empleados felices, motivados y seguros obtienen resultados. No necesita tener un título en psiquiatría para entender que la manera como las personas piensan acerca de ellas mismas es la determinante primordial de su éxito. Mientras haga de sus empleados unos héroes, más heroicas serán sus acciones.

A continuación enuncio algunas formas de hacer que su gente se sienta como héroe:

- Simplifique su mensaje, la complejidad confunde y con frecuencia paraliza a la gente.
- Asigne una responsabilidad de acuerdo con las habilidades de cada empleado. No condene al fracaso a su personal.
- Asigne un trabajo con un propósito, hágale saber a la gente que es valiosa.
- Reconozca y valore el éxito. Los empleados que son apreciados son empleados motivados.
- Tenga un propósito mayor que sólo ganar dinero, permita que su personal tenga una unión tanto emocional como económica respecto de la organización.
- Nunca reprenda en público.
- Siempre recompense en público.

Los gerentes que se atribuyen todo el crédito de los éxitos y culpan a los demás de los fracasos no son líderes muy populares. Aquellos que cultivan un sentido del trabajo en equipo actúan mucho mejor. No piense en "usted" y "yo", piense en "nosotros". No solamente su grupo será más fuerte, sino que conseguirá mejores resultados. Oiga, este trabajo no se trata de "su" ego, sino de la formación de un equipo.

Usted necesita a su equipo. Si no lo necesitara, probablemente no lo tendría. Pero lo tiene, así que tome la ventaja de las habilidades y el impulso que tienen sus empleados y celebre sus éxitos.

Un hombre aprendió muy bien la lección. Se le recuerda como uno de los más grandes aventureros solitarios de todos los tiempos, sin embargo, él sabía mejor que nadie que no era el único.

Edmund Hilary era un apicultor en Nueva Zelanda cuando decidió que quería hacer algo más. Así que se propuso subir el monte Everest.

Sólo tuvo un acompañante, un guía sherpa, Tenzing Norgay. Norgay fue amigo y guía. Cuando escalaron, escalaron juntos y cuando llegaron a la cumbre, lo hicieron al mismo tiempo.

Cuando regresaron, Hilary fue proclamado héroe y fue nombrado caballero, ahora sería Sir Edmund Hilary. Pero él rehusó quedarse con todo el crédito. Su igual, declaró, era Tenzing Norgay, un guía sherpa. Fue todo un acontecimiento en un momento en que la gente que descendía de europeos se proclamaba superior a los demás. Pero a Hilary no le importó lo que otros creyeran. Él sabía en lo que creía. Conocía el trabajo en equipo.

Hilary devolvió algo a cambio. Utilizó su fama para juntar dinero y ayudar a los sherpas a construir escuelas y hospitales.

Hilary fue un héroe porque permitió que Tenzing Norgay también fuera héroe. Usted puede hacer lo mismo con sus empleados.

Calendarios en la pared

¿Pero cómo se dirige a todo un equipo de individuos que dependen el uno del otro para muchas cosas, pero que escuchan, cada uno en su propio estilo, un tambor diferente?

Respuesta: use los calendarios

El calendario es donde la llanta se junta con el camino, donde lo abstracto se cuantifica de acuerdo con el tiempo y los resultados. Es la traducción del movimiento del negocio a tinta estática.

Los calendarios son maravillosos para enterarse sobre sus empleados; le permiten seguir los proyectos semana a semana y le ayudan a integrar todo el trabajo en proceso. Pero su eficacia real recae en el hecho de que están en la pared para que todos los vean. Los calendarios crean un sentido poderoso del movimiento. Permite que todo mundo sepa dónde está ubicado cada proyecto.

Inténtelo de esta manera
Los calendarios son dinámicos por definición. Para ser verdaderamente útiles necesitan ser actualizados regularmente.

Nada ayuda más a la productividad que la presión de grupo para lograr el éxito. Lo que hace especialmente poderoso al calendario es que es sensible al tiempo. Le sugiero que lo actualice diariamente y distribuya copias de su calendario maestro semanal a su personal, en donde muestre el estado de los principales proyectos. Casi de inmediato tendrá empleados que comparten un mismo pensamiento, que trabajan para concluir las tareas antes de las fechas límite, que se ayudan mutuamente, que realizan tormentas de ideas y que tratan de terminar todo el trabajo.

Un ejemplo de un calendario se muestra en la siguiente figura.

Calendario						
Proyecto	Encargado	Resultado posible	Probabilidad	Mes esperado Enero	Febrero	Marzo
Vender activos	Bob	$10,000	50%	2,500	2,500	0
Reducir gastos gen.	Mary	$4,000	75%	1,000	1,000	1,000
Refinanciamiento	Jean	$20,000	60%	0	6,000	6,000
Deuda						
etc.						
etc.						
etc.						

Lo mínimo que necesita saber

- El liderazgo trata de motivar a los demás para lograr las metas. Es un esfuerzo continuo, no un discurso maravilloso.
- Si sabe hacia dónde se dirigen las cosas, puede ayudar a la gente a llegar hasta ahí. Sea un visionario a quien la gente pueda entender.
- Tiene que adoptar un estilo de liderazgo. Apéguese lo más que pueda a él.
- Si usted hace de sus empleados héroes, harán cosas heroicas.
- Poner un calendario en la pared en su lugar de trabajo incrementará su productividad de manera drástica.

Administrar a su gerente

En este capítulo

- Descubrimiento de lo que espera su gerente
- Ayudar a su gerente a pensar en forma realista
- Puesta en práctica de sus ideas
- Identificación y evitación de los malos gerentes

"Ahh" —piensa mientras que se vuelve gerente— "por fin lo haré a *mi manera*". Bueno... yo no quisiera echar por tierra sus esperanzas. Todo mundo reporta a alguien. Probablemente en su caso sea un gerente de un nivel superior al suyo, el presidente o la junta de directores. Quien quiera que sea, probablemente usted necesite manejar a su gerente tanto como usted maneja a sus empleados.

Probablemente no estará de acuerdo con todo lo que su jefe dice; de hecho, estar en desacuerdo pudiera ser su única gran contribución a la organización. La pregunta es: ¿cómo estar en desacuerdo sin terminar afuera como espectador? Después de todo, su jefe es su jefe debido a que alguien o algo puso al descubierto que él era la persona adecuada para el puesto. Esto significa que su jefe tiene aliados que son más fuertes que los que usted tiene. Necesita a su jefe.

Este capítulo le enseñará cómo manejar a su jefe, cómo evaluar y manejar las expectativas de su jefe y cómo ganar su apoyo. Le dará también algunos puntos sobre como evitar al gerente del infierno. (Sí, algunos son de allá.) Manejar a su gerente es una parte esencial de la administración y una clave para el éxito. Lea y descubrirá cómo se hace.

¿Cuáles son las expectativas de su jefe?

La gente en un trabajo nuevo a menudo se siente ansiosa y con mucha tensión. Sienten que no tienen la más remota idea de lo que tienen que hacer y probablemente estén en lo cierto. En esta fase, es tentador asumir que el trabajo arduo lo llevará al éxito y que un trabajo todavía más arduo lo hará más exitoso. ¡No lo crea! Mejor enfóquese en identificar expectativas realistas y cumplirlas.

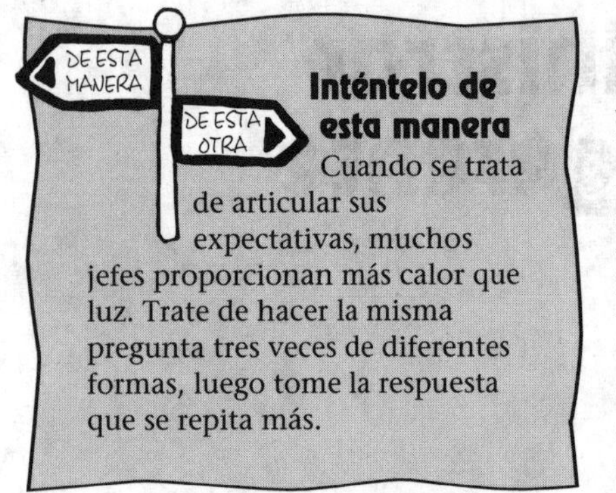

Inténtelo de esta manera

Cuando se trata de articular sus expectativas, muchos jefes proporcionan más calor que luz. Trate de hacer la misma pregunta tres veces de diferentes formas, luego tome la respuesta que se repita más.

Raros son los gerentes que dan una lista clara de las expectativas. Sin embargo, todo jefe las tiene y probablemente lo evalúe dependiendo de cuán bien las cumpla usted. Probablemente querrá sentarse con su jefe al principio (preferentemente en su primer día) y saber cuáles son esas expectativas. Si usted desconoce lo que se espera de usted, no sabrá a ciencia cierta si lo está cumpliendo, o ¿sí? Tome la iniciativa. Haga preguntas.

¿Cómo descubrir las expectativas?

Escuche. Hable. Lea. Pregunte a todo aquel que trabaje para su jefe o que solía hacerlo. Describa la manera como a usted le gusta hacer las cosas y pregúntele a los demás si ésta es funcional. Lea las reglas; estudie las metas de la organización. Investigue el mercado y las finanzas de su grupo. Más importante aún es que descubra todo lo que pueda acerca de lo que no está escrito. Esto pudiera tener un mayor impacto del que usted piensa.

Por ejemplo, ¿el jefe se inclina hacia la formalidad o hacia la informalidad? ¿El horario es rígido o flexible? ¿Existe un código del vestido? ¿Hay reuniones regulares de personal, si es así, de qué se tratan? ¿Su jefe hace evaluaciones de desempeño, si es así, con qué frecuencia? ¿Se espera que usted las haga?

Usted necesita saber el objetivo específico de la compañía y de su área de responsabilidad. Busque un número o una fecha. Descubra las consecuencias de no alcanzar las metas y las recompensas si las consigue.

¿Qué debe preguntar para aclarar las expectativas?

A continuación, siéntese con su gerente y hágale algunas preguntas directas. Por ejemplo, tal vez quisiera preguntar:

- ¿Cuál es la cultura corporativa? ¿Su jefe quiere construirla o destruirla? ¿Dónde entra usted en acción?
- ¿Su jefe quería que usted ocupara el puesto o prefería a otra persona? Si no era usted, ¿por qué no?

- ¿El jefe quiere informes escritos o verbales? ¿Busca un análisis profundo o un resumen de la situación?
- ¿Qué reglas considera su jefe que son esenciales? ¿Le preocupa más el horario? ¿El vestido? ¿La actitud? ¿La precisión? ¿El calendario de trabajo? ¿La calidad? ¿El compromiso?
- ¿Cuál es la situación de la compañía? ¿Está creciendo o reduciéndose? ¿Está estable o en crisis? ¿Está buscando el cambio o simplemente un ajuste fino? ¿Está progresando o sólo está tratando de sobrevivir?
- ¿Cuál es la motivación del jefe? ¿Quiere avanzar o quedarse en el mismo lugar? ¿Aprovechar las oportunidades o mantener el *status quo*? ¿Quiere el estatus y el poder o el anonimato?
- ¿Cuáles son sus responsabilidades?
- ¿Cuál es su compensación? ¿De qué consta su bono?
- ¿Qué constituye un buen o un mal desempeño? ¿Con qué frecuencia es evaluado? ¿Qué pasa como resultado de las evaluaciones?
- ¿Qué entrenamiento recibirá usted y de quién?

Inténtelo de esta manera

No sólo escuche las palabras. Observe el lenguaje corporal; escuche la pasión. ¿Su jefe está tratando de evitar ciertos temas? Averígüelo y sintonícese en la señal.

Manejo de las expectativas

Saber lo que su jefe quiere es el primer paso crucial, pero no le garantiza que su vida de repente se vuelva simple. Ahora tiene que determinar cómo administrar esas expectativas.

¿Son realistas? ¿Puede cumplirlas en el tiempo especificado y con los fondos que han sido presupuestados? Asegúrese de que le son claras las asignaciones de trabajo antes de que prometa entregarlos. Si no puede cumplir las expectativas, necesitará formular sus propias expectativas revisadas. ¿Qué *es* lo que puede entregar? No prometa nada a menos que esté lo suficientemente seguro de que será capaz de hacer lo que se le ha pedido.

La parte divertida, claro, es decirle a su jefe que ya revisó sus expectativas y que realmente no debe esperar lo que pensó que podía esperar. No es necesario decir que tal vez esto no sea fácil. Los jefes también tienen jefes. Es posible que no tengan margen de flexibilidad o que no quieran ser flexibles. Quizá crean que sus expectativas originales *eran* realistas; e incluso *objetarán* el que sean revisadas.

Rompetensiones

Mida su ambiente antes de lanzarse a una nueva posición. Si el grupo está en un caos y en crisis, probablemente su jefe se vea impulsado a adoptar un estilo autocrático. Las oportunidades pueden ser grandiosas durante una crisis, pero también lo son los riesgos de la carrera. Tal situación no es para el que duda.

Un amigo mío me llevó a una cadena de farmacias que necesitaba un cambio con desesperación. El presidente de la junta le preguntó a Allen cuánto tomaría hacer cambiar a la compañía.

"Cinco años", respondió Allen.

El presidente dijo: "maravilloso. Eso es exactamente lo que le dije a la junta". Luego hizo una pausa y agregó: "Sólo hay un problema. Se los dije hace dos años. Así que en realidad tenemos solamente tres años para hacerlo".

No diga sí, a menos que sea en serio. Es mejor desechar una situación imposible que tomarla y fracasar.

Evaluar las expectativas

Si necesita revisar las expectativas de su jefe para un cierto tipo de trabajo o tarea, empiece por establecer metas propias pequeñas y alcanzables que complementen las metas de su organización. Comuníquelas a su jefe. Ahora es el momento de ganar su confianza así que cuando llegue la hora de evaluar las expectativas, usted no enfrentará un problema de credibilidad.

Haga lo mismo con las metas de largo alcance (vea el capítulo 10 para más detalles sobre las metas de largo alcance). Si su jefe está comprometido con sus objetivos, usted está en el camino correcto para dar forma a sus expectativas.

Si es necesario, contrate consultores, aprobados por su jefe, y trabaje con ellos para revisar las expectativas. El viejo axioma se confirma, *cualquiera que venga de fuera es un experto.* Consiga expertos que estén de su lado.

Obtenga el apoyo de su jefe

El apoyo de su gerente no es un extra, como las cerraduras automáticas o el control de crucero: es un deber. Su efectividad depende de ello. Aquí está la manera de conseguir que su gerente esté de su lado.

- Descubra lo que es sagrado para su gerente y manténgase alejado de ello. No se meta con sus proyectos consentidos. Si cree que un proyecto no tiene sentido, antes de eliminarlo, vea si acaso no es la idea de su sobrina favorita. (¡Ahhh... verdad! ¿No está contento de haber preguntado?)
- Busque una base común que no sea de negocios sobre la cual pueda relacionarse con su jefe. Deportes, comida, vino, música o lo que pueda encontrar como tema para una conversación relajada, que no sea siempre de negocios. Si encuentra la manera de estar a gusto con su jefe como *amigo,* será capaz de decir cosas duras cuando sea necesario; y, de vez en cuando, así será. También pudiera descubrir indirectamente cómo piensa su jefe acerca del negocio. Una conversación acerca de equipos de deportes, por ejemplo, pudiera darle una idea de cómo el jefe quiere que opere su equipo. Evite los temas controvertidos como políticas de oficina y religión, y por ninguna circunstancia se meta

en rumores acerca de otros empleados. Usted pudiera ser amigo de alguien a quien el jefe considere antipático y viceversa.

- ➤ Haga sus ideas las ideas del jefe. Invite a su gerente a sus reuniones estratégicas y solicítele su contribución.
- ➤ Realice reuniones de evaluaciones sobre el progreso. Objetivamente analice el desempeño real de su equipo respecto de los objetivos preestablecidos.

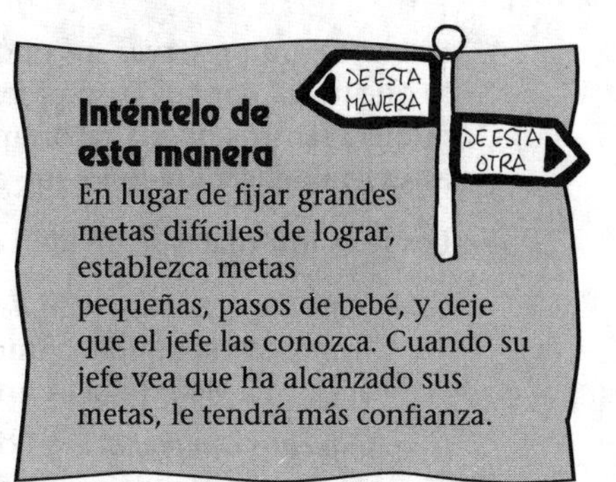

Inténtelo de esta manera

En lugar de fijar grandes metas difíciles de lograr, establezca metas pequeñas, pasos de bebé, y deje que el jefe las conozca. Cuando su jefe vea que ha alcanzado sus metas, le tendrá más confianza.

Existen los jefes infernales

Algunos jefes son como un regalo del cielo. Aparte de ellos, están todos los demás. Los jefes malos vienen en todas las formas, tamaños, géneros y colores. Algunos sólo quieren arruinar su vida. No se los permita. Aléjese.

Una vez tuve un jefe que pagaba mal a la gente. Para ser capaz de esto, necesitó un amortiguador entre él y sus empleados: en otras palabras, entre él y la realidad. Yo terminé haciendo esa función. El año que trabajé para él, me dejó administrar los bonos anuales. La fórmula que había creado para la distribución de esos bonos era muy inusual. Consistía en esto: 95% del bono corporativo era para él y el restante 5% era para los otros 45 empleados. Algunas personas recibían bonos de 15 dólares. No recuerdo que alguien hubiera dicho "gracias".

Sólo hay una forma de tratar con un jefe infernal: alejarse. Aun si eso significa rechazar un ascenso. Usted pudiera pensar que rehusar una promoción lo dañará, pero el fracaso lo dañará peor y con la clase de gerente del que estamos hablando, el fracaso es prácticamente inevitable. Ello daña seriamente su reputación.

Rompetensiones

Los jefes que hacen un trabajo pobre tienden a culpar a sus empleados. Si un jefe ha perdido varios gerentes debido a renuncia o despido, ¡tenga cuidado!

Antes de que acepte un trabajo de gerente, realice algo de investigación. Averigüe cuál es la reputación y las habilidades de su jefe. Si él es conocido como alguien sin un hueso benevolente en su cuerpo, aléjese. No va a ganar.

Claro, necesitará explicar delicadamente por qué éste no es un momento apropiado para un ascenso. Puede ser que usted esté a la mitad de algo realmente importante para la compañía y que no considera adecuado dejar inconcluso. Probablemente un pariente está enfermo y a usted le preocupa no ser capaz de dedicar al trabajo todo el esfuerzo que se necesita, en ese momento. Incluso usted pudiera pensar que la compañía puede continuar adecuadamente sin gastar más dinero agregando más administración. Ya pensará en algo. Recuerde, puede ser el mejor movimiento de toda su carrera.

La clave para preservar sus opciones es llevar a cabo su respuesta negativa con suavidad. Haga lo que haga, por favor no parezca antagonista. "No trabajaré para él porque es un estúpido", pudiera ser una buena razón, pero no favorecerá sus intereses. Usted debe parecer como si sólo estuviera pensando en lo que es mejor para la organización.

Los jefes infernales se dividen en cuatro categorías o patologías básicas:

- *Aquéllos con una visión de túnel.* La máxima con este tipo es: "mi camino o la vía rápida". Tome la vía rápida. Nunca conseguirá crecer o poner en práctica cualquiera de sus nuevas ideas. La vía rápida es una opción mucho mejor.
- *Aquéllos con prejuicios.* Los gerentes son tan grandes como sus sueños y tan pequeños como sus prejuicios. Este prejuicio puede ser profundo. Puede aplicarlo a usted en cualquier momento. Si su jefe piensa que usted le fue impuesto por la persona que lo contrató, estará resentido con usted. Hará lo que sea para ayudarlo... a fracasar.
- *Aquellos que toman el crédito para ellos.* Cuando las cosas van bien, ellos reclaman el crédito y cuando las cosas van mal, lo culpan a usted. Ellos emergen mientras usted se hunde. Le dan trabajo mientras ellos juegan al golf o toman vacaciones. Tome unas vacaciones largas alejándose de este tipo de jefe. Encuentre otra posición.
- *Aquellos que son negativos.* El trabajo recompensante es un trabajo que se disfruta. Tarde o temprano, la negatividad constante destruirá su sentido de autoestima. Es tiempo de emigrar.

La suerte puede reducirse a estar en el lugar adecuado, en el momento indicado o puede ser no estar en el lugar no adecuado, en el momento no indicado. Sea amable con usted mismo: aléjese del infierno.

Lo mínimo que necesita saber

- Averiguar cuáles son las expectativas de su gerente es el primer paso para cumplirlas. El siguiente es revisarlas para asegurarse de que sean realistas.
- Al establecer pequeñas metas y al permitirle al gerente conocerlas y luego cumplirlas, usted estará fomentando la confianza de su jefe en usted.
- Es útil encontrar una base común que no sea de negocios para departir con su gerente. Al deshacerse de un poco de la formalidad de la relación, hará más fácil la solución de problemas en el futuro.
- Si se le ofrece un trabajo bajo el mando de un mal gerente, no lo acepte. No se deje atrapar para fracasar.

Capítulo 8

Descubra su naturaleza y utilícela: usted es lo que es

En este capítulo

- Cuál es su naturaleza y por qué es tan importante
- Las preguntas que hay que hacer para descubrir su naturaleza
- Enfocarse en su naturaleza
- Traducir la naturaleza de su organización a éxito

Su organización tiene una esencia. Tiene una naturaleza que es sólida y fuerte, algo que hace que se llenen de energía sus empleados. Esta ahí, pero probablemente usted no la conozca.

Muchas organizaciones tratan de ser todo tipo de cosas para toda la gente, una especie de sistema de música ambiental programada, una "música de ascensor" que todo mundo tolera pero que a nadie le gusta. Las organizaciones exitosas toman un camino diferente. Se enfocan en una fortaleza única o característica y hacen lo más que se puede con ella. Como gerente puede probar el primer sistema o puede mostrar su propio estilo. Es su compañía, pero si quiere mi consejo, yo digo que salga del elevador y toque un poco de verdadera *música*.

En este capítulo descubrirá la manera de crear su propia música al encontrar su musa, su naturaleza. Toda persona y toda organización tienen una cosa que hace mejor. Esa única cosa está donde se cruzan el talento, la oportunidad y el deseo. Aprenderá lo que es la naturaleza, cómo identificar la naturaleza de su negocio y cómo incorporarla a su plan para obtener un máximo beneficio de ella. Conforme lee, siéntase libre de cantar. Cuando descubra su naturaleza entonces podrá inventar una hermosa música.

Naturaleza, ¿qué significa?

La mayoría de los gerentes, cuando piensan en la "naturaleza" de su empresa, se imaginan una especialización como la mercadotecnia, las finanzas o la producción. De hecho, la naturaleza es mucho más profunda. Se manifiesta usualmente en una o más de esas especialidades, pero la verdadera naturaleza está dentro de la gente. Es el nervio central, la respuesta a... *¿por qué estamos aquí?* Es lo que electrifica a todo mundo y transforma su pensamiento en acciones. Es la fuerza impulsora que constituye la razón de ser de la compañía.

La naturaleza es:

- Simple
- Interna
- Una verdad absoluta
- Aprehensora de las emociones
- Una fuente de felicidad
- Una fuente de orgullo

Descubrimiento de su naturaleza

El conocimiento es poder. El negocio es un desorden y demasiado desorden puede oscurecer el conocimiento. ¡No siempre es fácil atravesar ese desorden y descubrir su esencia!

En algunos casos, la esencia parpadea como luz de neón. No la puede pasar por alto; es lo único que da energía a su gente.

Fácil o difícil, usted tiene que descubrirla. De ello depende la brillantez de su éxito.

¡NOTICIAS!

Últimas noticias

Cuando el fundador de Kresge Stores donó un edificio a la universidad de Harvard, explicó cómo un simple entendimiento de la competencia de la naturaleza puede llevar a grandes cosas: "Vine a Estados Unidos. Decidí que la gente quería comprar cosas baratas. Es así como ustedes obtuvieron su edificio".

El pulso de su negocio

Su naturaleza es el corazón de su negocio. Es en lo que realmente cree usted. Cuando usted tiene una naturaleza, usted tiene un enfoque. Elimina mucho de las críticas que pueden detener a una compañía.

Peter Bolleteri, un instructor de tenis de fama mundial, enseña a las estrellas a aprovechar sus ventajas. Si su mejor arma es el tiro de revés, Bolleteri dice que es más importante aprovechar la ventaja que tratar de mejorar algo más. Desarrolle su arma. Si ésta es su servicio, hágalo imparable. Si es mercadotecnia o investigación y desarrollo llévela hasta el límite.

Cuando conoce su talento real, sus habilidades, está en posibilidad de obtener múltiples beneficios:

- ➤ Aclarar su misión
- ➤ Reducir los conflictos de personal
- ➤ Capitalizar sus fortalezas
- ➤ Enfocarse en su pasión
- ➤ Ignorar direcciones emocionantes pero falsas
- ➤ Agregar un significado al trabajo de la gente
- ➤ Obtener resultados significativamente mejores

Últimas noticias

Stanley Marcus, el experto en las ventas al detalle, tenía un amigo que hacía quizá el mejor helado del mundo y que daba la receta a cualquiera que se la pidiera. Marcus estaba perplejo: ¿cómo podía hacer eso? ¿No se daba cuenta de cuán valiosa era la receta? Su amigo, sin embargo, estaba sereno. "No importa", dijo. "Cuando averigüen cuán difícil es hacerlo y cuánto cuesta hacerlo bien, entonces dejarán de tratar de copiarnos." La naturaleza de la compañía era la *calidad*. Hacía el helado tan delicioso que nadie podía competir con ella.

La idea de enfocarse en su naturaleza es considerar que su organización es un organismo viviente, que respira. Pretender que la organización tenga un proceso de pensamiento, un enfoque.

Cuando su grupo tiene una serie de valores concernientes a la naturaleza identificados y apilados, todo mundo puede obtener el ingrediente esencial para el éxito, un *sentimiento* hacia el negocio. El trabajo se desempeña desde el intelecto hasta los instintos. Esto es válido para cualquier profesión. Una vez que conoce su naturaleza, se desvanecerán las distracciones y los falsos inicios que plagan a las organizaciones ineficientes. En lugar de ser paralizado por la oportunidad y el conflicto, usted será energizado por su esencia.

Últimas noticias

Un profesor de la escuela de negocios de Stanford descubrió que las compañías públicas visionarias se desempeñan 26 veces mejor que el mercado en general.

Ubicación de su centro

La naturaleza de su competencia es aquello que usted hace mejor. ¿Cuál es su naturaleza, su esencia? No es lo que usted *quiere* ser, sino lo que usted es.

En pocas palabras...
Una compañía *pública visionaria* es aquella con una agenda clara que da prioridad al largo plazo en lugar de una agenda de ganancias trimestrales.

Pudiera ser las ventas, la eficiencia, la investigación y el desarrollo, la imagen de la marca, la calidad o cualquier variedad de cosas, lo que sea que emocione a su gente. Si su gente está emocionada, se encuentra motivada para tener éxito.

Pero la naturaleza de la competencia es mucho más profunda. Usted no sólo tiene que amar ese aspecto de su negocio; también tiene que ser bueno en ello.

Antes de comprar McDonald's, Ray Kroc era un proveedor de lo que entonces era un pequeño restaurante. Él vio que la naturaleza de la ventaja de McDonald's era la velocidad aunada al valor. Reconoció mucho antes que nadie la comida de preparación rápida como una competencia. Invirtió en McDonald's y nunca cuestionó su decisión.

¿Cómo descubrir la naturaleza de su competencia? La encontrará si se dispone a escuchar. *Escuchar* a los empleados que hacen el trabajo. Escuchar a la gente que compra el producto (o servicio). Escuchar a los proveedores. Todos ellos tienen algo que decirle acerca de la fortaleza más grande de su compañía.

La naturaleza es impulsada por la creencia, un cable filosófico que da energía a su organización. La naturaleza satisface tanto las necesidades económicas como las humanas. La naturaleza es verdadera. La naturaleza se basa en la información. Es el aliento de vida para su operación: invisible, pero real.

Por supuesto, para que pueda escuchar tiene que hacer algunas preguntas. La forma más eficiente de hacer esto es mediante un cuestionario. El siguiente ejemplo se diseñó para descubrir el tema clave: ¿cómo es percibido usted por aquéllos de dentro y de fuera de su organización? Para tener todo el cuadro completo, usted querrá encuestar a todos sus empleados, clientes y vendedores. Obviamente el mismo cuestionario no funcionará para los tres grupos; este ejemplo es una composición de lo que debería ser tres diferentes cuestionarios.

¿Qué nos mantiene separados?

Encierre en un círculo la respuesta que usted piensa que es la más apropiada. (1 = Totalmente en desacuerdo, 2 = Parcialmente en desacuerdo, 3 = No está seguro, 4 = De acuerdo, 5 = Totalmente de acuerdo).

1) ¿Cuál es la mayor fortaleza de nuestra compañía?

Ventas	1	2	3	4	5
Mercadotecnia	1	2	3	4	5
Investigación en desarrollo	1	2	3	4	5

Eficiencia del costo	1	2	3	4	5
Producción	1	2	3	4	5
Calidad	1	2	3	4	5
Servicio	1	2	3	4	5
Finanzas	1	2	3	4	5
Otra ______________	1	2	3	4	5

2) ¿Cómo nos clasificaría en comparación con nuestro competidor más cercano?

Ventas	1	2	3	4	5
Mercadotecnia	1	2	3	4	5
Investigación y desarrollo	1	2	3	4	5
Eficiencia del costo	1	2	3	4	5
Producción	1	2	3	4	5
Calidad	1	2	3	4	5
Servicio	1	2	3	4	5
Finanzas	1	2	3	4	5
Otra ______________	1	2	3	4	5

3) ¿De qué hablamos en la mayoría de nuestras reuniones informales y formales?

Ventas	1	2	3	4	5
Mercadotecnia	1	2	3	4	5
Investigación y desarrollo	1	2	3	4	5
Eficiencia del costo	1	2	3	4	5
Producción	1	2	3	4	5
Calidad	1	2	3	4	5
Servicio	1	2	3	4	5
Finanzas	1	2	3	4	5
Otra ______________	1	2	3	4	5

4) ¿Cuáles actividades le son más fáciles a nuestra compañía?

Ventas	1	2	3	4	5
Mercadotecnia	1	2	3	4	5

continúa

continuación

Investigación y desarrollo	1	2	3	4	5
Eficiencia del costo	1	2	3	4	5
Producción	1	2	3	4	5
Calidad	1	2	3	4	5
Servicio	1	2	3	4	5
Finanzas	1	2	3	4	5
Otra ______________	1	2	3	4	5

5) ¿En qué artículos externos se enfoca más nuestra compañía?

Ventas	1	2	3	4	5
Mercadotecnia	1	2	3	4	5
Investigación y desarrollo	1	2	3	4	5
Eficiencia del costo	1	2	3	4	5
Producción	1	2	3	4	5
Calidad	1	2	3	4	5
Servicio	1	2	3	4	5
Finanzas	1	2	3	4	5
Otra ______________	1	2	3	4	5

¿Quién es usted en realidad?

Inevitablemente, empezará por inclinarse hacia una esencia. Ahí está. Probablemente usted ya sepa lo que es o se sorprenda al saberlo.

He aquí otro método. Esta técnica funciona muy bien, suponiendo que la contribución sea honesta. Déle la gráfica a su personal clave para que la llene. No se le olvide hacer una usted mismo. Haga saber que las respuestas deben ser completamente anónimas. Recuerde, sin agendas. Claro, usted verá diferencias. La gente tiene sus propias perspectivas, sus propios pensamientos, sus propias creencias. Disfrute de la diversidad, pero persiga su esencia.

En la siguiente gráfica incluyo atributos y especialidades funcionales. Pienso que ayudará el que la gente comprenda que hay una relación entre ambos elementos como referencias cruzadas. Quiero, además, incluir a los pensadores literales y a los abstractos.

Atributos	**Funciones**
Creativa	Finanzas
Disciplinada	Ventas
Con principios	Mercadotecnia
Impulsada por la calidad	Producción
Orientada al valor	Maquila
Consciente de los costos	Distribución
Orientada al servicio	Operaciones
Impulsada por las ganancias	
Con responsabilidad social	
Flexible	
Rápida	

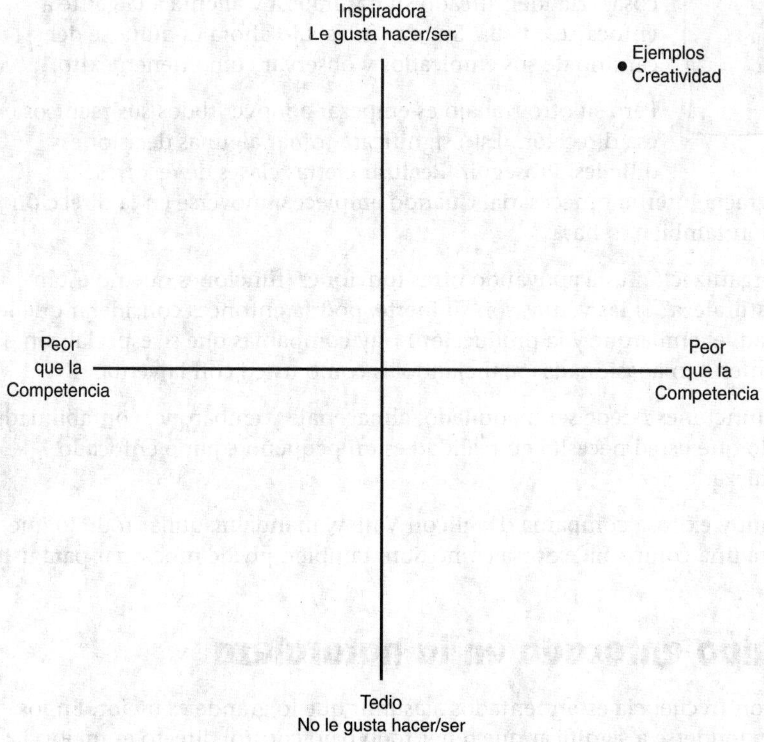

Inspiradora
Le gusta hacer/ser

• Ejemplos
Creatividad

Peor
que la
Competencia

Peor
que la
Competencia

Tedio
No le gusta hacer/ser

Después de graficar los puntos, podrá identificar su naturaleza (como es percibida) en el cuadrante superior derecho. No espere la unanimidad. Raramente será clara, pero por lo

Rompetensiones
Cuando le pida a su personal que nombre la naturaleza de su especialidad, encontrará prejuicios. La tendencia natural de todo mundo es creer que su división o su trabajo es lo más importante. Sea cuidadoso y tome una perspectiva más grande de la compañía.

común sí existe un consenso. Si no es así, usted tiene un reto real enfrente de usted, que también significa una gran oportunidad. La mayoría de los retos tienen el potencial de ser grandes oportunidades.

Una vez que descubra su naturaleza, reconózcala, discútala, preocúpese por ella y refínela. Luego prosiga. Estructure su organización alrededor de ella. No importa cuán tan atractiva sea, no se aleje de su esencia. No siga tendencias de corto plazo ni se preocupe sobre lo que hagan los demás. Manténgase verdadero a su naturaleza, sea único sin desfallecer y será exitoso.

En pocas palabras...
Hacer maquila es contratar individuos de fuera de la compañía para hacer un trabajo que, en el pasado, era realizado por empleados internos.

Ahora, enfóquese en su naturaleza

Ha descubierto su voz, su perspectiva, su manera de hacer las cosas. Ha identificado su naturaleza y alienta a la gente a enfocarse en ella. Su mayor trabajo ahora es quitarse del camino de sus empleados y observar cómo tienen éxito.

Pero su otro trabajo es empezar a mover todos sus recursos en esa dirección. Esto significará tomar algunas decisiones difíciles. Proseguir. Realizar ciertas clases de recortes. Deshacerse de la burocracia interna innecesaria. Cuando empiece a moverse en la dirección correcta, su organización también lo hará.

¿Cuánta gente en su organización está apoyando otras funciones, funciones que no están relacionadas con su naturaleza? Si las ventas son su fuerte, podría entonces considerar que le *maquilen* la contabilidad, el embarque y la producción. Hay compañías que se especializan en esas funciones y se sienten tan apasionadas manejándolas como usted con la venta.

Cualquier número de funciones puede ser maquilado: almacenaje y embarque, contabilidad, mercadotecnia. Todo lo que usted necesita en realidad es un pequeño equipo enfocado solamente en la naturaleza.

Sun Microsystems, la muy exitosa compañía de Silicon Valley, manda maquilar todo lo que pueda. Si funciona para una compañía exitosa como Sun, también puede funcionar para usted.

Construya un equipo enfocado en la naturaleza

Los estadounidenses con frecuencia están tentados a asumir que lo grande es mejor. En los negocios, esto puede extenderse a significar que tener todo bajo control directo es mejor. La experiencia nos demuestra lo contrario. Es mejor ser rápido y operar como un equipo. Es mejor evitar la burocracia y la confusión. Es mejor enfocarse en su competencia especial y particular.

La claridad es muy, muy importante. Durante años, Jaguar le dijo al mundo que su fuerte era la alta calidad, cuando todos sabíamos que era el lujo. ¿Alta calidad? El auto es famoso por sus descomposturas. Ahora, finalmente, Ford está trabajando mejor. En esencia, Jaguar era una compañía que no conocía su naturaleza. Usted necesita encontrar la suya y enfocarse en ella.

> **Rompetensiones**
> Las compañías enfocadas en el valor de la naturaleza no son siempre lugares acogedores y ordenados para trabajar; la gente trabaja más duro conforme compiten con la competencia y con ellos mismos.

Recuerde, nada —y digo nada—, necesita ser parte de su compañía excepto su naturaleza. En su corazón, sus esfuerzos deben concentrarse en desarrollar un equipo con valores compatibles. Necesita personas que puedan actuar automáticamente en concierto sin que se les diga que lo hagan. Cuando un equipo de individuos enfoca sus energías en un objetivo, los resultados pueden ser estupendos.

Mantenga el enfoque

Hay numerosas formas de mantener a su gente enfocada en la naturaleza. He aquí algunas:

- *Haga señales y distribúyalas en toda la compañía.* IBM hizo esto durante años con el lema "PIENSA".
- *Mantenga reuniones internas sobre la naturaleza de la empresa.* North Face invitó a sus clientes y proveedores como también a empleados a sus reuniones.
- *Traiga conferencistas que sean especialistas en el tema.* Las escuelas de negocios son lugares excelentes para buscar conferencistas.
- *Establezca comparaciones de aspectos específicos con otras empresas para medir su desempeño.* Discuta el progreso y los estándares.
- *Haga que su gente escriba artículos acerca de su naturaleza.* Mientras más se escriba y más se aclare, será más creíble.

Planee su producto y su proceso

No es suficiente creer en algo. También tiene que hacer que lo que usted crea sea parte de sus planes. En el capítulo 10 echaremos una mirada a la planeación de largo alcance; por ahora el asunto es mantener en mente que su naturaleza es el punto de inicio de todos sus planes exitosos. Conforme piensa en ello, querrá incorporar tres puntos de vista:

- *Sus valores de su naturaleza personal*, determinados por su propia gráfica, su intuición y sus pasiones.
- *Los valores de la naturaleza de sus empleados*, determinados por su gráfica, sus enunciados y sus acciones.
- *Los valores de la naturaleza necesarios para tener éxito en su mercado*, determinados por las encuestas a sus clientes, vendedores y expertos de la industria.

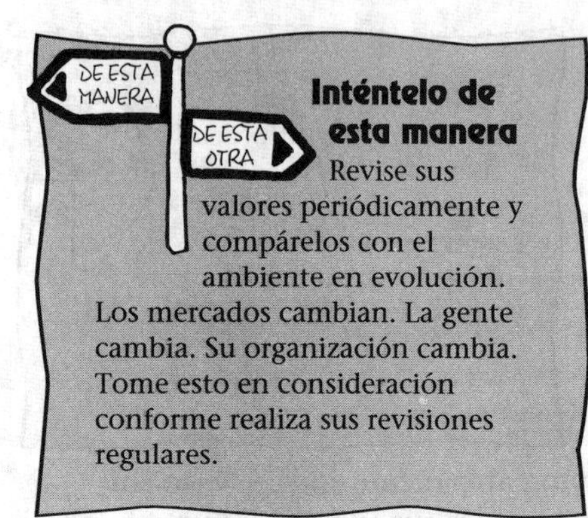

Inténtelo de esta manera

Revise sus valores periódicamente y compárelos con el ambiente en evolución. Los mercados cambian. La gente cambia. Su organización cambia. Tome esto en consideración conforme realiza sus revisiones regulares.

Cuando sincronice estos tres puntos de vista, usted se habrá ajustado a su naturaleza. Ahora puede establecer un plan con metas claras, un plan que aliente a aquellos que creen en él a trabajar más duro. Otros preferirán ir a trabajar a otro lugar, pero no se preocupe. Usted estará en la posición más fuerte en que pueda estar cuando usted y su gente compartan una meta común.

Usted quiere ser diferente, quiere ser mejor, pero tiene que ser usted. Es lo mismo con su organización. Si usted quiere capitalizar su naturaleza, planee alrededor de sus fortalezas y evite sus debilidades. Si a usted le gusta correr riesgos, mantenga su equipo de ventas orientado al crecimiento y dé a maquilar otra parte de su negocio (distribución, finanzas, contratación, etc.).

¡NOTICIAS!

Últimas noticias

Un Boeing 747 solamente tiene seis indicadores y la Iglesia católica con 2,000 años de antigüedad, hogar espiritual de cerca de la mitad de los cristianos del mundo, continúa floreciendo con sólo cinco niveles de autoridad.

Encuentre la claridad. Recuerde, su mejor oportunidad de tener éxito se funda en la diferenciación, y usted no puede saber qué es lo diferente de su grupo hasta que sepa qué *es* éste y qué hace. La claridad de su naturaleza lo pondrá en la dirección del éxito.

Lo mínimo que necesita saber

- Su naturaleza es el corazón de su negocio. Es aquello en lo que realmente necesita creer y en lo que su gente se enfoca naturalmente. No es lo que usted "quiere" ser, sino lo que es usted.
- Encontrar su naturaleza significa hacer muchas preguntas a mucha gente.
- Su naturaleza es su ventaja. Debe hacer todo lo que pueda para desarrollar su ventaja.
- Una vez que ha identificado su naturaleza, ¡enfóquese en ella!
- Haga de su naturaleza el punto de partida para toda su planeación.

Capítulo 9

Motive a su gente: cuando lo "suficientemente bueno" no es tal

En este capítulo

- Cómo motivar sin palabras
- Por qué el dinero es lo más fácil de entender
- Otras formas efectivas de motivar
- Lo que hace ganadora a una actitud

Usted no es gerente por cuenta propia. No lo sería sí así la fuera, ¿no es así? Usted es parte de un equipo y es importante que su éxito dependa de las habilidades de los miembros de su equipo, aun más que de sus talentos y habilidades particulares.

Pero espere, hay buenas noticias. Como gerente, usted tiene una *enorme* influencia en los demás. Usted puede ayudarlos tremendamente (ellos también lo pueden ayudar). Pero usted no manda a nadie. Lo volveré a decir para enfatizarlo: *usted no manda a nadie*. Nadie es su esclavo. No puede forzar a sus empleados a que trabajen, deje que *trabajen bien* solos. De hecho, la mayoría de los trabajadores operan de manera muy independiente en el mundo de hoy en día.

Sin embargo, sí responden a la motivación. Este capítulo explora la psicología de la motivación y cuáles son los métodos más eficaces en los negocios. Aprenderá cómo funciona el simbolismo, cómo actúa el dinero en la ecuación de la motivación, cómo motivar sin dinero y por qué ganar es la mayor motivación de todas.

El simbolismo lo dice todo

El día que Tim Kohl se hizo cargo de Scott, la compañía de bastones de ski y visores, hizo colocar un contenedor de basura enfrente del edificio. Luego hizo una única petición a los empleados de su compañía: que tiraran todo.

Su mensaje era simple. El pasado era el pasado. Ésa era una nueva era; todos los vestigios de la manera en que solían hacerse las cosas quedaban descartados. El futuro empezaba.

Tim Kohl entendió que las acciones hablarían con más vehemencia que las palabras. Él quería avanzar y hacer que su compañía fuera menos burocrática y tradicional. Un método, supongo, pudo haber sido mantener una serie de reuniones para tratar de explicar esa filosofía a todo mundo y esperar que realmente se hiciera escuchar. En su lugar, hizo traer un contenedor de basura hasta la puerta de enfrente.

Éste es un ejemplo drástico de lo que todo gerente debería entender, las *acciones* siempre se notan. Aun cuando no quiera que se noten, se darán a notar. Los humanos son narradores por naturaleza. Déles buenas historias y, en un abrir y cerrar de ojos, comenzará a gestarse una leyenda.

Inténtelo de esta manera

El mejor lugar para tener una fiesta es justamente donde todo mundo trabaja. Si la gente asocia el espacio con diversión, recordará más a menudo el mensaje.

Una celebración es otra forma poderosa de transmitir un mensaje. Pudiera ser una fiesta de aniversario de la compañía o una celebración de un puntaje mensual sin precedente. Pudiera ser muchas cosas, pero lo que *debería* ser es una celebración de la unidad y del logro. Diviértase, déle a la gente la oportunidad de liberar vapor. Cuando el trabajo es divertido, inevitablemente el trabajo es mejor.

El regocijo envía un gran mensaje. Por supuesto, también lo hace el trabajo duro.

Magnifique su voz corporativa

Todo lo que usted hace transmite un mensaje. No espere que sus empleados escuchen las instrucciones del tipo: "hazlo como digo, no como lo hago". ¿Ha funcionado en usted? Bueno, tampoco funcionará con su personal.

La gente sigue su liderazgo. Trabajará tan duro como usted, tomará a la organización tan seriamente como usted y creerá tanto como usted, al menos, la mayoría lo hará. Su actitud y sus acciones establecen el tono para toda la compañía, comenzando con su nivel de pasión.

¡NOTICIAS!

Últimas noticias

Los empleados recuerdan las historias. En Hewlett-Packard, donde la filosofía es "confiamos en nuestra gente", Bill Hewlett, uno de los fundadores de la compañía, encontró un cuarto cerrado con una cadena. A Hewlett le desagradó por completo tal hallazgo. Buscó unas pinzas para cortar metal, cortó la cadena y la dejó sobre el escritorio del gerente del departamento. Este cuarto nunca más se volvió a cerrar.

Como trabajador y gerente sus acciones establecen el tono. Asegúrese de alinear los mensajes a fin de presentar un tema consistente.

A continuación presento algunos ejemplos de actos simbólicos:

➤ Déle a todo mundo las llaves de la oficina y los números del código de seguridad de las puertas y computadoras, con ello creará una atmósfera de confianza.

➤ Llegue a trabajar a las 5:30 a.m. y váyase después de que todos se hayan ido, y tendrá una fuerza de trabajo dispuesta a recorrer el kilómetro extra.

➤ Vista formalmente y tendrá un personal que toma seriamente su trabajo. Vista de manera informal y atraerá gente cuya actitud es informal en cierto modo.

➤ Observe con cuidado su cuenta de gastos; otros harán lo mismo. Si gasta mucho dinero, sus empleados lo imitarán.

➤ Una garantía del 100% en sus productos les dice a sus empleados y a sus clientes que a usted le interesa la calidad.

➤ Dedique tiempo y done dinero a las causas de caridad locales y sus empleados sabrán que ganar dinero es sólo una parte de su misión.

➤ Llore cuando pierda una venta y sus empleados se darán cuenta cuánto lo apasiona ganar. Realice una investigación y analice lo que la compañía pudo haber hecho en forma diferente.

➤ Proporcione extensos beneficios a sus empleados y creerán que ellos son el activo más importante de la organización.

¿Ya entendió? Ya que todo lo que usted hace envía un mensaje, es buena idea concentrarse en las ideas positivas y vigorizantes. Y ya que estamos tratando el tema, recuerde expresar lo que quiere comunicar y decir lo que dice. No deje que alguien lo acuse de decir una cosa y hacer otra.

Rompetensiones

A veces es mejor callar. Al reprimir a un empleado en público, envía un mensaje a toda su fuerza laboral. Recuerde, lo están observando. Trate a sus empleados con generosidad y respeto, aun cuando piense que no lo merecen.

Los signos, los lemas y los carteles pueden ratificar aun más su simbolismo. Éstos pueden usarse dentro como también fuera de la compañía. Hablando de moral, los mensajes que transmite a sus empleados son importantes, pero también lo son los que envía al mundo. Los empleados observarán ambos. Asegúrese de que no se contrapongan.

Muéstreles el dinero

En el mundo hay gente que trabajará duro sin una remuneración financiera, pero tiende a limitarse a ciertos campos como las artes. Por lo general las personas prefieren que se les pague por su trabajo y esperan ver una correlación entre el trabajo arduo que hacen y el dinero que reciben. Es así de simple. Mientras más pague, mejores serán los resultados. La paga es el acto simbólico supremo.

La paga capta la atención de todos. El dinero es el dinero; es una forma específica de medir el valor. Y, sí, realmente motiva. Sin embargo, en contraposición a la creencia popular, la gente no siempre aspira a lo máximo. La mayoría desea lo adecuado.

¡NOTICIAS!

Últimas noticias

Ricardo Semler, uno de los gerentes de Semco, la exitosa compañía brasileña, dijo en una ocasión que la administración tuvo que pelear con los empleados para que se concedieran incrementos más altos cuando se les permitió establecer sus propios salarios.

Paga justa, equitativa y motivadora

Hay tres formas de medir una paga justa y equitativa:

1. *Dentro de la compañía.* Los empleados quieren un salario semejante por esfuerzos, responsabilidades y resultados comparables.
2. *Fuera de la compañía.* Los empleados quieren que se les pague conforme a los estándares de la industria o de la región geográfica.
3. *En conjunto.* Los empleados esperan que usted cumpla todos lo requisitos legales concernientes al salario mínimo, tiempo extra, vacaciones y otras provisiones legales tendientes a favorecer que la gente viva con dignidad y con un estándar de vida propio y satisfactorio.

La verdad sobre la compensación

Tenga presente los hechos. Los empleados conocerán los números de la compensación promedio en su industria y en su región, y es mejor que usted también los conozca. No desafíe los hechos. Averigüe cuál es el salario promedio en su industria.

En algunas industrias, es posible indagar con sus competidores. Por razones obvias, la información que obtenga de ellos probablemente no siempre sea confiable.

Hay varios lugares donde buscar dependiendo del trabajo:

- Para información sobre sueldos de *ejecutivos*, pruebe en las grandes compañías de contabilidad. Muchas realizan encuestas sobre salarios y luego venden los resultados.
- Tome en cuenta las asociaciones industriales. La información que éstas proporcionan puede justificar el costo de unirse al grupo.
- Algunas firmas de consultoría se enfocan solamente en la creación de mejores programas de compensación.

- En el caso del *personal de ventas*, las asociaciones industriales son el lugar idóneo para obtener información. El salario varía de manera significativa de industria a industria, así que necesitará directrices precisas.
- Las firmas de reclutamiento, también conocidas como "headhunters" son una buena fuente de información sobre la compensación de *gerentes*, sobre todo si están especializadas en su industria o en su categoría de empleo.

Inténtelo de esta manera
Para obtener información sobre salarios de ejecutivos en Estados Unidos, llame a la *National Executive Survey* (Fuente Nacional de Ejecutivos) de Ernst & Young al 1-800-726-7339.

- Para *personal administrativo y de oficina*, considere los informes de su gobierno local y regional. Ofrecen una guía bastante confiable del mercado de trabajo local.
- Para *empleados sindicalizados*, puede acudir al sindicato correspondiente para mantenerse informado, hasta cierto punto. Los sindicatos mantienen registros de la información sobre compensación. Claro, ellos controlan los números que le presentan, pero es un buen lugar para empezar, ya que tarde o temprano los necesitará.

¿Cómo habré de pagarles? Déjeme contar las maneras

Manejar la compensación de un empleado es un asunto serio envuelto en toda clase de reglamentos ilógicos nacionales, locales y sindicalistas. Si no los conoce, no los manipule, podría arrepentirse.

Estudie las reglas, tome clases o contrate expertos. Usted necesita ayuda. Es importante enviar el mensaje adecuado a la fuerza de trabajo y el mensaje diferirá dependiendo de quién sea la fuerza de trabajo.

Por ejemplo, hay cuatro formas básicas de pagar:

- Por pieza
- Por hora
- Por salario
- Por comisiones

Cada método tiene sus defensores y funciona en diferentes circunstancias. Asegúrese de estudiar las distintas circunstancias en su organización antes de decidir qué forma utilizar.

Algunas compañías son muy abiertas acerca de sus políticas de compensación. Otras, todo lo contrario. Éstas últimas se crean una frustración innecesaria.

Rompetensiones
Ningún sistema de compensación es para siempre. Los objetivos pueden cambiar con el tiempo. Asegúrese de revisar sus políticas para ver si reúnen todavía sus objetivos y si se ajustan a su ambiente actual.

Si los salarios no son de dominio público, los empleados escépticos asumirán lo peor: que todos los demás reciben una paga mejor que la de ellos. Esto los hace sentirse subestimados.

Cuando se trata del pago, la justicia es esencial. La mejor manera de lograrlo son las directrices formales. Como acto simbólico supremo, la compensación puede y debería ser motivadora. Si no lo es, probablemente es desmotivadora. No evite el tema; usted tiene que pagar, así que medítelo.

Conforme usted escribe las directrices, considere:

- ¿Qué tan seguido se revisa la compensación?
- ¿Quién hace la revisión y cuál es la autoridad de esa persona?
- ¿Hay un salario igual por un trabajo igual?
- ¿Quién recibe la paga como incentivo?

La paga como incentivo —por pieza o comisiones— permite a la gente ganar lo que merece y penaliza a los perezosos. La desventaja es que no pone atención a los factores que están fuera del control del empleado. Los oponentes de este sistema dicen que pone la cantidad por encima de la calidad. Yo estoy en desacuerdo. Si se pone en marcha en forma adecuada (continúe leyendo), la calidad no se merma. A veces hasta mejora.

Pague conforme crezca

Los tiempos cambian. Los planes de salario que una vez tuvieron sentido pudieran necesitar una renovación. Las organizaciones maduras tratarán el tema del pago de diferente manera de como lo hacían cuando estaban empezando.

Las organizaciones pequeñas o nuevas generalmente tratarán de hacer que los gastos sean tan variables como sea posible, con el objeto de protegerse de la incertidumbre. Estas organizaciones tratan de evitar demasiadas obligaciones fijas. Por ejemplo, en el caso de los representantes de ventas, posiblemente los pongan en comisiones sobre una base de medio tiempo y les permitan trabajar en otras empresas. Esto le da a la compañía acceso al talento habilidoso a un nivel muy bajo.

Sin embargo, conforme las compañías crecen, empezarán a traer gente "a la casa", con salarios fijos. La idea es que el negocio sea más predecible. A veces esto puede originar una carencia de motivación; también puede causar problemas si disminuye el negocio.

Bonos

Los bonos deberán ser exactamente eso, *bonos*. En otras palabras, deben ser una paga extra por estar por arriba y adelante del deber. Nunca deben ser automáticos, pues entonces ya no serían bonos. Los bonos que se convierten en automáticos no son motivadores y probablemente sean parte del salario del empleado.

Por el otro lado, los bonos que en verdad recompensan el desempeño dan energía. Los mejores son aquellos cuyo valor intrínseco trasciende la cantidad en dólares. Si el gerente de una tienda al menudeo ofrece $10 por vender un par en particular de esquíes, probablemente no obtenga mucha respuesta. La misma cantidad en la forma de un paquete de seis cervezas importadas pudiera tener un efecto totalmente diferente.

¿Cómo deben otorgarse los bonos? Aquí es válido otro principio de justicia. Yo creo que los bonos deben recompensar el desempeño, no el esfuerzo. Si da lo mismo a todos, no recompensa a quienes tienen un desempeño más alto. De hecho, éstos pudieran sentirse penalizados y renunciar.

Los bonos son más eficaces cuando están sujetos a los objetivos organizacionales como crecimiento de las ventas, expansión de las ganancias, incremento en los distribuidores o reducción de costos. Mientras más específicas y mensurables sean las metas, serán más eficaces. Los bonos de consolación, sin un resultado que los apoye, pueden hacer que muchos empleados no se sientan bien, en ningún sentido.

¿Cómo deben otorgarse los bonos? Hay dos métodos comunes, cada uno con sus propias ventajas y desventajas.

Lo primero es basar los bonos en las ganancias de la compañía. Con este sistema, *todo mundo* piensa y trabaja hacia una meta de mayores ganancias. Si la compañía se desempeña muy bien, todo mundo es recompensado. El inconveniente es que mucha gente sólo tiene un impacto nominal en las ganancias y no siente que tiene el control. Tal vez algunos hasta piensen que manipula las ganancias para ponerlos en desventaja. Además, si una división no se desempeña bien pero la compañía sí, sin darse cuenta recompensa a los de bajo desempeño.

El segundo método es recompensar los objetivos individuales. Aquí el beneficio claro es que la gente se sienta más en control de su propio destino y de sus bonos. El inconveniente es que puede llegar a pagar bonos aun cuando la compañía esté perdiendo dinero.

En términos generales, pienso que es mejor pagar bonos basados en el logro de objetivos individuales. De esta manera es mucho más probable conservar a sus mejores empleados.

DE ESTA MANERA
DE ESTA OTRA

Inténtelo de esta manera

Una vez que establezca un programa de bonos, permanezca con éste hasta que todos los bonos se hallan entregado. Y recuerde, cuando entregue cheques de bonos gordos, ¡sonría! Tenga en mente que no se trata de una ganancia inesperada. Los resultados se deben a un trabajo arduo, pasado y presente.

Rompetensiones

Si su plan tiene omisiones, tienen que ser resueltas. Una vez vi que un grupo de representantes de ventas llevaba a cabo esta tarea. Sabían que los bonos estaban basados en exceder ciertos límites. Así que, aquellos que no tenían oportunidad de alcanzar su cuota desviaban las ventas a aquellos que estaban muy cerca del nivel de bono. Esto permitió que algunos de los representantes obtuvieran sus bonos y luego los compartieran con quienes los habían ayudado.

Comprometa a la gente: compensación de largo plazo

La compensación de largo plazo es otra herramienta muy valiosa. Sirve a tres propósitos:

- Los empleados estarán menos tentados a sacrificar el largo plazo por perseguir objetivos inmediatos.
- Se le puede pagar a la gente con dólares futuros, los cuales podrían ser menos valiosos que los dólares de hoy y tal vez sea posible (debido a las leyes fiscales) multiplicarlos sin que se reduzca la cantidad a causa de los impuestos.
- La lealtad puede ser recompensada.

Mientras más alta sea la escalera corporativa, más amplia debe ser la perspectiva. Los trabajadores de la oficina y la producción piensan en la producción diaria. La gerencia media lo hace en una perspectiva anual. El trabajo de la administración alta es contribuir a la perspectiva de largo plazo. Por esta razón tiene sentido recompensar el desempeño corporativo con incentivos de largo plazo. Los mejores incentivos de largo plazo, en mi opinión, son las *opciones*. Las opciones benefician al poseedor si la compañía se desempeña bien, por lo tanto alinea los intereses de los empleados (al menos en teoría) con los de los propietarios.

Definición simple

Las *opciones* son derechos a comprar acciones en una compañía a cierto precio.

Hay tres clases básicas de opciones:

- *Opciones calificadas*. En su forma más simple, las opciones calificadas son las adecuadas para comprar acciones registradas. Los empleados no tienen ninguna obligación de ejercer este derecho, pero aquellos que compran acciones se vuelven accionistas y empleados de la compañía.
- *Opciones no calificadas*. Estas opciones requieren registrarse antes de que sean vendidas y no son tan líquidas como las opciones calificadas.
- *Opciones fantasma*. Estas opciones no están registradas con los funcionarios de valores. Son sólo un compromiso por parte de la compañía para dar derechos que actúan como acciones (y se mueven hacia arriba o hacia abajo con el valor de las acciones). Posteriormente se pueden comprar sin tener realmente que comprar o vender acciones.

Oiga, ¡gracias!

Los trabajadores necesitan apoyo y aprecio con mayor frecuencia que con la que se entrega un bono anual. Ellos saben que son importantes.

Los grandes gerentes entienden que el dinero por sí solo no puede motivar. Se necesita más. A continuación se presentan algunas formas de reconocer a la gente:

- *Elogio*. Alabar verbalmente o por escrito, escribir una nota rápida, una carta formal de recomendación o desear un simple "gracias", pueden elogiar más de lo que puede imaginar.
- *Recompensas*. Placas, certificados, trofeos, cadenas, plumas o cualquier cosa que el empleado pueda mostrar a los demás envía el mensaje de que usted valora su trabajo.

- *Reconocimiento individual.* Hay diversas formas de dar un reconocimiento público. Una muy común es el programa del "empleado del mes", en el cual una fotografía del empleado se muestra en un lugar visible. Poner el nombre del empleado en su estación de trabajo es una forma de reconocimiento. Podría considerar darle a un producto el nombre del empleado.
- *Algo especial.* Flores, boletos para un evento, un día libre, una celebración de su aniversario en la organización o una cena pagada por la compañía son expresiones apropiadas de aprecio.
- *Prestigio de compañerismo de grupo.* Recibir elogios enfrente de sus compañeros, conseguir la oportunidad de reunirse con el "gran jefe", una invitación para contribuir con ideas y sugerencias y una oportunidad de dirigir un evento interno harán sentir al empleado que se valora su presencia.
- *Representación de la organización.* Dar a los miembros del equipo una tarjeta de negocios o una tarjeta de crédito corporativa, presentarlos a personalidades de su negocio y darles ropa con el logotipo de la compañía y que diga: "usted es parte de esta operación".

Las mejores recompensas son las que son espontáneas. Si usted está aburrido en su escritorio, piense en sus empleados. Probablemente están aburridos también. Llegue con alguna clase de recompensa y preséntelo. Todo mundo, incluyéndose usted, se sentirá mejor respecto de la organización.

¡Somos el número uno!

Todo mundo quiere estar en un equipo ganador. Si no lo cree, eche un vistazo a los eventos deportivos de la televisión. A menos que esté mirando un torneo de billar, probablemente vea miles de personas en las gradas, celebrando a los jugadores que ganan. ¿Qué es lo que dicen? "¡Somos el número uno!"

La gente en su organización quiere sentirse ganadora. Cuando su organización logra una meta, celébrelo. No lo haga a un lado. ¡Ganar es un gran motivador! Tome la ventaja del éxito para construir la psique colectiva de su equipo. Si sus empleados se sienten como ganadores, actuarán como ganadores y eso significa que ganarán más a menudo.

Últimas noticias

El día que Greg LeMond ganó el Tour de Francia, Giro Sport, el fabricante de cascos para bicicleta, buscó a todos aquellos en la compañía que hubieran trabajado en el casco de LeMond e hizo una gran celebración. Cada empleado recibió un casco similar al que Greg LeMond estaba usando cuando cruzó la línea de meta. Los empleados de Giro se fueron a casa sintiéndose como si ellos poseyeran una pequeña parte de la victoria de la carrera de bicicletas más prestigiosa del mundo.

Aun más importante que celebrar a sus elementos como ganadores es impedir que se sientan como perdedores. En el momento que empiecen a sentirse de esa manera, crearán una profecía que se cumplirá por sí misma. Si su gente tiene miedo de cometer un error, se abstendrá de hacer cualquier actividad.

Los ganadores aprovechan las oportunidades. Los ganadores no tienen miedo del fracaso, siempre y cuando aprendan de él. No paralice a su gente inspirando el temor de perder, inspírelos con visiones de ganar. Y cuando ganen, reconózcalo.

Lo mínimo que necesita saber

- La gente recuerda las historias más que las palabras, así que narre a su gente historias que capturen su mensaje.
- El dinero motiva, cuando lo utiliza bien. Averigüe cuál es el estándar salarial en su industria y estructure de acuerdo con esto.
- Los bonos son más efectivos cuando son impulsados por objetivos. Los bonos estándares o subjetivos no son motivadores.
- Los empleados necesitan más que dinero para sentirse motivados. Necesitan saber que ellos importan.
- Cuando los empleados se sientan como si estuvieran en un equipo ganador, trabajarán como ganadores.

Establezca la meta: ajuste la barra y súbala una o dos marcas

En este capítulo

- Creación de un plan de largo plazo
- Cómo coordinar los presupuestos con planes de largo plazo
- Evaluaciones financieras, manera de saber cómo se está desempeñando
- Realizar ajustes a lo largo del camino

Imagine esto: usted está parado en el estrado. Una audiencia encantada y silenciosa está escuchando cada palabra suya. Usted tiene un plan y todos quieren escucharlo.

¿Se parece esto a lo que pasa en su oficina? No es muy probable.

La realidad probablemente es más parecida a un bazar de Casablanca: 12 millones de cosas que pasan al mismo tiempo, en medio de muchos gritos y una gran disonancia. Usted quiere que todos sus empleados estén enfocados hacia un mismo objetivo y que trabajen juntos pero, ¿cómo va a suceder esto si hay mucha distracción en el momento?

Este capítulo va a decírselo. Voy a hablar a cerca del establecimiento de la meta, la planeación de largo plazo y el presupuesto, tres herramientas esenciales de la administración. ¡Ignórelas bajo su propio riesgo! Haga que trabajen para usted y podrá lograr grandes cosas.

Expectativas = Resultados

¿Qué desea usted?

¿Qué es lo que REALMENTE quiere? ¿Lo sabe?

De esto es lo que trata el establecimiento de la meta. A veces es difícil saber lo que en realidad queremos. El establecimiento de la meta es un proceso formal para separar lo que "debo hacer" de lo que "quiero hacer". Cuando establece las metas, usted toma el control de su destino y el de su organización. Usted entra a un terreno que está más allá de un simple sueño.

Éste es el momento de lo específico. No se permita ser impreciso. Las metas indefinidas producen resultados indefinidos. Así que permítame preguntarle nuevamente: *¿qué diablos quiere?*

El plan de largo plazo

Rompetensiones

Dun y Bradstreet informan que 50% de los negocios nuevos fracasan en su primer año, solamente 33% llega a su cuarto aniversario y sólo 20% llega a su décimo año. Los culpables principales son: planes e información inadecuados.

Puede llamarlo como prefiera, pero lo tiene que hacer. Tiene que planear. Me gusta el nombre de "plan de largo plazo". A otros les agrada más "plan estratégico". Llámelo "Fred", si eso lo hace feliz; ¡pero utilícelo!

Como James L. Hayes del American Management Association los define: "los gerentes eficaces viven en el presente pero se concentran en el futuro".

El objetivo es establecer una dirección para su negocio. Los planes de largo plazo definen las fronteras; luego los empleados encuentran la mejor manera de hacer el trabajo dentro de esos límites.

Errores comunes

Pero a veces, los planes fracasan. He aquí algunas razones:

- Se termina el plan y se hace a un lado; nunca se le vuelve a mirar.
- El plan es demasiado rígido.
- Los empleados tienen la responsabilidad pero no la autoridad.
- El plan tiene malas ideas, lo que lleva a un mal resultado.
- Los empleados clave se excluyen durante el desarrollo del plan.
- El plan no anticipa el cambio.
- El plan se olvida en medio de la emoción causada por nuevas oportunidades.

La clave de cualquier plan de largo plazo es hacer que abarque el suficiente tiempo (digamos de tres a cinco años) para que sea posible tomar decisiones con perspectiva. No caiga en la trampa de basar la "estrategia" de su negocio en reacciones de corto plazo, provenientes de situaciones del diario.

Revise el plan cada año más o menos. ¿En qué ha cambiado el ambiente externo y cómo debería usted responder? Un plan de largo plazo debe tener vida y ser un documento vital que inspire y atraiga el enfoque.

Finalmente, su plan necesita involucrar a otras personas. Sin caer en el síndrome del comité de contener tantas opiniones que lo hacen inservible, asegúrese de que sus empleados contribuyan en algo. Después de todo, ellos van a poner en práctica lo que a usted se le ocurra.

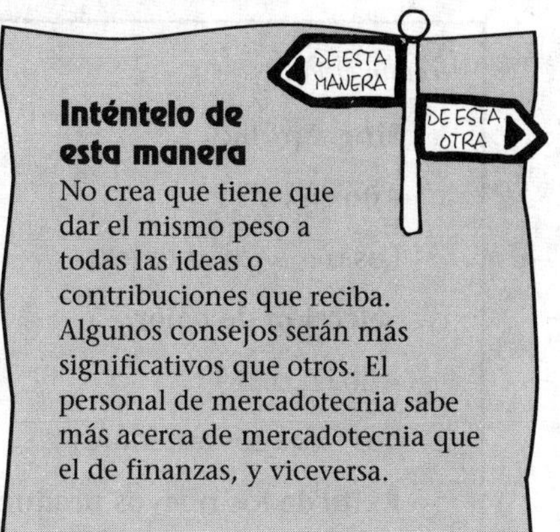

Inténtelo de esta manera

No crea que tiene que dar el mismo peso a todas las ideas o contribuciones que reciba. Algunos consejos serán más significativos que otros. El personal de mercadotecnia sabe más acerca de mercadotecnia que el de finanzas, y viceversa.

Involucre a los demás

Si usted considera que la planeación de largo plazo es un proceso y un producto, probablemente obtendrá más beneficios del ejercicio. El sólo reunir a la gente para que piense en esto vale la pena. Mientras más involucre a su equipo, más obtendrá de sus integrantes, y más conseguirán ellos. Lo mejor de todo: se lograrán los resultados.

El proceso permite que todos trabajen juntos y aprendan más unos de otros. Eso es importante ya que ellos van a contar unos con otros.

Una manera de formalizar el proceso y organizar las contribuciones en un nivel manejable es mediante un cuestionario. Planee distribuirlo a sus socios estratégicos (clientes y proveedores) como también a su gerencia media y superior. Al hacer las mismas preguntas a internos y externos, usted puede probar la precisión de algunas de sus suposiciones internas.

A continuación se encuentra una muestra de cuestionario.

Cuestionario de largo plazo

Encierre el número que más claramente representa su opinión, desde 1 (pobre) hasta 5 (excelente).

<u>PRODUCTOS/SERVICIOS</u>

Calidad

Año en curso	1	2	3	4	5
Los tres años anteriores	1	2	3	4	5

<u>DISEÑO</u>

Innovación

Año en curso	1	2	3	4	5
Los tres años anteriores	1	2	3	4	5

continúa

continuación

Singularidad

Año en curso	1	2	3	4	5
Los tres años anteriores	1	2	3	4	5

Selección de color

Año en curso	1	2	3	4	5
Los tres años anteriores	1	2	3	4	5

Éxito de los nuevos productos

Año en curso	1	2	3	4	5
Los tres años anteriores	1	2	3	4	5

Sensibilidad al mercado

Año en curso	1	2	3	4	5
Los tres años anteriores	1	2	3	4	5

Por favor comente qué áreas de diseño necesita mejorar la compañía.

ENFOQUE

¿En qué cree usted que cada una de las siguientes divisiones debe enfocarse durante los siguientes dos años para mejorar significativamente las ganancias y el éxito de la compañía?

Manufactura/Maquila

Ventas, mercadotecnia y diseño

Finanzas y operaciones

EVALUACIÓN GENERAL

¿Cuáles son nuestras mayores fortalezas con relación a nuestros competidores?

1)

2)

3)

¿Cuáles son nuestras debilidades más importantes en relación con nuestros competidores?

1)

2)

3)

¿Quiénes son nuestros principales competidores?

¿Cuáles son los mayores problemas que enfrentamos a corto plazo (un año)?

1)

2)

3)

¿Cuáles son los mayores problemas que enfrentamos a largo plazo (cinco años)?

1)

2)

3)

¿CUÁLES DEBERÍAN SER LOS OBJETIVOS DE NUESTRA COMPAÑÍA?

	Ventas	Ganancia bruta (%)	Ganancias antes de impuestos (%)
Año 1			
Año 2			
Año 3			
Año 4			

Esta clase de cuestionario puede ayudarlo a saber lo que la gente de dentro y de fuera de la compañía cree que la hará mejor. Tome esta información y trabaje con ella. Ahora puede empezar a desarrollar un plan a largo plazo.

Elaboración de un plan

Antes de hablar de la elaboración de un plan de largo plazo, debo mencionar, con el interés de llegar a la total revelación, que hay algunos programas de computadora que le pueden ayudar hacer esto. Yo tengo sentimientos encontrados acerca de ellos. Por un lado, pienso que un machote puede ser de gran ayuda. Por el otro lado, existe un peligro de que la gente ponga información sin que realmente la discierna o sin que sepa a ciencia cierta lo que significa. El software del plan guiado termina con números, está bien, pero carece de vida. La planeación de largo plazo requiere un trabajo más serio por parte del cerebro, apoyado en verificaciones regulares de la realidad.

Sin embargo, escriba su plan y asegúrese de incluir estos cuatro elementos:

1. Declaración de la misión = ¿Por qué?
2. Metas = ¿Qué y cuándo?

3. Estrategias = ¿Cómo?
4. Políticas = El método de ejecución.

Declaración de la misión: ¿a quién le importa?

La mayoría de las declaraciones de misiones son impuestas por un comité y se leen como tal. A menudo parece como si cada palabra hubiera sido sugerida por diferentes participantes. Hay muy poca unidad y aun menos claridad. Y en cuanto al significado real que los individuos puedan dar a tales enunciados, bueno, olvídelo.

Así, pues, ¿cómo sería una buena declaración de la misión y cómo conseguiría que tuviera significado?

Por algo prefiero el término "declaración de la visión". La gente sigue las visiones. La declaración debe ser una fuerza impulsora. Nada empieza ni puede mantenerse sin una visión. La visión es la razón de ser de su negocio. Crea en ella y vívala. Es la verdad.

Para darle una idea del intervalo de posibilidades, aquí hay dos de mis declaraciones de visión favoritas. La primera pertenece a una cadena local de hoteles. La declaración es simplemente "servicio". Es clara. Todo el que trabaja en la cadena la entiende. La declaración está hecha a la medida de la organización.

La segunda pertenece a una compañía de ropa bien conocida, Royal Robbins. Es más larga y más filosófica. Y dice así: "Probar a través de la integridad, el servicio, la actuación equitativa y la pasión por la aventura que el éxito en el negocio, como en la vida, proviene del triunfo de los principios". También ésta, es clara y está hecha especialmente para la organización.

Revise la declaración de su visión y vea que reúna estos cuatro criterios:

1. ¿Es clara?
2. ¿Es memorizable?
3. ¿Es inspiradora?
4. ¿Está hecha a la medida de su organización?

Si es débil en alguna de esas áreas, necesita más trabajo.

Ni techo, ni piso

Las metas son esenciales cuando no se desea ir a la deriva de una buena idea a otra. Las metas llevan a los logros.

Toda compañía debería tener dos clases de metas: las *cualitativas* y las *cuantitativas*.

Un viejo axioma corporativo dice: "Dé un número o una fecha, pero nunca dé ambos". Este axioma es absolutamente contrario al éxito. ¡Ofrezca ambos! Sea específico y luego cumpla.

Los ejemplos de *metas cuantitativas* son las ventas, los márgenes de ganancia, el rendimiento sobre la inversión y la participación de mercado. Hay muchas otras más. Cualquier cosa que pueda ser mensurable puede convertirse en una meta cuantitativa.

En pocas palabras...
Las *metas cuantitativas* son medibles: "tal y tal en cantidad y tal y tal en fecha". Las *metas cualitativas* son más subjetivas. Se orientan a elementos intangibles como la calidad y la creatividad.

Las *metas cualitativas* son más subjetivas pero de igual importancia. Construir una imagen de marca, alentar un ambiente creativo y adaptar la compañía a tecnologías de punta son ejemplos de metas cualitativas.

Algo que tiene que evitar, al hacer su lista, es tener demasiadas metas. Fijarse demasiadas metas equivale a no tener ninguna. Cuando tenga duda, simplifique y enfóquese en algo más concreto. Y cuando sea posible, haga más específicas sus metas. De esta forma eliminará muchas excusas.

¡Defina las estrategias!

Las estrategias son los planos para llegar a las metas. Pueden ser generales o específicas, pero usualmente conciernen más a los conceptos que a los números. He aquí algunos ejemplos de estrategias:

- Disminuir los costos incrementando el volumen y manteniendo los costos fijos.
- Aumentar las ganancias por medio del incremento de la participación de mercado.
- Segmentar el conjunto de los clientes de acuerdo con su potencial.

O podría preferir una estrategia más dirigida:

- Ganar participación de mercado vendiendo a precios más bajos que sus competidores.
- Reducir los gastos generales en 20%.
- Expandir las ventas globalmente y agregar nuevos clientes.
- Tener el mejor servicio en el negocio.

Al igual que con las metas, la clave de las estrategias es la simplificación. Usted no tiene que hacer todo ahora. Siempre estará en la posibilidad de instituir nuevas y más estrategias.

Últimas noticias

La estrategia directriz de Nike fue el plan de negocios de Phil Knight, el director ejecutivo. Desarrolló este plan cuando era estudiante de la escuela de negocios de Stanford, con un poco de ayuda de su viejo entrenador de pista, Bob Bowerman. Obviamente, con el tiempo, el concepto evolucionó, pero todo empieza con un plan. Desde entonces, ha sido exitoso.

Establezca la política

No pretenda tener el plan más elaborado del mundo, solamente el más eficaz.

Las *políticas* revisten de personalidad a su método. Las posibilidades son casi ilimitadas. Sólo manténgase dentro de lo sencillo.

Definición simple
Las *políticas* son tácticas para cada día. Proporcionan reglas para que usted las implemente, en su calidad de gerente.

Las *políticas* son su forma de hacer los negocios, apoyan sus estrategias y, al mismo tiempo, las personalizan para su organización. Dos compañías pueden tener la misma estrategia; digamos, incrementar la participación del mercado en un 20%. Pero una puede escoger hacerlo mediante una campaña publicitaria mientras que la otra, por medio de una mayor inversión en el desarrollo de productos.

Aunque tendrá muchas políticas, algunas serán claramente más importantes que otras. Me parece que esto es de gran ayuda para clasificarlas. Enfóquese en la más importante y deje las demás fuera del plan.

He aquí algunas preguntas cuyas respuestas podrían ayudarle a elaborar las políticas. Tal vez sea conveniente que haga algunas otras, dependiendo de sus necesidades en particular.

Financieras

¿Cuán rápido paga sus cuentas?

¿Cuáles son los términos que extiende?

¿Apalanca a su compañía o se maneja conservadoramente?

¿Muestra los números al personal o los mantiene ocultos?

¿Compra equipo o lo arrienda?

¿Utiliza bancos o factoraje?

Relativas al personal

¿Tiene planes de pensión o de retiro?

¿Tiene planes de bonos, y si es así, quién está incluido?

¿Premia la antigüedad?

¿Da recompensas no monetarias?

¿Qué días festivos celebra?

¿Tiene una o varias instalaciones?

Mercadotecnia

¿Promueve al consumidor final o al intermediario?

¿Utiliza el mercadeo electrónico o los canales más tradicionales?

¿Usa los términos de pago como una herramienta de ventas?

¿Tiene agentes de ventas propios o agentes bajo comisión?

¿Tiene inventario de reserva o solamente abastece las órdenes conforme las va recibiendo?

Relativas a los productos

¿Tiene alta calidad/alto precio o baja calidad/bajo precio?

¿Tiene una línea de producto amplia o estrecha?

¿Produce su producto o lo compra de alguien más?

¿Utiliza materiales propios o genéricos?

¿Ofrece moda o funcionamiento?

Las políticas son indispensables. Cualesquiera que éstas sean, póngalas en práctica, asegúrese de alinearlas con un plan cohesivo y de enfoque sencillo. Si usted hace su trabajo en forma adecuada, estará adelante de la mayoría de los competidores desde el banderazo de salida.

Presupuesto, la meta más clara de todas

Ya tiene su plan a largo plazo. ¡Estupendo! ¡Bien por usted! Pero no olvide sus metas a corto plazo, de lo contrario su plan a largo plazo tampoco tendrá éxito. Es aquí donde entra el presupuesto.

Necesitará proyecciones financieras divididas por mes, en forma consistente, y que estén unidas al plan de largo plazo.

Hacer un presupuesto es un proceso delicado. Si tiene muy pocos conceptos, probablemente no sea capaz de señalar qué funciona y qué no funciona. Demasiados conceptos lo harán caer en el pantano. A continuación, hago algunas sugerencias que podrán ayudarlo:

- Utilice tanta información histórica como sea posible. La información del pasado es uno de los mejores indicadores de cómo se ve el futuro.
- Tenga sólo tantos conceptos como pueda manejar.
- Divida las cosas en incrementos mensuales para que mida mensualmente.
- Compare su presupuesto con el plan de largo plazo para asegurarse de que los dos están unidos.

- Lo recomendable es que la gente que está involucrada en llevar a cabo el plan, sea la misma que lo elabore. Esto le dará mas precisión y aceptación.
- Ligue su presupuesto directamente a su sistema de contabilidad.

Puntos financieros que deben verificarse

Usted tiene un plan de largo plazo, una declaración de misión, las políticas y su presupuesto. ¿Cómo saber si todo marcha bien?

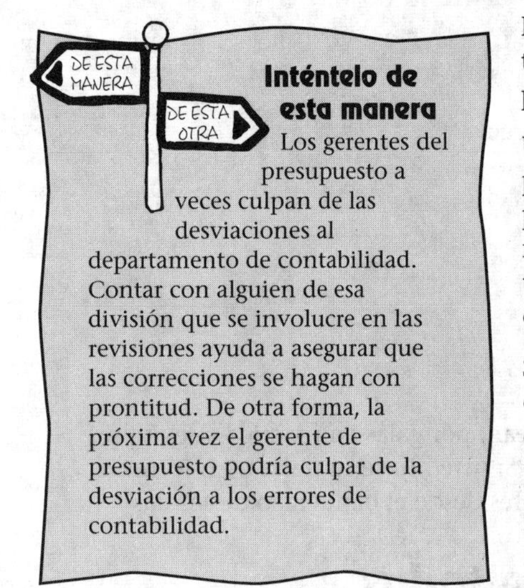

Inténtelo de esta manera

Los gerentes del presupuesto a veces culpan de las desviaciones al departamento de contabilidad. Contar con alguien de esa división que se involucre en las revisiones ayuda a asegurar que las correcciones se hagan con prontitud. De otra forma, la próxima vez el gerente de presupuesto podría culpar de la desviación a los errores de contabilidad.

La respuesta es: revisión. Con cierta periodicidad, tómese el tiempo para revisar su desempeño y compárelo contra el presupuesto; de ser necesario, lleve a cabo acciones correctivas.

Una revisión, por definición, es un análisis a posteriori, es decir, posterior a los hechos. Mientras más cerca esté la revisión del periodo en que están pasando las cosas, mejor. La gente recordará la situación con más precisión y hará un mejor trabajo al corregirlo. No permita que la contabilidad haga lento este proceso. Hágase cargo.

Siéntese con sus empleados y analice los asuntos línea por línea con la persona responsable. Asegúrese de que tanto usted como ella entiendan lo que está pasando.

Cuando descubra desviaciones significativas entre los resultados reales y el presupuesto, es importante que actúe con rapidez para investigar y arreglar el problema. Sea lo que usted decida, póngalo por escrito y luego déle seguimiento durante el siguiente periodo de revisión. Sea específico con los números y las fechas.

Recompensas y sanciones, donde la llanta se junta con el pavimento

El propósito de la planeación es abrir un camino hacia el éxito para luego seguirlo. Inevitablemente, algunas personas recorrerán el camino mejor que otras.

La única manera de manejar este hecho es recompensar a los que presentan alto desempeño y desalentar a los flojos. Si usted no lo hace, probablemente los empleados perezosos le tomarán la medida mientras que los de buen rendimiento empezarán a sospechar que no son importantes para usted.

Las recompensas deben ser económicas y no económicas y, además, deben estar claramente establecidas con anticipación para que todo el mundo las conozca. Las recompensas y las sanciones constituyen la mayor parte de la ejecución de un buen plan. Después de todo, sin la ejecución, un plan no es más que papel desperdiciado, ¿no es así?

Lo mínimo que necesita saber

- Un plan de largo plazo consta de una declaración de la misión, metas, estrategias y políticas.
- El presupuesto marca una trayectoria precisa a lo largo del año para ayudarlo a alcanzar sus proyecciones.
- Las evaluaciones financieras son puntos de verificación de los presupuestos. Busque desviaciones en el desempeño y corríjalas con un plan en específico.
- Utilice las recompensas y las sanciones para mantener a su gente enfocada en las metas y para enviar el mensaje de sus expectativas.

Parte 3
Organice su equipo

Ahora es tiempo de poner todas las piezas juntas. O engranan y hace usted que funcionen como una máquina finamente aceitada o aprenderá a decir: "¿lo querría frito?"

Esta parte del libro trata acerca de las tuercas y tornillos que mantienen trabajando unido a su equipo. Hablaré acerca de alinear varias partes de su equipo y luego me enfocaré en los empleados, la parte esencial de cualquier organización. Analizaremos cómo contratarlos, cuándo despedirlos y cómo hacer que todos trabajen hacia una meta en común. En estos capítulos aprenderá cómo lograr que el motor esté a tono.

Alinee su equipo y minimice la fricción (así podrá dormir en la noche)

En este capítulo

- Dos métodos para transmitir las decisiones hacia los niveles bajos
- Subir a bordo a los clientes, proveedores y propietarios
- Entender las complejas necesidades de las personas
- Alinear a sus empleados en una economía global

Las organizaciones son personas. Seguro, ellas hacen los números, así como los resultados y todas las *cosas* que parecen tan importantes para los dueños del dinero. Pero todo se reduce a gente y la gente son individuos. Como gerente de sus empleados, usted necesita determinar cómo van a trabajar todos juntos.

El crecimiento conlleva al cambio, el cambio atrae al movimiento, el movimiento llama a la fricción y la fricción causa calor. En los negocios, "calor" significa controversia. En este capítulo hablaré acerca de aquéllos a quienes usted trata de alinear y lo que puede hacer para que sus empleados, propietarios y clientes entiendan su misión y lo ayuden a trabajar hacia sus metas. Así, pues, únase al equipo y lea este capítulo.

Decisiones, decisiones, decisiones

Empleados, propietarios y clientes, todos ellos tienen una posición en su éxito. Tienen interés en que usted se desempeñe bien. Si los trata como socios, descubrirá que le ayudarán a tener éxito. Todo mundo ganará.

Las metas hacia las que nos dirigimos en este capítulo son la toma de decisiones en equipo y la delicada puesta en práctica de las decisiones. No es de sorprender que esto resulte estar íntegramente unido.

Hay dos formas de transmitir las decisiones a los niveles inferiores:

- *La forma occidental.* Un individuo consulta a unas cuantas personas y toma una decisión. La gente la escucha, la desafía y se ajusta con retraso pero con avance. El resultado es una ejecución irregular conforme avanza por varios niveles de la organización.
- *La forma japonesa.* Se consulta a todo mundo en la compañía antes de que se tome una decisión. El sistema, llamado sistema Ringi, está basado en un círculo. Todas las decisiones circulan por toda la compañía (alrededor de un círculo) para que sean discutidas y se llegue a una decisión antes de cualquier resolución. Las cosas se mueven lentamente en la fase de decisión, pero una vez que ésta se ha tomado, la ejecución es suave.

La coordinación con clientes

La mejor manera de trabajar con clientes es tratarlos con completa honestidad. Haga que se enteren de lo que pasa. No utilice la filosofía nosotros-ellos. Utilice la de *nosotros-todos.*

Inténtelo de esta manera
Empiece con un recorrido turístico por su empresa. Traiga a sus clientes a sus instalaciones y deje que conozcan a su gente. Humanice la relación.

Sam Walton, creador de Wal-Mart, sabía que no tenía todas las respuestas. Así que comenzó a escuchar e hizo crecer a una compañía.

En Wal-Mart, a los clientes se les saluda y se les da la bienvenida en la tienda. Si buscan un artículo, no se les dice dónde buscarlo; se les muestra. Cuando un cliente firma un cheque, se le agradece utilizando su nombre. Walton dice: "La palabra más agradable para cualquier persona es su propio nombre".

No sólo los clientes son tratados con respeto. Al reconocer desde el principio que la compañía solamente es tan buena como sus empleados, Walton se ha anotado un punto por alentar las opiniones. Él ha dado permiso a sus empleados de cambiar e innovar diariamente y ha declarado a la burocracia y a la complacencia sus enemigos.

Hay múltiples formas de traer clientes (y empleados) a su campo, aun si usted no tiene una cadena de tiendas al menudeo. No los tome por seguros y nunca los trate como enemigos. Ayude a sus clientes. He aquí algunas ideas:

- Involúcrelos en su plan de largo plazo (vea el capítulo 10).
- Invítelos a sus instalaciones para evaluar sus nuevos productos o ideas antes de que los introduzca en todo el mercado.
- Envíe un equipo interdisciplinario de sus empleados a visitarlos para descubrir sus necesidades.
- Realice seminarios y reuniones sobre temas de interés común.
- Hágalos parte de una junta de consultoría.
- Emociónelos con su servicio, no basta con satisfacerlos.
- Valórelos y demuéstreselos.

Recuerde, los clientes pagan sus cuentas, ¡y su salario!

La coordinación con los propietarios

Los propietarios (accionistas, socios o los miembros de la junta) necesitan usar y ver su producto o servicio. Ellos necesitan más que los informes financieros. Necesitan materiales. Necesitan ver lo que usted hace. Si esto significa darles un descuento, tal vez sea barato. Mientras más involucrados estén con lo que hacen, mejor.

¡NOTICIAS!

Últimas noticias

Jan Sport Company, fabricante de mochilas, realiza una escalada al monte Ranier cada verano. La escalada es dirigida por un experto del mundo del montañismo, Lou Whitaker. A ella asisten vendedores al detalle, representantes de ventas, revistas de la industria, empleados y propietarios. La experiencia personaliza la relación y al final todos se conocen mejor.

Permita que la gente sea humana

Lo más asombroso de la gente es que se trata de seres humanos. He descubierto que la inmensa mayoría de la gente con la que me he topado es humana. De hecho, algunos que pensaba que no lo eran en realidad resultaron ser humanos. Aun la gente que trabaja para usted es humana.

Imagínese eso.

Así, pues, ¿qué hará con estos humanos? Son más que sólo herramientas. Tienen emociones y cosas parecidas. Tienen diferentes ideas. Algunas de ellas son buenas; otras son grandes ideas, y otras más sólo son ideas, pero todas ellas provienen de seres humanos. Y los humanos necesitan ser tratados como humanos.

Sus emociones tienen altas y bajas; además, cambiarán con el tiempo. No siempre se limitarán a seguir instrucciones, alguna vez preguntarán: "¿por qué?"

Todos ellos tendrán fortalezas y debilidades humanas, no importa el papel que jueguen en su vida. Los clientes, los empleados y los propietarios, todos ellos son personas.

Los gerentes listos capitalizan las fortalezas de los demás y se ríen (al menos con ellos mismos) de las debilidades.

¡NOTICIAS!

Últimas noticias

Stanley Marcus, fundador de Neiman Marcus, comentó en alguna ocasión: "a los osos y a los perros se les entrena, pero a las personas se les educa". Esto significa que su meta es enseñar a la gente a pensar, en qué pensar. El resultado de este esfuerzo será su autosuficiencia.

Ciertos problemas de la gente son predecibles.

Por ejemplo, muchos gerentes informan que en las reuniones, la gente discutirá un tema, digamos un plan a largo plazo, y alcanzará un acuerdo por completo. Pero no dura. La gente se mueve en distintas direcciones; los clientes, los mercados, el personal y las finanzas cambian gradualmente.

Las percepciones de la gente se alteran por una nueva realidad. De repente, el plan ya no es 100% aceptable. Hay nuevas circunstancias, nuevas perspectivas. Continuamente, bit a bit, la divergencia aumenta. Las desviaciones pudieran no ser grandes al principio. Mientras se mantengan dentro de la zona preestablecida de bienestar, usted no tiene que preocuparse.

Pero no siempre se mantienen en el intervalo de seguridad. Cuando las cosas parecen empezar a desmoronarse, su única opción es asumir el control. Reagrupar. Reevaluar. Revisar su plan de largo plazo para acoplarse a las nuevas circunstancias. Y recuerde que la gente es su mayor activo.

Después de todo, las máquinas pueden producir solamente cierto número de artículos al día y los materiales alcanzan para fabricar sólo cierta cantidad de productos. Por el otro lado, la gente... la verdadera gente puede producir mentalmente cualquier cosa.

Haga a la gente responsable (como usted)

Una cosa es pronunciar las palabras. Pero también usted tiene que recorrer el camino y asegurarse de que todo el mundo también lo haga.

Su trabajo es hacer responsable a la gente y empieza por hacerse usted mismo responsable. Esto significa que usted debe medir el desempeño contra los compromisos.

Si hay problemas, primero trate de ayudar. Pero si los problemas continúan, puede ser que alguien trata de llamar su atención. Si esto es verdad, probablemente tendrá que despedir a esa persona. Poner su energía y su tiempo en aquellos que no son o no pueden ser recíprocos es un esfuerzo inútil, sin mencionar que es un muy mal ejemplo para todos los demás. Siga avanzando. Dedicar su tiempo, su energía y sus talentos al servicio de aquellos que están consiguiendo resultados jamás nulificará los resultados de sus esfuerzos.

La responsabilidad se relaciona con el establecimiento de estándares de desempeño y con tener gente que acepte esos estándares. Propicia que sus empleados se hagan ellos mismos responsables de los resultados. Se trata de conseguir que la gente tenga iniciativa y que busque resultados por su propia cuenta sin que exista una fuerza por encima de ellos.

La atención que requieren los empleados (por estatus, seguridad y necesidades del ego) no es diferente de la que necesitan los niños. Algunos requieren un reconocimiento constante y si no lo obtienen de la retroalimentación normal, buscarán otras formas de conseguir reconocimiento, actuando, llamando la atención o aun echando a perder su trabajo intencionalmente.

Una vez que tenga los estándares, pida que se hagan algunas evaluaciones y compárelas. Solicite autoevaluaciones. Pida a sus empleados que evalúen a sus compañeros. Y finalmente usted haga una evaluación.

Luego tome cartas en el asunto.

Recompense a aquellos que se desempeñaron muy bien. No convierta en tontos a los buenos trabajadores ni a los de más alto desempeño al tratarlos como los demás. Trátelos de manera especial.

Si en verdad quiere tomar la responsabilidad seriamente, pida que sus empleados lo evalúen. Si usted es un gran gerente, probablemente está estableciendo altos estándares para usted mismo. Pudiera establecerlos aún más alto de lo que la mayoría se fijaría para sí misma. Eso es bueno. Eso es un signo de un líder. No tenga miedo de ser evaluado. Lo que aprenda puede ser de gran beneficio. Después de todo usted está modelando a los demás. El trabajo duro y la excelencia empiezan con usted.

Inténtelo de esta manera

En las compañías promedio, cerca de 10% de los empleados tiene un desempeño sobresaliente. Otro 10% corresponde a empleados de bajo rendimiento, probablemente buscapleitos. El 80% restante escoge seguir a uno de los primeros dos grupos basándose en lo que ven, en quién tiene el poder en la compañía y en quién obtiene lo mejor. Deje que quienes tienen desempeño sobresaliente sean los modelos a seguir. Deshágase del 10% formado por los de bajo rendimiento.

Proveedores, ¿amigos o enemigos?

Los proveedores tienden a ser tratados como hongos, mantenidos en la oscuridad y cubiertos con abono. Probablemente piense que son sus adversarios, pero son una parte integral de su equipo; en verdad, su éxito depende de ellos. Los proveedores pueden ofrecer una gran variedad de cosas que usted necesita:

- *Investigación y desarrollo.* Los proveedores pueden cooperar para aumentar su inversión en investigación y desarrollo.
- *Entrega oportuna de los bienes.* ¡Esencial!
- *Crédito y financiamiento.* Los proveedores con frecuencia son la fuente más barata y confiable de financiamiento que usted puede encontrar. Después de todo, ellos tienen un interés en que tenga éxito.

➤ *Publicidad en cooperación.* Los proveedores pueden ayudar para que su mensaje llegue a un grupo más amplio de clientes.

¡NOTICIAS!

Últimas noticias

YKK, el fabricante de cierres más grande del mundo, tiene una filosofía llamada "el ciclo de la Trinidad". Un tercio de sus ganancias se destinan a los inversionistas de YKK. Otro tercio se invierte en investigación y desarrollo. Y el último tercio se reserva para ayudar a los clientes a que crezcan y prosperen.

¡Un mundo pequeño!

Sí. El mundo se está encogiendo. El mercado está creciendo. Las compañías y sus proveedores y clientes se están expandiendo por todo el mundo. Esto puede dificultarle formar un equipo sólido y, sin embargo, el trabajo en equipo es más y más crucial si una compañía quiere ser competitiva. El mundo es más estrecho, sin embargo, sus socios están muy lejos. La vida es rara.

La distancia y las diferencias en la cultura pueden llevar a malos entendidos. Geográficamente mientras más alejadas están las partes, más oportunidad habrá de que existan errores de interpretación.

La única manera de enfrentar esto es con diligencia. Todos los lados tienen que trabajar extra para que tengan éxito las relaciones.

A continuación listo algunas sugerencias para mejorar las relaciones distantes de negocios:

➤ Invierta en tecnología de comunicaciones. Los faxes, el correo electrónico y la videoconferencia mejoran la comunicación.

➤ Arregle intercambios regulares de personal de un sitio a otro. No se apoye en las visitas de su personal de ventas. Haga lo que pueda para que se reúna toda la gente involucrada en la relación. La familiaridad vence la duda. Haga esto también dentro de su propia operación.

➤ Incluya gente en su proceso de planeación. Cuando la gente sepa que es apreciada, se abrirá, colaborará y lo tratarán a usted de mejor manera.

➤ Comparta Información con su personal. Si usted lo trata con confianza, apoyará más, ofrecerá más ayuda y una retroalimentación más precisa. Y al contrario, la paranoia genera más paranoia.

Rompetensiones

A veces el personal de ventas trata de mantener alejados de los clientes a los demás empleados de la compañía, por el temor de que disminuya su importancia o de que otros empleados sean insensibles a las necesidades de los clientes. La mejor manera de manejar esto es incluir al personal de ventas en el equipo que envía al cliente. Esto hace que otros se involucren y al mismo tiempo permite que los vendedores sientan que tienen el control.

- Sea leal. Si apoya a sus empleados, ellos lo apoyarán. Toda compañía tiene sus picos y sus valles. Pero si usted deja en claro que no trata de explotar a la gente y que estará con ella por un largo periodo, también la gente estará con usted.
- Dé recompensas y reconocimientos a los miembros del equipo. No asuma que los tiene seguros. Todo mundo y toda compañía se siente atraída por la admiración y el reconocimiento.

La historia de Ralph

No importa cómo lo haga o qué situaciones enfrente, tendrá que involucrar a todos si quiere que todos tengan éxito. Usted necesita movimiento. Usted necesita una relación de ganar-ganar.

Tome como ejemplo a mi amigo Ralph Keeney.

Ralph trabajaba en la facultad de docencia de una universidad de la costa oeste estadounidense, que enfrentaba severas reducciones en el presupuesto. Todo su departamento iba a ser eliminado y otros más estaban siendo reducidos. Ralph estaba ansioso de continuar su trabajo, aun si tuviera que ser a través de otros departamentos. Sin embargo, ninguno de éstos parecía tener el dinero para pagarle o para pagar su investigación.

Ralph sabía que se le debía dinero. Además, el dinero de su investigación oficialmente no se había acabado, aunque era claro que iba a acabarse. Todavía tenía fondos. Así que tuvo una idea.

Primero, dijo que condonaría la deuda de su antiguo departamento en tanto el dinero le fuera entregado a su nuevo departamento para pagar su salario. Su oferta fue aceptada de buen agrado.

Luego pidió a las personas que financiaban su investigación que transfirieran el dinero a su nuevo departamento. Ellas gustosamente aceptaron.

"También quiero un aumento", dijo a continuación. "Me lo merezco porque he encontrado todo este dinero para ustedes." Nuevamente aceptaron con gusto.

Ganar-ganar.

Él alineó a su equipo.

Lo mínimo que necesita saber

- Los clientes no están más abajo que usted. Ellos forman parte del equipo.
- Alinear a todo mundo en forma global es esencial pero difícil. La clave es una actitud continua de apertura y honestidad.
- El hecho de que los propietarios estén a bordo requiere que los trate de manera especial. Son especiales.
- Las relaciones involucran seres humanos complejos cuyas necesidades en constante evolución necesitan tomarse en consideración.

Capítulo 12

Cree empleados exitosos: si ellos son exitosos, usted también lo será

En este capítulo

- Fomente el éxito de sus empleados
- Programas de seguridad de largo plazo: programas de retiro y planes de propiedad de acciones para empleados
- Métodos para alentar
- Atender los problemas personales de los empleados

Las organizaciones son la suma total de sus empleados. Para llevar la metáfora un poco más lejos, los empleados son como números. Algunos positivos y otros negativos. No importa cuán sobresalientes sean los empleados positivos, los negativos siempre mermarán su desempeño. Su trabajo, como gerente, es mantener a todo el equipo con un rendimiento tan alto como sea posible.

Todo mundo quiere tener éxito, y usted está ahí para ayudar. Mientras más tiempo pase ayudando a sus empleados a crecer hacia el éxito menos tiempo tendrá que pasar buscando nuevos empleados.

En este capítulo me enfocaré en la creación de empleados que generen éxito. ¿Por qué es esencial un ambiente que no sea amenazador y cómo se logra? ¿Qué quiero decir con liberar a sus empleados? ¿Cuál es la diferencia entre metas alcanzables e inalcanzables? Determinaremos el papel de la administración interactiva y el arte de la comunicación. Por último, nos aventuraremos entre la multitud de problemas relacionados con los empleados y consideraremos los efectos que las reacciones a los problemas tienen sobre los resultados. ¡Empecemos!

En armonía

En un ambiente ideal de trabajo, los empleados pueden dar su mejor esfuerzo a la organización e incluso sentirse a gusto. Tenga éxito en hacer que los empleados se sientan a gusto y obtendrá como recompensa el 100% de su tiempo y el 200% de su compromiso. Recuerde, su personal es su activo más importante.

Los empleados no son máquinas. Desperdiciará su tiempo si los trata como si lo fueran ya que no trabajan de esa manera y nunca lo harán. Usted DEBE establecer una relación personal con cada uno de sus empleados. No tiene que hacerse amigo de cada uno, aunque no hay nada malo en desarrollar tales amistades. Muchos gerentes no se sienten a gusto siendo amigos de alguien que trabaja para ellos, y es comprensible.

Usted sólo necesita entenderse con ellos. Esto proviene de la creación de una empatía mutua, una relación personal en la cual ambos lados están al pendiente de la perspectiva del otro.

Rompetensiones

Por lo regular los tiranos no son grandes gerentes. Gritar y patalear probablemente traigan resultados a corto plazo, pero minarán su influencia.

Rompetensiones

Si usted descubre que un empleado viola la ley, ya sea por medio del acoso sexual, el robo, el no cumplir con las normas legales o lo que sea, no lo dude. Suspéndalo o despídalo. Si no lo hace, las cosas se saldrán rápidamente de control.

Conforme va conociendo a sus empleados como seres humanos, irá entendiendo lo que los hace vibrar. ¿Cuáles son sus deseos y necesidades? ¿Cuáles son sus sueños y temores? Deje que sus conocimientos acerca de estas cuestiones lo guíen en la creación de un ambiente positivo y constructivo.

Los ambientes amenazantes provocan parálisis y una alta rotación. Tiene que hacer todo lo que pueda para evitar esto.

Para empezar, hay algunas reglas, leyes federales, leyes estatales, regulaciones sobre la seguridad y regulaciones de seguro, por mencionar sólo algunas. No sus reglas, *las* reglas. Tal vez crea que es posible evitarlas. Mucha gente trata de hacer esto. Déjeme decirle que ésta *no* es la forma en que usted debería actuar, no a menos que quiera meterse en muchos problemas.

Si usted pretende ignorar las reglas, los empleados no sabrán su definición de lo correcto e incorrecto. Probablemente piensen que a usted no le importan las reglas. Podrían pensar que usted cree que está bien operar fuera de las reglas y empezarán a seguir su ejemplo. Error GARRAFAL.

Los empleados buscan que usted los dirija. No sea la clase equivocada de modelo.

Libere a sus empleados

No, no quiero decir que los despida. Me refiero a que les dé un poco de libertad. A veces tiene que ceder el control sobre ciertas cosas a fin de tener el control de lo que realmente cuenta, los resultados. Los gerentes no pueden hacer todo ellos. Deje que sus empleados sientan que tienen algo de poder en la compañía. Permita que asuman el control, con usted como su guía.

Hay cuatro maneras de hacer esto, como se discutirá en las siguientes secciones.

Administración por excepción

Con la administración por excepción, usted establece los estándares que usted quiere cumplir, luego establece lo que considera una variación aceptable (por ejemplo, 5%). Cualquier cosa que esté dentro de la variación permitida es normal. Su trabajo es observar estrechamente a todos los demás.

Administración por objetivos

La administración por objetivos es similar a la administración por excepción. Usted les establece los objetivos a los subordinados, luego se hace a un lado y se resiste a la tentación de microadministrar. La microadministración corta el sentido de autoridad del empleado y disminuye su motivación. Recuerde, lo que a usted le importa son los *resultados*.

Rompetensiones
Asigne la responsabilidad de una tarea a una persona. Darle la responsabilidad a dos es como dársela a ninguna. Los resultados probables son confusión, animosidad y no lograr las metas.

Asegúrese de que quede claro lo que usted quiere y cuál podría ser el procedimiento general. Después, deje solo a su equipo. Si tiene éxito, recompénselo. Si equivoca el camino, corríjalo. Recuerde la palabra que empieza con R–Resultados

Permita errores

Permitir errores es difícil para un gerente. Yo le recomiendo que permita a alguien cometer un error, aun cuando usted sepa con antelación que lo hará. El fracaso es una parte esencial del proceso de aprendizaje.

Los gerentes no pueden tomar todas las decisiones. Al permitir al personal que cometa errores y aprenda de ellos, usted los enseña a pensar por sí mismo. Los padres hacen esto con sus hijos, si son sabios, y usted lo puede hacer con su equipo. Si practica esto con juicio, usted crecerá como un gran empleado.

Claro, esto no significa que deba ser descuidado. Pero usted ya sabía eso.

Razonamiento de posibilidad

El razonamiento de posibilidad funciona bien en las reuniones. Me gusta comenzar las reuniones de esta forma. Aliento a los empleados a manifestarse con lo que parecen ser ideas fuera de este mundo: "¿Qué pasaría si...?"

"Qué pasaría" es una gran herramienta para superar los límites. Yo no sé cuál ha sido su experiencia, pero he descubierto que los "expertos" residentes son fabulosos en encontrar razones de por qué algo no funciona. Pueden infundir miedo en empleados inseguros y descartar ideas novedosas antes de que se puedan escuchar. ¿Pero qué pasa si los expertos están equivocados?

Ésta es la razón de que yo utilice el razonamiento de posibilidad al principio de las reuniones. Claro está que al final nos tenemos que enfrentar con la realidad (y con los expertos). Pero mientras tanto expresamos nuevas ideas. ¡Inténtelo!

Dé a sus empleados lo que necesitan

La gente necesita una remuneración adecuada. Si continuamente sienten que su trabajo está en riesgo, entonces no serán muy productivos.

Usted necesita conocer las necesidades de sus empleados. Probablemente es irrealista tratar de individualizar cada paquete salarial, pero cierta flexibilidad es importante cuando estructure los paquetes salariales. Empleados diferentes tienen diferentes deseos y necesidades.

Claro, con el fisco atento en todo, demasiada creatividad con sus paquetes puede meterlo en problemas. Por ejemplo, en Estados Unidos, los beneficios de un club deportivo en las instalaciones no son sujetos de impuestos, no así el comprar una membresía fuera de la empresa. Consúltelo con su contador para asegurarse.

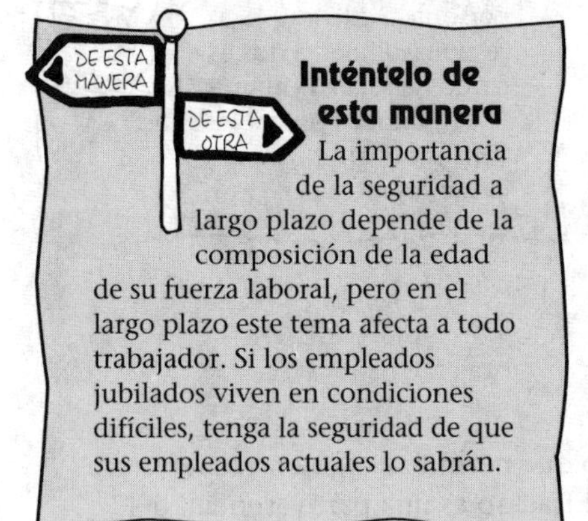

Inténtelo de esta manera

La importancia de la seguridad a largo plazo depende de la composición de la edad de su fuerza laboral, pero en el largo plazo este tema afecta a todo trabajador. Si los empleados jubilados viven en condiciones difíciles, tenga la seguridad de que sus empleados actuales lo sabrán.

¡Déme seguridad!

Probablemente sus empleados no esperan que el seguro social se ocupará de ellos en sus años de vejez. Tal vez esperen que usted o su organización, los ayuden a mantenerse por arriba del nivel de pobreza, cuando llegue el momento de descansar de sus labores. Si pone un poco de interés en este tema, ellos se acercarán a su trabajo con una distracción menos.

Ponga en marcha los programas que ayudarán a sus empleados, si es que aún no lo ha hecho. Las opciones y los bonos funcionan bien para los gerentes, pero la mayoría de los empleados necesitarán algo que esté más sistematizado.

Planes de retiro

Por ley, en varios países existen los planes de retiro en las empresas. Un plan de retiro es una cuenta para la jubilación, en la que los empleados depositan fondos regularmente. Este dinero no paga impuestos en ese momento y va capitalizándose con los años, hasta que llega el momento en que los fondos son distribuidos. Según el país del que se trate, la compañía puede optar por depositar una cantidad igual de los fondos, también sin que los empleados paguen impuestos hasta su distribución.

Debido a la reproducción corporativa y a la habilidad de diferir los impuestos, un plan de retiro puede funcionar como una forma de motivación a largo plazo. Aunque existen algunas restricciones para asegurar un tratamiento equitativo a todos los participantes, la contribución generadora puede ser utilizada sobre la base de un porcentaje del ingreso de cada empleado, de modo que se permita que aquellos que ganan más pongan una mayor cantidad en el fondo, libre de impuestos.

Los programas de opciones de acciones para los empleados

Un programa de este tipo permite a todos los empleados tener propiedad en su propia compañía. Primero, la compañía compra nuevamente sus acciones de los propietarios existentes; luego las revende a los empleados inmediatamente o con el tiempo. Todas las acciones se reúnen en un solo fondo que es administrado por un externo. La compra de acciones puede ser mediante el salario, los bonos y el propio bolsillo del empleado.

Estos programas tienen varios beneficios:

- Proporcionan liquidez a los accionistas actuales, lo cual puede ser muy importante en una compañía privada y puede salvar a los accionistas de tener que vender acciones a los externos.
- Hace propietarios a los empleados. Esto ayuda a sincronizar las metas. Cuando los empleados poseen acciones, están más interesados en las metas organizacionales; y a los propietarios les importa más el trato hacia los trabajadores.
- La compañía, actúa como agente financiero para las compras de acciones, tiene la flexibilidad de decidir si se comprarán acciones cada año y qué cantidad.
- La compañía puede pedir prestado a los bancos para comprar acciones. En Estados Unidos, por ejemplo, los bancos están autorizados para dar una tasa favorable con base en las garantías gubernamentales.
- Los empleados se sienten motivados por la propiedad de sus acciones y colaboran en los mejores intereses de largo plazo de la compañía.

Las desventajas de dichos programas son:

- La recompra de acciones a los accionistas tiene que ser prorrateada hacia la propiedad. Estos programas son difíciles de usar en compras de la totalidad de acciones de uno o dos propietarios de la compañía que desean vender.
- El valor de las acciones debe ser evaluado cada año y un administrador externo debe ser contratado para administrar las acciones. Cada uno de esos requerimientos tiene un costo asociado con ello.
- Un empleado que desea efectivo en lugar de acciones probablemente no tenga ningún interés en el asunto.

Metas alcanzables

Las metas motivan a la gente. Muestran la dirección y el enfoque e incrementan la seguridad. A menos, claro, que estén fuera de alcance. En ese caso, es triste decirlo, tienen exactamente el efecto contrario. El empleado se siente fracasado y en cierta forma, está en lo cierto. "No puedo tener éxito en esto", piensa, "¿así qué para qué intentarlo?"

Gerentes diferentes establecen metas diferentes por razones diferentes. Algunos establecen estándares altos para motivar y desafiar. Otros establecen estándares bajos para asegurarse que se cumplan las metas. Esto les ayuda a verse bien en las evaluaciones de desempeño. Otros más establecen metas basándose en lo que sus supervisores les han pedido.

Sin importar qué esté detrás de una de sus metas en particular, piense cuidadosamente acerca de lo que está pidiendo y cuánto tiempo está proporcionando. ¿El marco de tiempo de la meta se ajusta al del empleado? Si éste está encargado de la producción diaria, no lo sature con las metas anuales. Mantenga realistas las expectativas.

Inténtelo de esta manera

Apéguese a la realidad cuando establezca las metas. Aun si no es lo que quiere su jefe. Incluso si su jefe lo presiona. Usted no puede forzar lo imposible, ni aun para complacer a sus superiores. Manténgase firme contra la tentación de hoy, para que no termine provocando el enojo de su jefe los siguientes 364 días.

Un punto final acerca de las metas: usted necesita saber —al igual que los empleados— dónde se encuentran ellos con relación a su meta. Los informes del progreso ayudan a mantener a la gente inspirada y le permite hacer los ajustes que sean necesarios.

Algunos gerentes están atrapados en una cultura que mantiene su información como si fuera secreto de estado, aun con los empleados. Otros están dominados por los contadores que insisten en la precisión a expensas de la prontitud. En tales situaciones, usted tendrá que trabajar duro para defender la importancia de los informes del progreso. Depende de usted pelear por el derecho de sus empleados a la información.

Inténtelo de esta manera

Divida sus metas en periodos cortos. Las metas diarias son las mejores, aun si eso significa generar medidas diarias de algún otro departamento que no sea el de contabilidad. La compañía que mantiene medidas diarias, graficando su progreso hacia la meta, lleva la delantera.

Cree una administración interactiva

No me diga; déjeme tratar de leer su mente. Usted no tiene que hablar con los miembros de su equipo porque ya sabe de antemano lo que están pensando, ¿no es así?

Si quiere ser eficaz, tiene que saber comunicarse. Claramente. Con precisión. Decir mejor las cosas. Escribirlas mejor. Escucharlas mejor y pedir lo mismo a sus empleados.

Usted necesita ser interactivo, esto significa delegar, hablar con los empleados, darles acceso a lo que requieren saber y ser responsable cuando sea necesario. Ellos tienen la necesidad de entender lo que usted quiere y saber que los apoya y que cree en sus habilidades.

Dése a entender

El éxito de delegar depende de una clara comunicación, para que la gente a quien usted delega entienda lo que usted quiere que logre. La comunicación es una habilidad que requiere una constante conservación y refinamiento. Es también una calle de doble sentido.

Últimas noticias

Aun los mejores comunicadores enfrentan obstáculos al tratar de lograr que se entienda lo que dicen. Los expertos dicen que sólo el 30% de lo que se habla es retenido por el receptor, esto es, será recordado después, no importa cuán hábil sea el orador.

El entusiasmo es un gran comienzo, pero se necesita más que eso. ¿Cómo son sus habilidades de comunicación? Algunas personas nacen siendo comunicadores; otros tienen que aprender. Afortunadamente, no se trata de una tarea desalentadora. La universidad, o alguna otra organización cultural, de su localidad probablemente ofrezca cursos periódicos de redacción y oratoria, dirigidos al público en general.

Inténtelo de esta manera
Para mejorar sus habilidades de oratoria, contacte a la Universidad de su localidad o a alguna institución especializada en la formación de oradores y actores.

Ésta es la era de la comunicación electrónica, correo electrónico, fax y videoconferencia. Algunas personas todavía se apoyan en el teléfono. Sin embargo, ninguna de estas maravillas tecnológicas vence la reunión cara a cara. Hacen la comunicación más fácil, pero no necesariamente funcionan mejor al hacer llegar el mensaje. Aunque usted no lo crea, se captan muchos mensajes al ver a la persona con quien está hablando. Y esto sencillamente hace que el escuchar sea mucho más fácil.

¿Qué dice? Así es, usted tiene que escuchar a fin de comunicar.

Parta de la suposición básica de que mucha gente no tiene ni la más remota idea de lo que usted está diciendo, pues sus preocupaciones y sus suposiciones relevantes pueden ser, desconociendo a todos los interesados, completamente diferentes de los suyos. No *equivocados*, sólo diferentes. Si quiere que la gente escuche y quiere que sea capaz de escuchar, es de gran ayuda tratar de reunirse cara a cara tan seguido como sea posible. Por supuesto que es caro hacer que la gente de otras regiones o países se transporte por avión para llegar a las reuniones. A menudo, sin embargo, lo caro es barato y lo barato resulta caro.

Además, ¿de qué otra manera usted podrá estar seguro de que la gente no lee *The Wall Street Journal* o la caricatura del día de "Dilbert" mientras lo escucha? Si los ve, los obliga a verlo a usted.

Estudie el lenguaje del cuerpo

"¿Entiende lo que le estoy diciendo?"

"Absolutamente".

¿Pero están atendiendo a lo que dice? No se apoye solamente en su aseveración verbal. ¿Qué le dice el lenguaje corporal de sus interlocutores? La forma de sentarse dice tanto o más acerca de lo que la gente piensa de su mensaje que cualquier cosa que diga en voz alta.

Lenguaje corporal. Mucho se ha escrito acerca de esto, he aquí sólo algunos ejemplos por donde usted puede iniciar:

- Cuando uno tiene los brazos cruzados (como un *pretzel*), se envía una señal de que no se está muy dispuesto a escuchar las ideas de otro. Lo está relegando.
- Cuando alguien se inclina hacia usted, es receptivo.

- Cuando alguien se ruboriza, no está entendiendo su mensaje.
- Cuando alguien tiene un pie cruzado sobre la rodilla y sostiene su pie, está pensando en darle una patada.

Adapte su enfoque a su mercado

Si mira a su alrededor, probablemente observe que la gente es diferente. No sólo en su físico, sino también en su enfoque de la vida y en los negocios.

Para ser eficaz usted necesita tomar esto en consideración. Hay muchas formas en que puede hacer esto. Por ejemplo:

- Algunas personas son *auditivas*, ellas dicen: "escucho lo que estás diciendo". No se impresionan con gráficas. Quieren escuchar su explicación, hacer preguntas y obtener respuestas. Aun agregar audio a sus presentaciones como música o sonidos ayuda a estas personas a entender lo que usted está diciendo.
- Algunos individuos son *visuales*, dicen frases como: "veo lo que quieres decir". Muéstreles gráficas y dibujos.
- Algunas personas son *emocionales*; dicen: "siento que está bien". Les gusta la lógica no cuantitativa. Explican los beneficios, no las características.

¿Cómo estamos?

Usted tiene que hablar acerca de lo que se espera y de lo que usted piensa que está pasando con sus empleados. La mayor parte del tiempo, si usted es claro, verá que usted y sus empleados piensan igual y ambas partes entenderán las metas y la forma de hacer las cosas.

Pero no siempre.

Es importante llevar a cabo evaluaciones regulares para asegurarse de que se está progresando. En estas reuniones debe hacer lo siguiente:

- Revisar los objetivos.
- Revisar su progreso hacia los objetivos.
- Analizar los costos incurridos en relación con el presupuesto.
- Discutir las áreas con problemas.
- Desarrollar un plan de corto plazo para asegurar el logro del objetivo.

Ayude a los empleados con problemas personales

Estando en los negocios, en cualquier momento va a tener que enfrentarse con los problemas personales de los empleados. Drogas, alcohol, sexo, bancarrota, enfermedad, problemas familiares, quédese un rato y lo verá. Y verá todavía más.

Hay dos escuelas básicas de pensamiento sobre los problemas del empleado. Ninguna dice que los ignore y dé la media vuelta.

La primera escuela dice que los empleados son adultos y que deberían ser capaces de cuidarse ellos solos. Este enfoque hace un llamado a tener planes de seguros que resuelvan la mayoría de los temas sin que usted intervenga. Si se involucra en la vida del personal, según este argumento, su atención se desviará de su negocio y su juicio se verá afectado.

La segunda escuela es un tanto paternalista. Cree que usted debe ayudar a la gente en momentos difíciles. Si lo hace, de acuerdo con este pensamiento, no solamente aquellos a quienes ayuda serán más leales a usted, sino que otros también lo verán a usted como alguien a quien le importan aquellos que necesitan ayuda. Los empleados hablan entre ellos, aunque algunos gerentes a veces olvidan esto. Esto no significa que usted siempre deberá manejar personalmente estos problemas pero puede canalizar a la gente con ayuda profesional.

Como imaginará, yo me apoyo en la segunda escuela. Sin embargo, tiene que ser cauteloso. Si los problemas surgen periódicamente con el mismo empleado, es probable que tenga en sus manos un conflicto más grande de lo que pensaba. Probablemente tenga que abandonar el paternalismo. A veces, francamente, los problemas difíciles requieren de una solución drástica. Trate con compasión al principio. Usted nunca sabrá si se revertirán sus acciones y de formas que probablemente no espere.

Lo mínimo que necesita saber

- El fracaso que lleva a un aprendizaje puede convertirse en un gran éxito.
- Proporcionar a los empleados planes de seguridad de largo plazo, como los de retiro y de opciones de acciones, elimina una distracción en el trabajo.
- La buena comunicación está basada en una gran variedad de habilidades, entre las cuales se incluyen escuchar, entender el lenguaje corporal y hacer revisiones regulares de la gráfica de progreso.
- Cuando los empleados tienen problemas personales, ignorarlos no es una opción. Deje que el seguro lo maneje o involúcrese personalmente.

Capítulo 13

Construya el equipo adecuado, salga y contrate

En este capítulo

- ➤ Redactar la descripción del puesto
- ➤ Dónde buscar a la gente adecuada
- ➤ En qué concentrarse en la entrevista
- ➤ Llegar a una decisión
- ➤ Qué ocurre después de que contrata

Si se quiere hacer una buena contratación, no hay como dedicar el tiempo que sea necesario. Y si usted quiere dirigir una gran compañía, necesita gente valiosa. Por tanto, esté preparado para pasar el tiempo armando su equipo. No sólo está en su línea de trabajo. *Es* su trabajo.

Cada vez que contrata a alguien tiene una oportunidad única. No sólo reemplace gente. Mejórela. Encuentre algo que agregue valor a su equipo.

Este capítulo trata de cómo armar su equipo: dónde buscar, cómo buscar y por último cómo tomar la decisión adecuada. Le daré algunas reglas para manejar a la gente nueva, un área importante que los consejeros de negocios pasan por alto muy a menudo. No contrate a alguien para que lea este capítulo. Usted mismo va a tener que hacerlo.

¿Puede describir lo que busca?

Si usted no sabe lo que quiere, ¿cómo va a encontrarlo? Por supuesto, puede tener buena suerte. Pero lo más probable es que no sea así. Por si acaso, es mejor hacer su propia suerte.

Además, usted quiere ser justo para el empleado prospecto. ¿Cómo puede una persona saber si el trabajo es para ella a menos que le diga exactamente lo que se espera de ella? Nuevamente, usted podrá tener buena suerte. Pero de nuevo, posiblemente no.

Necesita descripciones precisas de trabajo. Esto significa actualizar o volver a escribir algunas descripciones de trabajo existentes. Las cosas cambian, las funciones también. Algunas personas simplemente no saben redactar.

Una descripción de trabajo es una fotografía de cómo ve usted el trabajo en ese momento. Es casi un contrato: *esto es lo que esperamos y esto es lo que ofrecemos.*

El primer paso en la redacción de la descripción del puesto es leer las descripciones existentes del puesto y hacer las revisiones que crea que son necesarias. Conceda gran importancia a la precisión. He aquí algunas sugerencias de lo que hay que incluir en las descripciones de puestos:

- Una descripción de las tareas físicas, incluyendo las habilidades y los conocimientos necesarios que crea usted que son esenciales.
- Una lista de la capacitación que usted proporcione, incluyendo cualquier apoyo para entrenamiento externo o tiempo libre para que el empleado prosiga con su educación.
- Una explicación clara de la autoridad y la responsabilidad del trabajo, incluyendo supervisión de personal, autoridad, y así sucesivamente.
- Las metas y los objetivos del trabajo, completo con fechas, puntos de medición y estándares de desempeño.
- Una identificación clara de la persona a quien reportará el solicitante, como también de aquellos que le reportarán al solicitante. ¿A quién se puede dirigir el empleado cuando tenga preguntas?
- Una cuenta de escala salarial, beneficios y prerrequisitos, con programas de revisión salarial, criterios de promociones y políticas de la compañía.

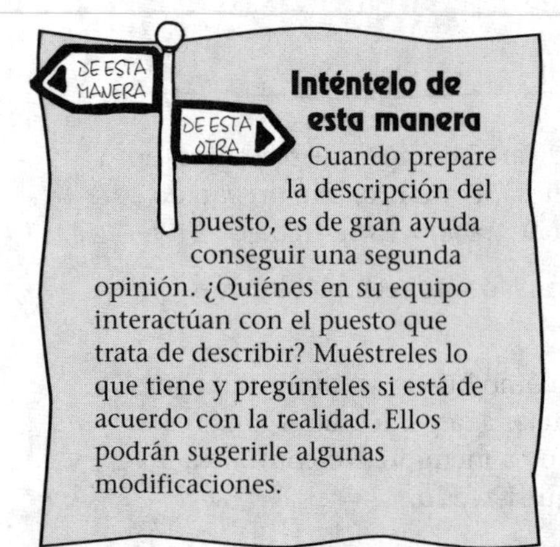

Inténtelo de esta manera

Cuando prepare la descripción del puesto, es de gran ayuda conseguir una segunda opinión. ¿Quiénes en su equipo interactúan con el puesto que trata de describir? Muéstreles lo que tiene y pregúnteles si está de acuerdo con la realidad. Ellos podrán sugerirle algunas modificaciones.

Las descripciones de los puestos pueden ser largas o concisas. La mayoría prefiere lo segundo.

Simplifique su tarea. Tome la descripción del puesto existente, si es que hay una, y utilícela lo más posible. Si no existe una, use alguna otra descripción como modelo. Puede ser de otra compañía. Como último recurso, aplique sus habilidades creativas de escritura.

Utilice la descripción del puesto como ventaja asegurándose de que el solicitante la entienda. No sea optimista. Después de que la lea, explíquesela, siguiendo una tradición muy sabia: *Dígales lo que les va a decir, luego dígalo, y después dígales lo que ya les dijo.*

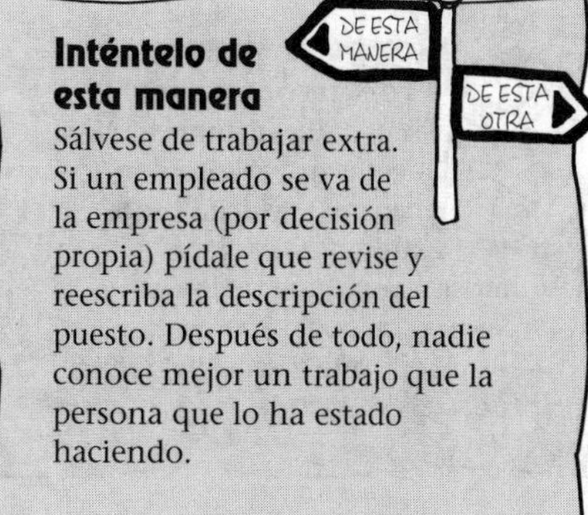

Inténtelo de esta manera
Sálvese de trabajar extra. Si un empleado se va de la empresa (por decisión propia) pídale que revise y reescriba la descripción del puesto. Después de todo, nadie conoce mejor un trabajo que la persona que lo ha estado haciendo.

¡Buena conducta!

A menos que su organización tenga una reputación terrible (y sí es así, ¿por qué *está* trabajando ahí?), probablemente reciba muchos currícula. Algunos podrán ser solicitados. La mayor parte no será así. Ninguno tendrá el mismo formato. Cubrirán todo tipo de temas que podrán ser o no ser relevantes.

Todo eso hace que el trabajo de evaluarlos sea virtualmente imposible. Hágase cargo. Elabore su propio formato que defina lo que *usted* quiere. De esta manera tendrá algunas bases de comparación. Este formato debe ser tan breve y simple como práctico. Una vez que consiga candidatos serios, usted puede hacer más preguntas o aun proporcionar otros formatos si lo prefiere.

Una o dos palabras acerca de la ley. Como probablemente sabe, en algunos países, la ley es ferviente al perseguir violaciones a la discriminación, así que tenga mucho cuidado de lo que pregunte a un candidato. Investigue o consulte a un experto en derecho laboral, para saber las preguntas que por ningún motivo debe hacer. En Estados Unidos, por ejemplo, no debe interrogar a un candidato sobre:

- Edad o fecha de nacimiento.
- Estado civil o responsabilidades del cuidado de infantes. Los patrones no deben hacer inferencias sobre las obligaciones o disponibilidad de un candidato. No comente sobre un anillo de bodas, si lo ve; es ilegal.
- Registro de arrestos. Puede preguntar acerca de cargos por crímenes, pero no acerca de alegatos no probados.
- El género del candidato. Usualmente usted puede observar esto en su entrevista. Si sucediera que no, no pregunte. No es una razón legítima para no contratar.
- Religión.
- Si es un ciudadano o si tiene permiso para trabajar en el país. Esto sólo se puede preguntar después de que alguien ha sido contratado.
- Nacionalidad, incapacidades o cualquier cosa que, de alguna manera, pueda ser considerado como discriminación.

Encontrar a la gente adecuada

Hay gente en todas partes, pero usted sólo necesita unas cuantas personas. ¿Dónde debe empezar?

En la mayoría de las compañías, el departamento de personal maneja todas las fases iniciales. Algunas empresas tienen la suerte de no tener un departamento de personal, en el buen

Rompetensiones

Es difícil conseguir gente extraordinaria por medio del departamento de personal. Mucha gente extraordinaria tiene idiosincrasias que pudieran no pasar a través del proceso de filtración. Si le es posible, revise todas las solicitudes.

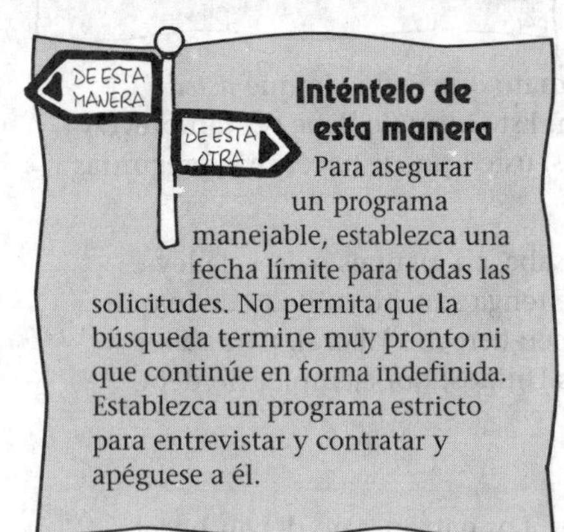

Inténtelo de esta manera

Para asegurar un programa manejable, establezca una fecha límite para todas las solicitudes. No permita que la búsqueda termine muy pronto ni que continúe en forma indefinida. Establezca un programa estricto para entrevistar y contratar y apéguese a él.

sentido. No importa dónde empiece, el formato debe ser claro. Busque en donde pueda encontrar gente valiosa.

Un puesto interno

Si es posible, ascienda a alguien de dentro de la compañía. Esto tiene grandiosos efectos en la moral del equipo. Claro, ocasionalmente habrá algunas personas celosas, pero yo pienso que la mayoría de la gente se sentirá feliz de ver que uno de los suyos ha sido ascendido. Esto da a todos una esperanza: *Trabaja bien y serás recompensado* es el mensaje que usted transmite.

Anuncie el puesto en la organización; si tiene el lujo de un boletín de la compañía, publique ahí la descripción. Haga el anuncio en las reuniones de personal. Pase la voz. En su compañía trabajan personas estupendas. Es posible que contrate algunas de ellas. Si los buenos puestos comienzan a concederse a gente externa a la compañía, habría mucho descontento. Así que, piense primero en los internos.

He aquí mi regla de oro que probablemente le resulte útil. Si un empleado interno es solamente 5% menos calificado que un candidato externo, yo me quedaría con lo que conozco y con la gente que no conozco. La ganancia extra que obtengo del simbolismo vale más que lo que pierdo del 5%.

Amplíe la búsqueda

No siempre será posible encontrar al candidato idóneo dentro de su compañía. La palabra operativa aquí es *idóneo*. En este caso, por todos los medios busque fuera de la organización.

Es probable que necesite habilidades técnicas que sus empleados actuales no tengan. Probablemente alguien externo a su compañía es simplemente excepcional. Tal vez éste sea uno de esos momentos cuando necesita un prospecto externo. Si un candidato ajeno a la empresa ofrece algo significativo, obténgalo.

Busque en su red de contactos de trabajo

Una red de contactos de trabajo es un grupo de gente que usted conoce bien y que lo conoce a usted. Una red es una maravillosa fuente para identificar posibles empleados; también proporciona un filtro valioso en el proceso para usted *y* para el solicitante. Es de esperarse que el miembro de la red sea muy honesto con usted y con la red, y viceversa. Esto es muy bueno ya que evita las falsas expectativas.

Lo mejor acerca de las recomendaciones de la red es que es muy probable que la persona recomendada sea de carácter y motivación similares a los de quien hace la recomendación. Los pájaros del mismo plumaje se reúnen en la misma parvada. Si James es parte de *su* red, la gente de la red de James probablemente sea buena. ¿No es así? Usualmente así ocurre.

Headhunters y otros especialistas

Muchas personas han convertido en una carrera el ayudar a reunirse a patrones y empleados que ofrecen sus servicios. Las agencias de empleo (headhunters) cuestan dinero, pero con frecuencia conocen a la persona que cubre el perfil de la posición vacante que usted ofrece, alguien que está disponible o que busca una mejor oportunidad.

Los especialistas en empleo ofrecen también otro tipo de ayuda. Por ejemplo, afinan la descripción del puesto y le informan cómo se encuentra el salario que usted ofrece en comparación con el resto de la industria.

Sin embargo, recuerde hacer su investigación antes de contratar a un reclutador profesional, particularmente si los reclutadores quieren alguna clase de garantía o exclusividad. Dedíquele tiempo a la persona. Hable con los patrones que ya han hecho contrataciones con él. Para conseguir los mejores solicitantes, conviene estar involucrado en el proceso.

> **Rompetensiones**
> Si recurre a las agencias de empleo asegúrese de que gocen de buena reputación. Si no, se encontrará con que la gente que le está buscando empleados, también querrá sus empleados actuales.

Entrevista: los hechos detrás de la cara

Así que ya tiene unos candidatos. Gente que le agrada. ¿Ahora qué? ¿Cómo simplifica el campo? El proceso usualmente empieza con una entrevista.

La entrevista es un arte. Se han escrito muchas páginas acerca del tema. Si usted va a tener muchas entrevistas, probablemente quiera ver uno o dos libros especializados. Sin embargo, yo le voy a decir lo que me ha funcionado.

Mi primera regla es muy simple: vea a la gente a los ojos. Ésta es la razón más importante de programar entrevistas cara a cara con los solicitantes. Usted busca la franqueza, la convicción, la energía y la honestidad. También busca el compromiso con la excelencia, un compromiso con su visión y su misión. No es definitivo, pero es un buen inicio y ciertamente elimina a quienes claramente no califican.

La siguiente sección lista algunas de las preguntas ejemplares. Algunas se dirigen hacia lo obvio, como la escolaridad y la experiencia. ¿El solicitante tiene la experiencia necesaria para hacer el trabajo? Si no es así, ¿cuánto entrenamiento requeriría? Otros están dirigidos a aspectos intangibles como la personalidad, la actitud y las habilidades interpersonales. ¿Se lleva bien el solicitante con la gente? ¿Puede contribuir y hacer que el equipo sea mejor?

Diríjase por una entrevista preparada. Los temas deberían empezar con lo más específico y avanzar hacia lo abstracto. Esto le da tiempo de familiarizarse con los hechos antes de profundizar más.

Las preguntas

Experiencia

- ¿Cuál es la escolaridad y el entrenamiento profesional?
- ¿Cómo ha aplicado sus estudios y su capacitación a los trabajos anteriores?
- ¿Cómo los aplicaría en este trabajo?
- ¿Cuál es su experiencia de trabajo?
- ¿Qué le ha gustado de sus trabajos anteriores?
- ¿Qué no le ha gustado?
- ¿Cuál es su trabajo actual y en qué se relaciona con nuestra vacante?
- ¿Cuáles son algunos ejemplos específicos de sus logros en su trabajo actual?
- ¿Cuál es la tarea más difícil que ha encontrado?
- ¿Cómo la manejó?
- ¿Cuál ha sido la tarea que más le ha agradado?
- ¿Prefiere un trabajo en equipo o tareas para desarrollar individualmente? ¿Por qué?

¿Por qué está interesado en el trabajo?

- ¿Cómo se enteró de este trabajo?
- ¿Por qué decidió ser candidato?
- ¿Qué habilidades aportaría al puesto?
- ¿Qué talentos y perspectivas particulares aportaría al trabajo?
- ¿Qué piensa del salario?
- ¿Conoce a alguien de los que serían sus compañeros de trabajo? ¿Qué piensa de él o de ellos?
- ¿Cuál es su manera de pensar, en términos generales?

¿Qué piensa en términos generales?

- ¿Cuál es su meta a largo plazo?
- ¿De qué forma compagina este trabajo con su meta a largo plazo?
- ¿Por qué desea dejar su puesto actual?
- ¿Cuál es la mejor parte de su trabajo actual?
- ¿Qué parte le agrada menos?
- En teoría, ¿cuál sería su trabajo ideal?

Éstas son preguntas directas, pero es obvio que usted necesita más que un sí o un no. Su meta es obtener un sentimiento acerca del empleado y las oportunidades de que él tenga éxito. Para aquellos a quienes les gustan las categorías claras y ordenadas, este asunto de intuición puede ser un reto. Sin embargo, la vida es eso. El éxito es por mucho una cuestión de intangibles.

La entrevista, entonces, es más que una misión de descubrimiento de hechos: es la primera impresión. Por esta razón, pienso que es importante hacer el proceso tan confortable como pueda. Tendrá que manejar a su nuevo empleado diariamente, así que trate de asegurarse que la primera impresión sea muy precisa. Hacia donde se dobla el tallo, es hacia donde crece el árbol. Recuerde escuchar y dejar que los solicitantes hablen; de este modo, el proceso de filtración será natural.

He aquí algunos consejos para descartar personas:

- *Haga preguntas exploratorias.* Evite interrogantes que se respondan con un simple "sí" o un "no".
- *Pida opiniones.* Vaya más allá de los hechos y sepa el sentir de la gente sobre ciertos asuntos.
- *Haga pausas que inspiren a hablar.* El silencio es una gran herramienta. La gente dirá algo. Escuche.

Trucos que estimulan el intercambio

Algunas firmas utilizan las entrevistas de presión, en las cuales el entrevistador hace preguntas complejas rápidas para ver cómo reacciona un empleado a la presión. Otros desarrollan toda una estratagema. Probablemente pongan al prospecto solo en un cuarto y hagan que suene el teléfono solamente para ver cuál es su reacción. O tal vez le den una hora de trabajo para ver lo que hace.

No soy partidario de estas técnicas. Si quiere contratar a alguien que pilotee jets, una entrevista de presión posiblemente no sea la apropiada. De otra forma, ¿qué es lo que obtiene? Recuerde: todo lo que hace envía un mensaje. Aun si el candidato hace su mejor esfuerzo para impresionarlo en la entrevista, éste se está formando una opinión de usted como un patrón en prospecto.

Verifique las referencias

Las referencias ayudan. No son una ciencia exacta, pero usted puede saber lo suficiente cada vez que hace una llamada telefónica que valga la pena. A veces lo que puede saber es bueno y a veces puede enterarse de que el candidato podría ser un fuerte dolor de cabeza. No pase por alto este paso: tal vez sorprenda lo que obtenga.

Los reclutadores también verifican las referencias, pero usted estará mejor si se asegura por su cuenta. Si Encuentra un excelente empleado el esfuerzo habrá valido la pena.

> **Rompetensiones**
> ¿Odia verificar las referencias? Un solicitante que tuve fabricó todo su historial de trabajo para ajustarse a la descripción de trabajo. Fue brillante. Su patrón anterior fue quien me puso sobre aviso.

Solamente se trata de una prueba

A nadie le gustaría trabajar para su hermano mayor. Está bien, a la mayoría no le gustaría. Sin embargo, si hay una buena razón para requerirles a los solicitantes que se sometan a cierta clase de examen, ellos la entenderán. Si la razón no es válida, entonces la olvidarán. No vale la pena el embrollo.

Rompetensiones
La ley sobre discapacitados estadounidense (ADA) proclama que los exámenes médicos deben realizarse después de que se ha tomado la decisión de contratación. Si usted aplica el examen antes y no contrata, puede enfrentar una demanda por discriminación.

En el proceso de solicitud se incluye una gran variedad de exámenes de rutina: exámenes médicos, psicológicos, de destreza, de IQ y aun los exámenes de mentiras. Mi consejo es: úselos con prudencia. Un examen de mentiras para una recepcionista pudiera ser destructivo. Para un agente de la CIA, es probablemente esencial.

Uno de los exámenes más comunes es el que detecta el uso de drogas. Si escoge este método, tiene que ser muy cuidadoso ya que en algunos casos puede ser ilegal. Lo mejor es contactar al abogado laboral de la compañía antes de administrar este tipo de examen.

El momento de la verdad

O cuando menos el momento de la decisión. De cualquier manera, usted tiene que pasar por él. Tome aire, y como dice Tom Peters: "listo, dispare, apunte".

Oiga, usted va tener que hacerlo ya sea bien o mal. Nadie está en lo cierto todo el tiempo. Sus empleados dependen de que usted tome acciones, así que revise la rutina del príncipe Hamlet en la puerta y progrese con ella. Es hora de escoger.

Comience con una evaluación intelectual de los solicitantes. Luego fíjese los atributos. A continuación presento la lista que uso al terminar la entrevista y resumir mis pensamientos sobre un candidato. Hacer esto durante la entrevista mina la espontaneidad y la química que puede haber en ella.

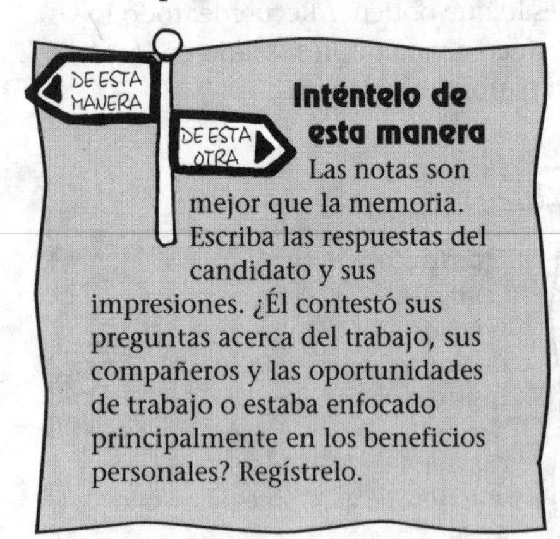

Inténtelo de esta manera
Las notas son mejor que la memoria. Escriba las respuestas del candidato y sus impresiones. ¿Él contestó sus preguntas acerca del trabajo, sus compañeros y las oportunidades de trabajo o estaba enfocado principalmente en los beneficios personales? Regístrelo.

- ❑ ¿Puede confiar en él?
- ❑ ¿Cree que pueda llegar a confiar en él?
- ❑ ¿Tiene buen carácter?
- ❑ ¿Será placentero trabajar con él?
- ❑ ¿Es flexible y creativo?
- ❑ ¿Está ansioso de aprender y crecer?
- ❑ ¿Tiene confianza en él mismo? *Si él no la tiene, yo tampoco.*

Cuando los candidatos son igualmente calificados en términos de sus habilidades y experiencia, evaluando sus motivaciones y deseos. Yo comparo su pasión, su dedicación, su sentido de la urgencia, su sentido del humor y su tenacidad.

Si, después de todo esto, todavía no puede tomar una decisión, entonces está en problemas. Haga un ofrecimiento.

La hoja de ofrecimiento

Es agradable sonreír y estrechar las manos. No omita este paso, ¡es importante! Pero luego ponga todo por escrito.

Un ofrecimiento escrito debe incluir:

- Una bienvenida a la compañía
- Una descripción del puesto y del nombramiento
- Una fecha de inicio
- El salario inicial y la duración del periodo de prueba
- Una clara explicación del paquete de compensaciones, incluyendo vacaciones, beneficios e incentivos
- Un organigrama con los nombres escritos correctamente
- Una fecha para aceptar o rechazar la oferta de trabajo

No se sobresalte si no es aceptado su primer ofrecimiento. Probablemente necesite negociar. Si el candidato es empleado actualmente, su jefe pudiera hacer una contraoferta. Anticipe esto y prepárese para ello. Por ejemplo, si lo desea, dígale al candidato por adelantado que su compañía no quiere perderlo: "Lo que sea que te ofrezcan, lo igualaremos". Habiendo hecho este pronóstico, puede usar uno o varios de los siguientes contrargumentos (está bien, ¡no lo haga siempre!):

- "Si la única manera de conseguir un aumento es presentar una renuncia, ¿en verdad desea trabajar en un lugar semejante?"
- "¿Es la contraoferta un incremento verdadero o sólo un adelanto de lo que le hubieran dado más tarde?"
- "Una vez que ha dicho que tiene planeado renunciar, se ha perjudicado a sí mismo ante los ojos de su patrón anterior".
- "¿No es tiempo de un cambio?"

Algunas organizaciones no ofrecen mucha flexibilidad en los procedimientos de contratación. Sin embargo, si es posible tenga en cuenta los tres puntos siguientes:

1. *Haga que el salario sea consistente con el escalafón salarial existente.* Es tentador ignorar su escalafón interno cuando contrata gente externa, en especial si ve que un empleado trae grandes beneficios a su grupo. Sin embargo, tan pronto como ignore la escala, la afectará. Recuerde, él tiene que caber *aquí.* Si usted evade pagar equitativamente, créame, sufrirá un revés.
2. *Contrate gente con una base de prueba de tres meses.* Sus instintos son buenos, pero probablemente no son infalibles. Puede estar casi seguro que cometerá errores. Protéjase usted mismo y sus empleados (a veces *querrán* irse) al ponerlos a prueba a tres meses antes de convertirlos en empleados de tiempo completo. Por supuesto, esto únicamente aplica a la contratación externa, no a los ascensos internos.

3. *Evite elaborar los contratos de empleo.* Esto generalmente favorece al empleado. Si debe usar uno, haga que lo elabore un abogado y utilice una "cláusula restrictiva", que prevenga que el empleado tome un trabajo con un competidor durante cierto tiempo.

El niño nuevo del vecindario

Maravilloso. Ya contrató a alguien. ¿Ahora qué?

Yo le diré qué sigue: nútralo. Apóyelo, ayúdelo a crecer. Anímelo. Permítale tener éxito. Recuerde, si él tiene éxito, usted también lo tendrá. Otras cosas que debe hacer son:

- Preséntelo usted mismo al equipo.
- Asígnele un mentor.
- Déle unos días de experiencia real en los puestos de su departamento que estén relacionados con el del empleado.
- Tenga una reunión de fin de semana con él durante sus primeras semanas en el trabajo. Revise cómo están funcionando las cosas y conteste preguntas.

Lo mínimo que necesita saber

- La contratación de empleados excelentes empieza con una descripción precisa del puesto.
- Comience su búsqueda dentro de la compañía; luego si es necesario, expándala a su propia red de contactos.
- Las agencias de empleo y otros expertos en el campo pueden proporcionarle un servicio valioso.
- El arte de entrevistar implica hacer preguntas amplias, para tratar de identificar las motivaciones así como las habilidades.
- Al final, confíe en sus instintos: ¿tal persona quiere ser excelente? Una vez que haya tomado una decisión, haga un ofrecimiento formal por escrito.
- Los empleados nuevos necesitan guía y apoyo para tener éxito.

Capítulo 14

Algunas personas renunciarán, otras necesitarán ser despedidas

En este capítulo

- Cómo evitar reaccionar con exageración
- Disciplina progresiva
- La diferencia entre la renuncia y la rescisión
- Aprenda de los empleados que renuncian
- La forma adecuada de despedir empleados

En los negocios, como en la vida, los errores pasan. A veces, créame, a veces, *usted* va a ser la causa de ellos. Oiga, no hay nada malo en equivocarse. Equivocarse es signo de su voluntad de estar en lo correcto. Para un gerente, éste es un buen signo.

Cuando uno se equivoca, lo importante es admitirlo. Y donde la mayoría de los gerentes toman decisiones equivocadas es en la contratación de empleados. No pretenda que la contratación no haya sido un error. Admítalo y haga algo para corregirlo. De otra manera el daño se esparcirá.

Este capítulo trata sobre lo que hay que hacer cuando una persona no es la adecuada para el trabajo. Le contaré cómo corregir los problemas que surjan y si, todo lo demás falla, cuáles son los pasos legales adecuados para la rescisión. También hablaré sobre la diferencia entre despedir y renunciar... ya que, en lo que a mí concierne, usted no puede despedirme. Si no lee este capítulo, renuncio.

¡Ohhh! ¡Calma!

¡Vamos!, ¿quién contrató a esta persona? ¿En qué diablos estaba yo pensando?

No desperdicie su tiempo reprochándose una situación. Usted necesita dar los pasos necesarios para resolver el problema. De otro modo, los compañeros de la persona en cuestión empezarán una revuelta o comenzarán a seguir su ejemplo. Éste no es momento para la timidez. Es hora de ser extremadamente cuidadoso, y listo.

Claro, usted está molesto. Los conflictos de personal figuran entre los problemas más difíciles en el mundo de las empresas con los que tendrá que enfrentarse. Volverse emocional no le ayudará; pero... ¿por qué no va a su oficina, cierra la puerta, toma aire y cuenta hasta 40,000? No sueñe en emitir despidos espontáneos.

En pocas palabras...
El *despido espontáneo* es una rescisión inmediata por una *causa* determinada. En Estados Unidos las causas abarcan el fraude, el robo y la deshonestidad.

Recuerde, si usted despide a alguien sin una causa, tal vez se involucre en problemas legales. Muy pocas ofensas satisfacen el examen para un *despido espontáneo*. Consulte con su abogado laboral antes de ser "espontáneo".

Por supuesto, incluso si no hay complicaciones legales, reemplazar empleados tiende a ser muy caro.

Disciplina progresiva

Su primera reacción al problema, debería ser tratar de que la gente volviera al sendero. Siga los pasos descritos en esta sección. Éstos tienen una función doble: si no tienen éxito provocando los cambios deseados en el comportamiento, cuando menos tratarán de cubrirlo a usted si necesita llevar a cabo una acción drástica. Oscar Wilde solía decir: "crea lo mejor: se sorprenderá cuán seguido lo tiene". Ésta es la actitud adecuada para un gerente que se inicia en el manejo del mal desempeño.

Primer paso: la advertencia verbal

El problema usualmente toma la forma de pequeñas infracciones pero importantes, pasar por alto las reglas de la compañía, no seguir las instrucciones o crear conflictos con otros empleados.

A veces los empleados involucrados son su mejor gente, los rebeldes. Son listos, creativos y se aburren con facilidad. Otros, sin embargo, simplemente no son aptos para el trabajo. La forma de abordar un comportamiento no adecuado de alguien dependerá de lo que parece que está pasando. Su trabajo es ofrecer ayuda y dar una oportunidad. Su trabajo es actuar al respecto.

Posiblemente una empleada está ignorando las horas regulares de la organización. Tal vez ella es sólo descuidada. No es un gran problema, pero reviste la suficiente importancia para que usted intervenga. Converse con ella, de manera *informal*, y señale los problemas. Déjele saber que usted tiene estándares más altos y sugiérale un cambio específico.

Aun cuando esta advertencia verbal es informal, es extremadamente importante que *haga una anotación en el archivo personal del empleado*. Es probable que la necesite más tarde para demostrar que siguió un procedimiento adecuado.

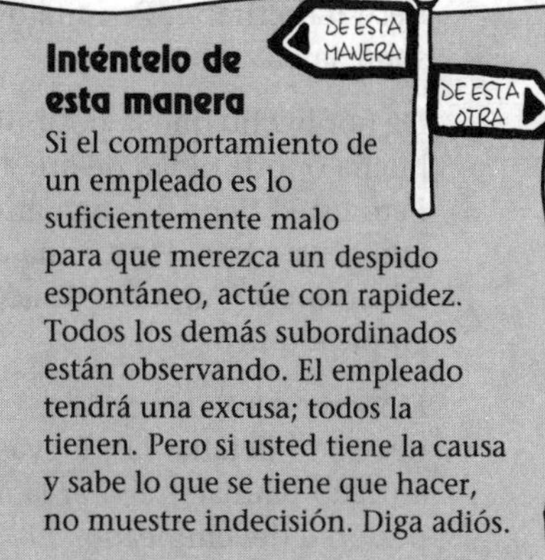

Inténtelo de esta manera
Si el comportamiento de un empleado es lo suficientemente malo para que merezca un despido espontáneo, actúe con rapidez. Todos los demás subordinados están observando. El empleado tendrá una excusa; todos la tienen. Pero si usted tiene la causa y sabe lo que se tiene que hacer, no muestre indecisión. Diga adiós.

Segundo paso: la advertencia disciplinaria

Si el empleado no mejora después de una advertencia verbal, el siguiente paso es emitir una advertencia disciplinaria formal. También es verbal, pero deberá hacerse en su oficina en *forma de una discusión sabia*.

Rompetensiones
Cuando emita una advertencia verbal, evite estas tres Aes: la **agitación**, la **agresión** y la **alienación**.

Usted debe cuidar de que esta reunión sea positiva. Su meta es salvar al empleado, sin mencionar los costos asociados con el despido y contratación. Así que no sólo sermonee, llegue con un plan de acciones para corregir la situación.

Y escuche el otro lado. El empleado probablemente tenga algo que decir, aun si está equivocado. Su esperanza debe ser lograr una exposición de pensamientos, para que de esta manera usted prosiga.

Otro consejo: siempre incluya a otra persona en la reunión de advertencia disciplinaria, de preferencia alguien del departamento de recursos humanos. Esa presencia enfatizará la importancia de la reunión y corroborará lo que usted tenga que decir.

Finalmente, recuerde tomar notas y escribir una relación de hechos después de la junta. Ésta deberá anexarse al archivo personal del empleado, junto con el informe anterior.

Tercer paso: la advertencia escrita

A veces las cosas empeoran. Algunos empleados nunca entenderán; pero usted tiene que seguir tratando, ya que de no hacerlo podría causar que su compañía enfrente demandas.

Rompetensiones
Espere una demanda. Mantenga los registros completos, desde el primer momento que sospeche de un problema. Adhiérase rígidamente a las políticas de la compañía y siga al pie de la letra la ley. Pídale a otra persona que presencie las reuniones, siempre que sea posible.

Tratar no significa aceptar un mal comportamiento; simplemente quiere decir que puede y debe continuar dando los pasos adecuados. En este punto, su siguiente movimiento es emitir una advertencia formal por escrito.

Para este momento, claro, hay una buena posibilidad de que se sienta muy enojado. Ésta es una señal de que usted necesita retirarse. Permita que sus frustraciones disminuyan; es necesario que la razón impere sobre la emoción.

Dé por hecho que la posibilidad de mejoramiento en este momento no es muy alta. Hay una buena oportunidad de que la advertencia escrita antagonice con su empleado todavía más. Pero usted tiene que actuar con algún grado de fe. Los milagros existen. La ley cuenta con ello, aun si usted no. Emita una advertencia en la forma más profesional posible. Documente la advertencia y un plan de acción correctivo en un formato estándar que tanto usted como el empleado firmen.

El nuevo plan de acción escrito puede ser el mismo que se presentó anteriormente. Puede ser necesario detallar las nuevas faltas. De cualquier forma, asegúrese de que usted se refiere al antiguo plan al preparar la advertencia escrita. Fotocopie todo y coloque la copia en el archivo personal del empleado.

Cuarto paso: suspensión

¿Ningún progreso todavía? El siguiente paso es la suspensión. Esto significa expulsar al empleado durante cierto número de días. Las posibilidades de que al regresar de la suspensión, él se convierta en un empleado modelo son muy pocas. Su actitud probablemente se haya endurecido en contra de usted o la suspensión no hubiera sido necesaria. Así que la suspensión precede al despido, a menos que él renuncie primero.

Después de todo, la suspensión conlleva cierto estigma. No será fácil para él enfrentar a otros empleados, después de eso. Si la suspensión dura más de una semana o dos, también empezarán a destacar los factores económicos.

Sería más fácil evitar la suspensión y simplemente despedir al empleado y muchos patrones lo hacen. En general, legalmente, usted estará más seguro si suspende primero. Pero necesitará definir esto usted mismo, considerando el marco jurídico laboral del país donde se encuentre.

Últimas noticias

"Empleado de confianza" es un término legal que en varios países simplifica enormemente el proceso de despido. Establece que un empleado no tiene contrato de empleo, es libre de renunciar (o de ser despedido) en cualquier momento. Es una buena idea incluir este concepto en todas las comunicaciones con el empleado, incluyendo la forma de solicitud, la carta de bienvenida y todos los manuales del personal.

Quinto paso: rescisión

Usted le advirtió a su empleado. Hizo que fuera a su oficina. Le mandó una advertencia escrita. Lo suspendió. Y a pesar de todo aún no hace su trabajo. Me temo que éste es un adiós.

Algunas personas preferirán renunciar que ser despedidas. Piensan que se ve mejor en su currículum, sin pensar acerca del hecho que se verán peor en el grupo de desempleo. En Estados Unidos, por ejemplo, cuando alguien renuncia, no es elegible para los beneficios de desempleo. En cambio, si es despedido sí lo es. No se necesita ser científico de la NASA para darse cuenta de que el ser despedido tiene sus ventajas.

> **Rompetensiones**
> No trate de forzar al empleado a que renuncie por su propia cuenta haciéndole la vida miserable. Las cortes estadounidenses llaman a esto "despido inducido" (otras lo denominan "despido injustificado") y otorgan a los empleados salarios atrasados *y* hasta la reinstalación en el trabajo.

Ésta es la razón de que es común renunciar y luego reclamar que fue despedido a fin de cobrar los beneficios de desempleo. Entonces, como tonto, usted se encontrará gastando dinero en un abogado laboral, por no haber despedido a ese empleado antes de que renunciara. Cuando alguien renuncie, obtenga una carta, firmada por usted y por el empleado, en la que se explique que la renuncia es voluntaria. Póngala en el archivo correspondiente.

¿Ohh, sí? ¡Le mostraré cómo!

Los empleados despedidos raramente son personas felices. Muchos buscan retribución, por razones económicas, por razones de egoísmo o simplemente para avergonzarlo.

Como con todos los pasos anteriores una rescisión debe hacerse en una atmósfera formal y con un testigo. Los resultados deben documentarse y agregarse al expediente.

Considerando la naturaleza del ser humano (y la *forma de ser* de los sistemas legales), usted necesita actuar como si anticipara una demanda. Mientras más preparado esté usted, menos probable será que un empleado a disgusto lo demande; en tanto que, si usted parece un blanco fácil, será demandado. Es probable que alguna vez tenga que enfrentar una demanda, pero si ha hecho su tarea legal, tendrá una mejor oportunidad de ganar.

Nunca mantenga un mal empleado sólo por temor de que lo demande. Los empleados pueden percibir esta clase de miedo y perderle el respeto. Lo retarán de la manera en que los niños tratan a un maestro sustituto en la escuela. Da miedo pensarlo, ¿verdad?

> **Rompetensiones**
> Páguele a su empleado todo lo que se le deba el día que se vaya. Existen leyes, que establecen, por ejemplo, que hasta que le pague por completo a un ex empleado, tendrá que seguirle pagando todo su salario, aunque ya no siga trabajando.

He aquí algunas directrices para despedir a alguien:

- Revise todos los archivos y téngalos a la mano para la reunión.
- Haga que otra persona (de preferencia de recursos humanos) revise sus registros y asista a la reunión.
- Invite al representante del sindicato, si el sindicato así lo especifica.
- Revise cualquier reclamación financiera que se le deba al empleado.
- Revise todas las reclamaciones financieras de la compañía en contra del empleado (tales como anticipos de dinero).

En pocas palabras...
La ley *COBRA* estadounidense, es una ley federal que obliga a las compañías con más de 20 empleados a que éstas mantengan los beneficios de salud durante 18 meses, después de que los empleados dejan la compañía. Su pago debe permanecer igual que cuando estaban trabajando.

- Revise, a detalle, los problemas documentados y las advertencias que llevan al despido.
- Sea breve, firme y manténgase calmado.
- Responda cualquier pregunta, pero sea breve. Nadie va a cambiar su decisión.
- Déle todo su salario el día que se va.
- Si se debe una compensación por separación o por vacaciones, tiene que ser pagada en el momento. Por ley el empleado puede tener derecho a la continuación de ciertos beneficios. Consulte con un experto, antes de celebrar la reunión.
- Llegue a un acuerdo escrito sobre todos los gastos y adelantos, y haga que todos lo firmen.
- Pida al empleado que regrese todo lo que tenga en su poder y que sea propiedad de la compañía, incluyendo llaves, tarjetas de acceso, códigos de seguridad, equipo, etc.
- Establezca con claridad cuándo le gustaría que el empleado desocupe su oficina, su escritorio o área de trabajo. Asegúrese de que alguien lo supervise.
- Llegue a un acuerdo sobre el método para manejar el correo y los mensajes que están pendientes.
- Permita que el empleado se vaya con dignidad.

Una valiosa experiencia

A veces la gente simplemente renunciará, bien. Por sus propias y misteriosas razones, decidirá que estará mejor si no trabaja para usted. Su trabajo es descubrir por qué.

Usted no tiene que cambiar sus ideas, pero posiblemente tenga que cambiar la manera como está haciendo las cosas. Cuando menos, usted debe escuchar.

Realice una entrevista de salida. La gente se va por diversas razones, no siempre porque no están satisfechos con su trabajo. No asuma que lee la mente de los demás. Descubra la verdad.

La salida de un empleado ofrece una oportunidad para reunir información crucial. Parte de ella sabrá a uvas agrias, pero aun ésta contendrá las semillas de la verdad. ¿Qué tal si usted es la razón de que se vaya el empleado? Rara vez lo será, pero es mejor que usted lo escuche y no el departamento de recursos humanos, ¿no? Usted no desea que *éste* entre en escena a la mitad del desastre.

No sólo pregunte: "¿por qué te vas?" Probablemente esto no le dará la respuesta que usted quiere, lo cual es la verdad. Trate de llegar al fondo del asunto con preguntas como:

- "¿Si estuviera en mis zapatos, qué haría de diferente manera?"
- "¿Qué fue lo que le gustó menos del trabajo aquí?"
- "¿Qué le gustó más?"

- "¿Qué clase de apoyo adicional hubieras apreciado en tu antiguo papel?"
- "¿Cómo te llevaste con los supervisores?"
- "¿Cómo te llevaste con tus compañeros?"

Lo mínimo que necesita saber

- Antes de despedir a un empleado, trate y ayúdelo a mejorar y a tener éxito en su trabajo. Salvarlo significará ahorrarle dinero a la organización.
- Las rescisiones por desempeño pobre deben de estar en acuerdo con un procedimiento adecuado, oficialmente conocido como disciplina progresiva.
- Es importante asesorarse sobre derecho laboral. Por ejemplo, en Estados Unidos, los empleados que renuncian no pueden recibir los beneficios por desempleo, pero aquellos que son despedidos sí pueden.
- Todo lo que esté asociado con el proceso de despido deberá tenerse por escrito, contar con alguien como testigo y, si es posible, estar firmado por el empleado.

Capítulo 15

Un lugar para cada quien y cada quien en su lugar

En este capítulo

- Dos formas de organizar: organizaciones piramidales y planas
- La importancia de la flexibilidad para satisfacer las condiciones cambiantes del mercado
- Cómo tratar con consultores y con la tecnología
- Hacer que se fusionen los recursos para acelerar los resultados
- Su administración, ¿cómo saber cuándo es momento de revisarla?

En teoría, todo se ajusta. Las teorías son grandiosas. La realidad, sin embargo, es otra historia y es la que tiene que enfrentar. Probablemente piense que sólo porque su teoría es conocida, usted tendrá éxito. Podría pensar eso, pero podría estar equivocado.

Primero que todo, su sueño de tener a los mejores empleados y mantenerlos juntos es una fantasía. Usted va a tener que trabajar con lo que obtenga. Maximizar las capacidades de aquella gente debe ser su meta. Pero, aun si lo hace, tiene que asegurarse que todo se fusione. En mi experiencia, más compañías han fracasado por su incapacidad de llevar a cabo los planes que por lo que hayan hecho sus competidores.

Este capítulo trata acerca de los engranes de ajuste. Esto es más que un reto administrativo, es esencial para un buen negocio. En este capítulo, aprenderá a organizar a sus empleados; cuándo utilizar consultores; por qué el mundo de la alta tecnología representa nuevos retos y oportunidades; a distribuir los recursos y si debe permanecer apegado a su plan. Usted verá cómo embonan todas estas piezas.

Organice a sus empleados, su activo más importante

A las personas les gusta saber qué es lo que se espera de ellas. Quieren que nadie se interponga en su camino y que se les permita hacer su trabajo; desean ayuda cuando la necesitan y cuando debería tenerse. A veces, las organizaciones se interponen en su camino.

Muchas organizaciones piensan que están organizadas porque han desarrollado un organigrama.

En pocas palabras...
Un *organigrama* es una gráfica que muestra quién le reporta a quién en la organización.

Incluso con un *organigrama*, la gente puede no saber lo que se supone que debe hacer o quién le reporta a quién. La verdad es que el organigrama es simplemente un inicio. La parte importante de una organización y la forma en que en realidad trabaja es la que escapa de las manos, lo que pasa en las fisuras de la organización. Con frecuencia, el organigrama no está organizado alrededor de las tareas que se necesitan hacer. Es simplemente un pedazo de papel.

Además de eso, las organizaciones cambian. Crecen. La gente se muda y las tareas evolucionan. A veces, nuevas capas evolucionan conforme la compañía crece. En ocasiones, un organigrama rígido dicta todas las líneas de comunicación, y éstas son muy lentas para operar en el mundo acelerado de los negocios de hoy en día. Son sólo algunas razones de que un organigrama, si no se construye adecuadamente, sea un obstáculo, en lugar de una ayuda.

Algunas compañías crecerán siguiendo el formato de una pirámide; otras se transformarán en organizaciones "planas".

La vida en la pirámide

Rompetensiones
Ninguna persona puede mantener un registro de todo. Las compañías inteligentes alientan el uso extensivo de herramientas como el correo electrónico, los retiros y los ejercicios de formación de equipos para alentar la comunicación a lo largo de las fronteras funcionales.

La mayoría de las compañías están organizadas de acuerdo con la pirámide tradicional. En el formato de la pirámide, el ejecutivo en jefe (CEO) está hasta arriba y esparcido hacia abajo está el resto de la organización, en divisiones funcionales. El formato de la pirámide tiene su origen en la milicia.

Este método es muy frecuente en las grandes compañías donde mucha gente necesita estar organizada y donde se requiere que una cantidad significativa de expertos específicos hagan el trabajo. En una pirámide existe la necesidad de aclarar la autoridad y las responsabilidades específicas de un número de empleados.

Cuán plano es plano

Algunas compañías dicen: "ninguna organización es la mejor organización". Estas empresas quieren ser rápidas, ágiles y flexibles. Con frecuencia, aunque no siempre, son muy pequeñas y están en constante reorganización. Se sostienen sobre todo por una visión común, no por un organigrama. Mucho del trabajo es realizado por equipos interfuncionales de empleados, que se deshacen después de que se termina el proyecto.

Últimas noticias

Opticon, la compañía danesa de 160 millones de dólares, considerada la compañía de apoyos auditivos de mayor crecimiento en el mundo, atribuye su éxito a su falta de organigrama. Los empleados de la compañía no tienen escritorios permanentes, sino que trabajan en estaciones de trabajo movibles. Todo mundo trabaja en los proyectos, no sólo en partes de los proyectos. Este sistema les funciona.

Algunas compañías tratan de reinventar el concepto de organización, para llegar a una forma más colaboradora de administración. Con frecuencia, son éstas las nuevas compañías. No tienen que dividirse en feudos fortificados o en fuertes donde los nuevos productos y las nuevas direcciones tiene una ocurrencia común.

W. L. Gore and Associates, una compañía de 4,000 personas que fabrica y vende productos diversos como la tela Gore-Tex, productos medicinales y productos electrónicos, tiene una filosofía diferente. Tiene lo que se llama "administración de trabajo entretejido", en la cual todo mundo es igual. Los empleados están organizados en divisiones alrededor de líneas de producto. A estas divisiones nunca se les permite tener más de 150 personas, el máximo número que los empleados creen que cualquier persona puede conocer bien. Ellos piensan que usted no puede administrar a la gente a menos que usted la conozca en forma personal.

En una administración de trabajo entretejido, cualquier individuo puede tomar una decisión, a menos que amenace la existencia de la compañía. En casos donde ésta puede verse amenazada por una mala decisión (llamada "decisión de línea de agua"), los grupos toman las decisiones.

Los beneficios de las organizaciones piramidales y de las planas

Los beneficios de una pirámide incluyen:

- Clara delimitación de la autoridad y responsabilidad.
- Avance natural de los empleados hacia arriba, en la escalera corporativa.
- Especialización del trabajo, lo que incrementa la productividad individual.
- Individualización de objetivos individuales para análisis y retroalimentación.
- Eliminación, en teoría, del caos.

Los beneficios de una organización plana son:

- Gran velocidad y flexibilidad en la respuesta a los cambios de mercado.
- Comunicación más eficiente, en especial en las compañías globales.
- Libera a los colaboradores más talentosos para que avancen sin pasar sobre la gente y alienarlos.
- Más esfuerzos de equipo, menos rivalidades divisionales.

"No es mi departamento"

Esta frase proviene del salón de la fama de las excusas. "No es mi departamento" emana del concepto del organigrama. La gente cree o escoge actuar como si creyera que sus responsabilidades terminan en los límites de la descripción de su puesto.

Sin embargo, regresa al nivel de pasar información y decisiones de una persona a otra en la organización. A menos que alguien tome la responsabilidad del pase, las cosas empiezan a salirse por las hendiduras. Los gerentes que son listos entienden y se aseguran de que su gente comprenda esto.

Mantenga a la organización dinámica y flexible

La única constante en el mundo es el cambio. No importa cómo estén las cosas, van a cambiar. Cuente con ello.

Así que, en este mundo donde ningún producto dura para siempre, ningún mercado permanece siendo el mismo para siempre y donde ninguna economía es consistente, ¿su organización debe permanecer para siempre en el mismo sitio?

La clave es mantener su cambio organizacional en consistencia con el ambiente cambiante alrededor suyo. No demasiado rápido, ni demasiado lento. Trate de seguir una paralela a lo largo del mundo externo mientras usted continúa tratando de pasarlo. Mantenga el índice en el pulso del mundo y de su organización.

Integración de los nuevos empleados

Cuando alguien se une a su organización, ésta cambia. Hay un cambio. Ya sea que reemplace a un empleado que se va o que cubra un nuevo puesto, esa persona es un elemento nuevo. Los empleados nuevos aportan una serie de habilidades, conocimientos y experiencia a la compañía. Mientras más rápido los introduzca al trabajo, más rápido verá resultados. Como gerente, su mejor interés es ayudarlos a que tengan éxito. Si los arroja al trabajo bajo la sentencia: "húndase o nade", probablemente ahorre un poco de tiempo, pero también podría hundirse usted.

¡NOTICIAS!

Últimas noticias

Una encuesta que mi compañía de consultoría realizó mostró que la estadía en el trabajo para estudiantes que salieron de la universidad entre 1980 y 1997 es de 3.2 años. La gente ya no se queda durante décadas en el mismo trabajo. Las descripciones de la historia de trabajo está cambiando de un empleo de toda la vida a una serie de minicarreras. Es el resultado de muchas cosas: el deseo de un ingreso mayor, la frustración por el ritmo de la aceleración y el hecho de que muchas compañías no cambian lo suficientemente rápido para mantenerse con el ambiente cambiante. Ello requiere de una continua reevaluación, pero agrega una inmensurable emoción y un sentimiento de progreso.

A continuación se listan algunas sugerencias sobre cómo integrar a la gente nueva a su organización:

- Preséntelos a sus compañeros. Si hace personalmente esto, subrayará ante el nuevo empleado y los demás la importancia que usted le da a esta nueva contratación.
- Asígneles un mentor. Ellos deberán tener alguien a quien acudir cuando tengan preguntas. Es preferible que sea alguien que no sea su jefe. Usted no quiere que tengan miedo de mostrar ignorancia. Usted desea que aprendan su camino.
- Déles explicaciones escritas de sus expectativas de corto plazo. Reúnase con ellos al final de este plazo determinado y hágales una honesta evaluación de su progreso.
- Déles un organigrama, las herramientas que necesitan y una copia de su plan a largo plazo. Mientras más sepan, más contribuirán.

Cuándo y dónde usar consultores

Hay casi tantos chistes de consultores como de abogados: "Aquellos que no pueden hacerlo, dan consultoría". O, "Un *consultor* es alguien que le pide prestado su reloj y le dice qué hora es". Los conozco todos. Soy un consultor.

Los chistes pueden ser apropiados, sin embargo, hay muchos consultores que llevan una vida exitosa como tales, tantos como para hacerlo pensar que tal vez tienen algo que ofrecer. Los consultores pueden mejorar en gran medida su éxito si se les aprovecha en forma adecuada. La palabra operativa es *adecuadamente*.

En pocas palabras...

Los *consultores* son gente externa a la organización que se emplean para analizar y solucionar problemas corporativos. Varían desde pequeñas operaciones de una persona a enormes organizaciones internacionales.

A continuación está una lista de las ocasiones en que usted debe considerar los servicios de un consultor:

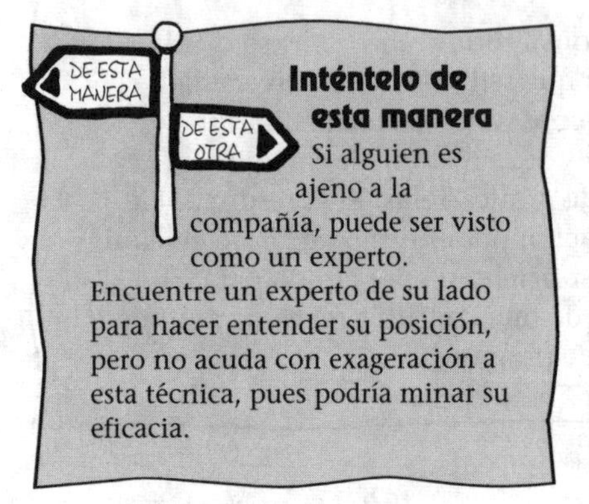

Inténtelo de esta manera

Si alguien es ajeno a la compañía, puede ser visto como un experto. Encuentre un experto de su lado para hacer entender su posición, pero no acuda con exageración a esta técnica, pues podría minar su eficacia.

- A corto plazo, si usted necesita el conocimiento especializado que no tiene en su compañía.
- El negocio es inseguro y no tiene sentido agregar costos fijos con la contratación de más empleados.
- Necesita alguien que agregue credibilidad a una idea que usted quiere presentar.
- La situación demanda velocidad y flexibilidad.

Pero recuerde que los consultores no son la panacea. Pueden ayudar, pero no son lo máximo. De hecho, pueden causar problemas si no están siempre a tono con sus objetivos. Pero si se utilizan adecuadamente, los consultores pueden aportar un poco.

Nuevos retos impuestos por el mundo de la alta tecnología

Organizar gente no es fácil. Nunca lo ha sido, pero ahora el reto es aún más interesante (sí, *interesante*, ésa es la palabra) con el advenimiento de la economía global y la disponibilidad de herramientas de alta tecnología. La gente que usted organiza en estos momentos pudiera no estar toda en el mismo edificio. Usted pudiera estar administrando gente de todo el mundo. Y aun si usted no lo está haciendo, probablemente estará tratando con los proveedores y clientes de un área extensa.

Para eso está la tecnología.

La tecnología le ayuda a administrar a sus empleados para que todo mundo pueda comunicarse tan fácil, clara y rápidamente como sea posible. El único problema con la tecnología es el temor de que usted podría terminar sobrecargado. Manténgala a un nivel manejable. Úsela como herramienta, no como un ancla.

Últimas noticias

En 1991, por primera vez, se invirtió mucho más dinero en computadoras y servicios que en equipo industrial. El cambio significó un ajuste en la naturaleza básica de la administración. Dejamos de ser una sociedad basada en bienes y servicios para pasar a ser una sociedad basada en la información. La edad de la información ofrece oportunidades y beneficios increíbles, sólo pregúnteles a Bill Gates o Scott McNealy.

Distribuya los recursos entre todos sus empleados

Nunca será capaz de satisfacer a todo mundo. Es imposible. Vaya a Las Vegas y apueste la planta a que nunca ocurrirá.

La gente que trabaja para usted va a querer más recursos de los que usted podrá proporcionar. Mientras más dé, más querrán. Está garantizado, como la muerte y los impuestos.

El resultado es que tendrá que decidir sobre inversiones, y especialmente quién se beneficiará de estas inversiones. Éste es un dilema si tiene acciones en una compañía de altibajos. Después de todo, muchos de los gerentes se han preocupado hasta la enfermedad debido a que todas las respuestas tienen consecuencias. Si usted no tiene acciones en este tipo de compañías, esto es simplemente parte de ser un gerente.

Respuestas = Recursos.

No solamente a los empleados no les gustan las decisiones de usted (debido que no obtienen lo que quieren), sino usted también puede contar con que algunas de sus decisiones afectan directamente la productividad. Tome la decisión correcta y la productividad se incrementará. Tome la decisión equivocada y...

La coordinación es muy importante. La gente necesita saber con base en qué está tomando usted las decisiones. Esto ayudará a facilitar las cosas a todos.

Técnica para medir las inversiones

Usted quiere ser consistente. Es una buena característica.

La forma más fácil de ser consistente siendo un gerente es tener un sistema. Usted, por supuesto, necesita primero resolver cuál es su objetivo antes de tomar decisiones sobre dónde invertir sus recursos humanos y financieros. Existen dos técnicas comprobadas para medir las inversiones:

1. *Análisis del reembolso.* Este método se utiliza para calcular el tiempo que toma recuperar el costo de las inversiones. Los conceptos con el reembolso más rápido son calificados más alto.
2. *El ingreso sobre la inversión.* El ingreso de la vida sobre varias posibles inversiones se compara en esta técnica.

Apegarse al plan o ir más allá de él

La administración es el arte de manejar el cambio. La vida es consistente con todos los cambios. Y ahora la verdad, aun su plan *pudiera* estar sujeto al cambio. Existe una tendencia a pensar en el plan, algo a lo que usted está *comprometido*, como si fuera imposible de cambiar. Es como cambiar de religión.

Pero éste es un negocio. Usted *debe* aproximarse a él con un intelecto frío (esto incluye sus emociones, aunque no se controla por éstas).

En pocas palabras...
Una *provisión de ocaso* es una metodología para terminar automáticamente un proyecto. Le da a todo proyecto una vida finita, aun cuando el proyecto sea considerado bueno para siempre. Cuando el límite de tiempo se acaba, el proyecto debe revisarse y decidir con base en lo que se encuentre.

Un plan es una herramienta, no un mandamiento rígido. Por tanto, una estrategia de versatilidad cuenta con una provisión de ocaso en todo plan para que así usted pueda coordinar todo y no esté apegado a algo que no funciona.

Por supuesto que ésta no es la respuesta a un dilema más serio, ¿deberá revisar alguna vez su plan a mitad del año?

La respuesta es *probablemente*.

Es probable que no tenga que hacerlo.

Pero si la situación es lo suficientemente seria o la oportunidad es lo suficientemente grande, entonces haga el cambio. ¿Quién decide? ¿Por qué el gerente?

Lo mínimo que necesita saber

- Los organigramas son una ayuda y un obstáculo. Aclaran los papeles, pero también pueden llevar a la inflexibilidad y a la pérdida del control.
- Los consultores deben ser contratados para hacer cosas que los empleados internos no pueden hacer. De otra manera, encontrará mucho escepticismo de parte de sus empleados en lo concerniente al costo y a la necesidad de los consultores.
- Dado el crecimiento exponencial de la sociedad y la necesidad exponencial de cambio, la administración requerirá de herramientas más tecnológicas.
- La distribución de los recursos es mejor si se usa con un sistema bien definido. La toma de decisiones inconsistente le da armas en su contra a aquellos que están en desacuerdo con las decisiones que usted tome.

Parte 4
El manejo de las finanzas

Quien haya afirmado: "lo que no conoces no te lastimará" nunca tuvo un negocio. Lo que usted no conoce puede lastimarlo. El negocio es una variedad de cosas: filosofía, productos, servicio, mercadotecnia, publicidad y mucho más. Pero el meollo son los números: ¿qué periodo? ¿Cómo se suman los números? ¿Cómo se comparan con sus expectativas? ¿Y con los números del año pasado?

Si usted solamente opera bajo intuición e inspiración, tomará un camino muy riesgoso. Tiene que saber dónde está parado y hacia dónde se dirige. Tiene que poner esto en términos de números o va a sorprenderse negativamente por haber sido tímido.

Esta parte del libro se enfoca en la construcción de bloques de su negocio, cifras. Proporciona una descripción de los números que usted necesita, cómo obtenerlos y cómo usarlos.

Con estas herramientas, usted aprenderá a controlar el negocio en lugar de que él lo controle a usted. Después de todo, ¿no es de lo que se trata?

Capítulo 16

Desarrolle un lenguaje común, el de los números

En este capítulo

- Por qué los números son críticamente importantes
- Cómo entrenar a la gente para que entienda los números
- La diferencia entre precisión y velocidad
- Formas de evaluar las oportunidades competitivas

Los números son el lenguaje común del negocio. Le muestran con toda claridad cuánto está ganando su compañía, cómo se están desempeñado sus acciones y cómo está su administración. Todo el buen karma y la electricidad motivacional que pueda crear no tendrán mucha importancia si no tienen como soporte los números fríos. Le guste o no, se le juzgará con base en los números.

Las cantidades le dan la razón, algo para amarrar. Son lo opuesto a la ambigüedad, le dan forma a su desempeño. Convierten lo abstracto en lo concreto y le permiten ser objetivo en su papel de gerente.

En este capítulo, aprenderá acerca de los números y por qué son tan importantes. Analizaremos qué cifras buscar y cómo usarlas para incrementar su eficacia. No se volverá un experto financiero con sólo leer este capítulo, pero podrá ser un mejor gerente. En este capítulo, aprenderá a contar todo nuevamente.

El porqué necesita los números

Usted *es* los números. Usted los "posee".

Los números son claros, aun si no lo son. Cuando menos le proporcionan un terreno común de entendimiento y le ofrecen una base para realizar comparaciones significativas. Conforme los negocios se vuelven más globalizados en un mundo con muchos idiomas, los beneficios de los números claros son aún más obvios. Pero eso es sólo el *siguiente* paso. Ignórelos si quiere, pero nadie más lo hará. Nadie.

Si usted piensa que los números son sólo para impresionar a su banco o a sus superiores, reflexione. Los números son la sangre de su organización.

¡NOTICIAS!

Últimas noticias

La administración de pequeños negocios informa que la causa principal del fracaso de los negocios (más de 60%) es la carencia de un buen manejo del papeleo y la falta del entendimiento de los números del negocio.

Es verdad que los malos números harán que los banqueros salten por las ventanas y que los números maravillosos causen regocijo. Es verdad que mucho reside en los números. Pero también es verdad que los números pueden manipularse. Siempre significan algo a menos que *signifiquen algo más*.

Por tanto, necesita números legibles para usted. Usted será juzgado con base en un grupo de números. Pronto sabrá que, en administración, algunas cifras llevan a otros números. Puede ser algo circular, hasta que tome el control.

¿Cuáles números?

Ésa es la pregunta.

La respuesta es que diferirán por compañía y por industria y que debe seguir los números particulares que son críticos para su organización. He aquí algunos que son comunes virtualmente para toda organización:

- Ganancias y pérdidas
- Hoja de balance
- Flujo de caja
- Presupuestos
- Ventas
- Órdenes
- Costos y precios

Los grandes gerentes están corrigiendo constantemente su curso. Pero sólo pueden hacer esto si tienen dos cosas, un curso y una medición regular de él. Ambos deben estar basados en una medición cuantitativa.

Entrene a su gente para que entienda los números

Asuma que sus empleados no entienden muy bien los números. Si asume que los comprenden y resulta que no es así, podría tener un desastre.

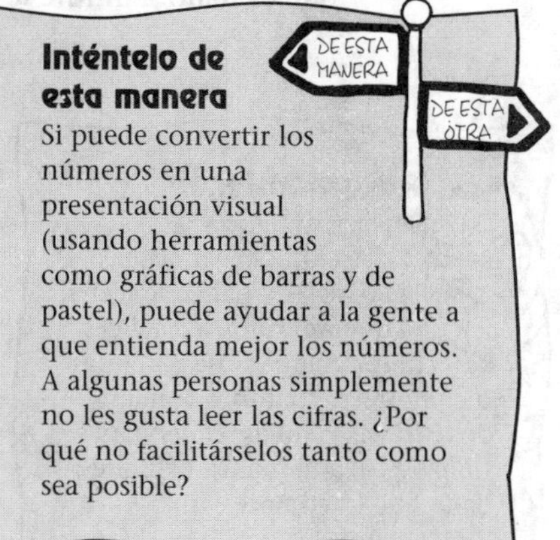

Inténtelo de esta manera

Si puede convertir los números en una presentación visual (usando herramientas como gráficas de barras y de pastel), puede ayudar a la gente a que entienda mejor los números. A algunas personas simplemente no les gusta leer las cifras. ¿Por qué no facilitárselos tanto como sea posible?

Capacite a su gente. De hecho, mientras lo hace, consiga entrenamiento también para usted, pues sus números son la moneda del negocio. (Bueno, también la moneda, pero todo mundo sabe que los números y la moneda están relacionados.)

Primero, asegúrese de que haya dinero en su presupuesto para que se entrenen usted y su gente. A algunos gerentes les gusta que sus empleados compartan el costo de la capacitación ya que creen que inspira un compromiso verdadero. No estoy de acuerdo. Su trabajo como gerente es ayudar a los empleados a dar su mejor esfuerzo. Si se ven bien, usted se ve bien. Lo que no sepan puede arruinarlo a usted. Por el otro lado, la excelencia se reflejará bien en usted.

Pero la excelencia sólo proviene del conocimiento. Si su gente no tiene acceso a los números que necesita, no puede hacer su trabajo. Algunos gerentes y compañías son tan paranoicos que no compartirán nada. Pero la paranoia no es una estrategia que se recomiende. Si se encuentra con algo semejante, acérquese a quien trate de bloquear el flujo de la información y háblele con lógica. Intente y logre hacerles entender la necesidad y la meta. Sin importar lo que haga nunca sea un obstáculo para la información. Se le revertiría.

Algunas personas, aun si usted les da los números, se resistirán a tratar de entenderlos ya que simplemente están a disgusto. Hay quienes harán lo posible por evitar el entrenamiento financiero. Pero no los deje. La capacitación es esencial si usted piensa que el éxito es esencial. Y si no, ¿por qué es un gerente?

Hay numerosas formas de capacitarse. Algunas son más fáciles que otras y algunas son más inmediatas. Escoja las que son mejores para usted y su equipo y luego ajústelas a su presupuesto. Presione a su gente. Haga que lo realice.

Recuerde, la necesidad del entrenamiento no es cosa de una sola vez. Es un asunto continuo que constantemente debe ser tomado en cuenta. A continuación le doy algunas ideas para la capacitación financiera:

- *Clases externas*. Búsquelas. No espere a que su gente se las lleve.
- *Consiga conferencistas*. Establezca metas y objetivos sobre los temas que se cubrirán.

- *Utilice el presupuesto como un proceso de entrenamiento.* Haga que su gente pase a través de las áreas que controlan línea por línea. Luego páselas con ellos para mostrarles lo que ignoraron o perdieron. Ponga atención al detalle.
- *Haga evaluaciones financieras mensuales.* Verifique el desempeño línea por línea. No sólo acepte lo que se le ha presentado. Pregunte por qué. Pregunte cómo puede cambiarse. Pregunte cómo puede hacerse de diferente manera. Pregunte qué pasará después. Pregunte, pregunte, pregunte.
- *Analice todos los informes.* Trabaje con sus empleados para analizar lo que es bueno y lo que es malo. Elimine lo innecesario y agregue lo que se necesita.

Rompetensiones

Fije un número y fecha. Por ejemplo: cuántas ganancias y para qué fecha. Los empleados son felices comprometiéndose con unas o con otra, pero nunca con las dos. Consiga ambas. Obtener el número un año más tarde no le da lo que usted necesita.

En pocas palabras...

La *rotación de inventario* es el número de veces al año que vende (o rota) su inventario. Divida el costo anual de los bienes vendidos entre el inventario a la mano.

En pocas palabras...

Los *días por cobrar* es una medida de lo rápido que está cobrando las ventas que ha hecho. Usted calcula este número dividiendo las ventas anuales entre el número de las cuentas por cobrar.

Cuantifique sus objetivos, reemplace lo subjetivo con lo objetivo

Si aún no lo sabe, pronto lo sabrá. Los empleados son tan resbalosos como las anguilas. Asegurarse de que hagan lo que tienen que hacer es una tarea titánica. Y mientras más experiencia tengan más experimentados serán en evitar el compromiso. Así que necesita atarlos. Pero, ¿cómo? Con los números. Utilice los números para conseguir un compromiso.

Siempre que sea posible, convierta las metas abstractas en concretas. Cuando lo haga, agregue a su administración las tres emes: motivación, medición y método. A continuación le indico algunos ejemplos sobre las cosas que pueden y deben convertirse en metas concretas:

- *Mejore los resultados.* Usted puede cuantificar ciertos factores, como *rotación de inventario* o *días por cobrar.*
- *Mejore la calidad.* Cuantifique los rendimientos, los costos de garantía y los defectos.
- *Mejore la eficiencia.* Cuantifique las ventas por orden, ventas por metro cuadrado, tiempo de embarque de las órdenes y agilice las conversaciones por teléfono.
- *Mejore el servicio.* Cuantifique los tiempos de entrega, cuántas veces suena el teléfono antes de que se conteste y qué porcentaje de la orden se completa.

Es fácil evitar los objetivos no cuantitativos. Es también fácil pensar que trabajar duro lo acercará a sus objetivos. Pero si tiene un número como objetivo, éste puede darle una dosis de la realidad necesaria.

Demasiados números, muy poco tiempo

Hay dos diferentes tipos de informes financieros que su compañía debe generar:

1. *Los informes financieros contables*. Éstos resumen periódicamente sus resultados para evaluación. Mientras más divida los departamentos internos y las responsabilidades individuales de su gente, más beneficios habrá. Por lo general, dichos informes se producen cada mes y se resumen por año.

   Los informes financieros contables le permiten evaluar a su personal y ayudarlo a entender a su compañía. Son reportes formales producidos bajo los estándares de contabilidad aceptados generalmente (GAAP, por sus siglas en inglés). Los informes financieros a menudo son preparados por la compañía en conjunto con una empresa externa de auditoría. La firma externa resumirá y presentará sus números junto con su "certificación". Esto da una seguridad adicional sobre la precisión de los números.

2. *Los informes operativos*. Éstos son más frecuentes y son menos precisos que los informes financieros contables. Los informes operativos se realizan en forma interna; a veces, pero no siempre, por el departamento de contabilidad. Tienen la intención de mantenerlo constantemente alerta sobre el pulso de la compañía. Tiene como cualidad primordial el factor del tiempo. Estos informes deben realizarse con rapidez. Alguien toma las decisiones o efectúa cambios con base en éstos, así que la velocidad es crítica.

Usted querrá que algunos informes se hagan diariamente. Por ejemplo, las ventas *versus* el pronóstico, cuentas por cobrar real *versus* el pronóstico o balance de efectivo en banco, son informes que debe considerar hacer cada día.

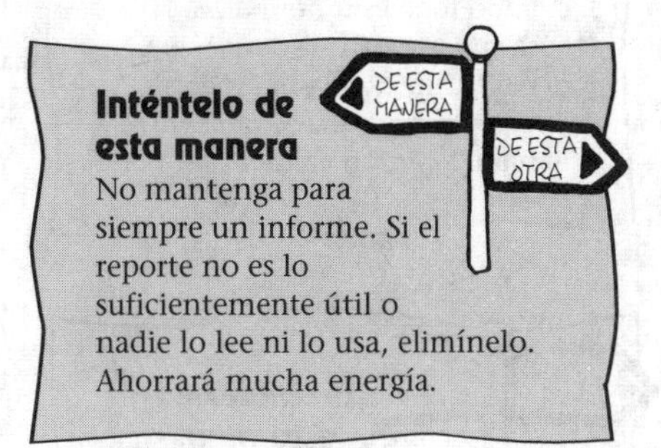

Inténtelo de esta manera
No mantenga para siempre un informe. Si el reporte no es lo suficientemente útil o nadie lo lee ni lo usa, elimínelo. Ahorrará mucha energía.

Los reportes semanales podrían ser el de la nómina *versus* el pronóstico o el de las órdenes de compra en existencia.

En los reportes operativos, usted no necesita una precisión de centavos; es más importante que estén a tiempo para que de esta manera tome la acción correctiva necesaria.

Estos informes y su evaluación constante son la responsabilidad del gerente. Su trabajo es evaluar, planear y reaccionar.

Pero su primer trabajo es decidir qué debe medirse. Usted conoce las variables críticas. Tiene que asegurarse de que los reportes sean generados de manera consistente y a tiempo. Debe hacer que la información se divulgue a toda la gente que toma las decisiones y que esa gente lea realmente la información y actúe con base en ella.

Sin embargo, cuando se ha dicho y se ha hecho todo, el gerente toma las decisiones finales. Usted está a cargo. Actúe en consecuencia.

El informe financiero = Precisión

El propósito de los informes financieros es aplicar un examen periódico para saber cómo está la salud del negocio, tomando en consideración áreas como los estados de ganancias y pérdidas, la hoja de balance y las fuentes y los usos del efectivo.

Con frecuencia, los informes financieros se entregan a externos como bancos, arrendadores, inversionistas y proveedores clave. Típicamente, se hace una comparación con el anterior para ayudar en el análisis del progreso o decaimiento del negocio. Los externos se apoyarán en gran medida en estos resultados, así que deben realizarse con mucha precisión.

Rompetensiones

Una parte integral de los estados financieros auditados producidos por los contadores independientes es la "certificación" al principio de cada declaración. Existe una forma estandarizada que se utiliza cuando todo está normal. Si las cosas no lo están, la desviación necesita una atención especial. Las cartas con desviaciones se llaman "opinión calificada".

Estos informes se preparan normalmente en la compañía sobre una base mensual y se revisan y se aprueban sobre una base anual por un contador independiente externo. A esta revisión y aprobación del informe anual se le llama "estado financiero auditado".

El negocio, como la vida, es divertido. Por ejemplo, mientras más grande sea el estatus de una firma contable externa, más confiabilidad le darán los externos al informe. Por tanto, muchas compañías se apoyan en un número limitado de firmas de contabilidad internacionales. Sin embargo, a veces las firmas pequeñas pueden dar una mejor asistencia.

La clase de firma que usted escoja depende de lo que necesita. Claro, como gerente nuevo, usted probablemente no tenga nada que decir sobre la firma que se contrata. Las grandes firmas usualmente tienen especialistas en negocios internacionales, impuestos y similares. Las compañías pequeñas tienen la posibilidad de darle una atención más individualizada. Como gerente, quédese con la que se haya trabajado. Esto puede no ser lo mejor. Pero no lo sabrá hasta que evalúe sus necesidades.

Inténtelo de esta manera

Establezca un programa escrito de los pasos de contabilidad detallada que deben darse para el cierre de los libros. Usualmente se llama a esto "programa de cierre", y deberá asegurar el tiempo para el arribo de los estados. Éste es un plan de día con día por el cual los libros se cierran. Si usted no tiene este programa, podrá tener fechas de terminación que cambien de un mes a otro y que no le son de ayuda, como gerente.

Los reportes financieros se conectan por una cosa, precisión. Esta precisión toma tiempo. Apresurar los números incrementa el riesgo, el riesgo de las imprecisiones y el de la vergüenza de hacer correcciones. Además de todo, tiene que asegurarse de que necesita los informes que se generan con regularidad. La vida es mejor si posee un poco de control sobre el departamento de finanzas. Pero si no tiene injerencia en el departamento de contabilidad, aun así tiene que cumplir sus objetivos.

Típicamente, los informes mensuales se generan dentro de los 15 días siguientes al cierre del mes y el informe auditado por lo general dentro de los 90 días después del final del año. Si los inventarios son enormes, llevar a cabo un inventario periódico físico puede retrasar un poco el proceso. Pero normalmente, 15 días es un periodo suficiente para hacer todo. Los gerentes astutos tienen un borrador de los números internos para presentarlos a sus empleados y que éstos los revisen antes de que el informe sea publicado. Hacen comentarios y preguntas antes de que se muestren estos números a cualquier otra persona.

Informe rápido = Velocidad

Es posible que llegue a sentirse frustrado por la lentitud de los informes financieros. Yo he pasado por eso. Lo he hecho. Y francamente, a los ejecutivos financieros probablemente les encantan los informes financieros lentos pero, como gerente, no me beneficiarán en nada. Como tampoco será benéfico para usted. No es lo que usted necesita.

Usted necesita información de acceso inmediato.

Usted necesita reportes cuya elaboración sea *rápida*; que no se revistan de la burocracia, la precisión ni la lentitud.

Claro, con la velocidad, se experimentará una modesta pérdida de la precisión. En muchos casos, los gerentes no la necesitan de todas formas. Probablemente están más interesados en el panorama, y las decisiones oportunas para ellos son más importantes que la precisión. Usted no necesita conocer los centavos cuando son los dólares lo que les importa a los gerentes.

Afortunadamente, los informes que necesita pueden obtenerse del sistema normal de contabilidad y del sistema de computadoras. Si puede sólo reformar y generar nuevos e inmediatos reportes, le ahorrará duplicar el esfuerzo y le permitirá asegurarse de que todos los números en los reportes rápidos correspondan a los informes más precisos que se entregarán más tarde.

Por desgracia mucho de lo que usted desearía no puede obtenerse de su sistema actual. Usted y su equipo tendrían entonces que generar los informes. Si necesita los informes que no están disponibles, la mejor manera de obtenerlos es encargándolos a su equipo. Además, generar los reportes usted mismo durante un tiempo, le ayudará a obtener las bases de lo que su organización está haciendo. A la postre, tal vez descubra que los reportes que usted creía que eran necesarios son innecesarios y que algo más es necesario. Determine lo que *realmente* necesita y luego diríjase al sistema de información administrativa (*MIS,* por sus siglas en inglés) o al departamento de contabilidad. Déles el formato final. En lugar de pedirles que hagan el trabajo que resulta innecesario, resuelva todo primero. Esto hará que tenga más amigos y ahorre capital político en la contabilidad y en los departamentos del MIS.

Rompetensiones

Si regularmente sus informes financieros programados no están a tiempo, es hora de investigar. Por lo común, la ausencia de un reporte a tiempo es indicio de un mayor problema. Y, casi siempre, cuando los números finalmente aparecen, están por abajo de lo requerido.

En pocas palabras...

MIS es la abreviatura en inglés de sistemas de información administrativa, la descripción actualizada de los sistemas de computadora que existen en una compañía.

Algunos ejemplos de informes que no se generan normalmente pero que pueden ser de gran ayuda son:

DIARIOS:

- Ventas comparadas con el pronóstico
- El efectivo recibido comparado con el pronóstico, usando el balance bancario

MENSUALES:

- Órdenes de este año en comparación con las del año pasado y las del pronóstico
- Ventas por metro cuadrado (si es un vendedor al menudeo)
- Ventas por empleado (mejor que si utiliza un pronóstico de 12 meses rolado)
- Cuentas por cobrar (a la fecha y promedio de días)
- Inventario (lista del inventario obsoleto y de la rotación del inventario anual)

Informe de oportunidades

Habrá oportunidades. Aparecerán y no sólo una vez al año cuando esté realizando sus presupuestos.

Algunas oportunidades necesitan ser aprovechadas, probablemente para incrementar resultados, para conformar el desabasto no esperado o quizá porque usted encontró la oportunidad de su vida. Pero algunas oportunidades es mejor ignorarlas o cuando menos diferirlas.

Así, pues, ¿qué debe hacer? Usted debe aprovechar las oportunidades mientras no dañen su plan básico. Tiene que equilibrar lo desconocido y lo conocido; los pesimistas y los optimistas. Después, una vez que haya realizado el balance, necesitará explicar su lógica a sus empleados o enfrentará los cuestionamientos acerca de por qué usted escogió *esto* e ignoró *aquello*.

La mejor herramienta que conozco y utilizo es el *prototipo de la lucratividad*. Compara las alternativas, asigna responsabilidades y pone una fecha a los resultados esperados. Todos estos son componentes necesarios de los proyectos exitosos. Al observar los resultados esperados, puede desecharse un número diverso de proyectos, incluso sin incluirlos en la gráfica.

Algunos pueden desecharse porque muestran muy pocos resultados. Otros, porque los resultados están muy lejos y no podrán ayudar en lo necesario a corto plazo, y algunos más porque un individuo estará atendiendo otras responsabilidades y de plano no funcionará la oportunidad.

La gente probablemente note que aun cuando algo pudiera tener "muchas posibilidades" de tener un buen resultado, si la "probabilidad" es muy baja, el proyecto pudiera no verse tan atractivo como uno que tenga pocas posibilidades de un buen resultado, combinadas con una alta "probabilidad".

Ésta es la clase de toma de decisiones que es lógica, no emocional. Eso es bueno.

Esta gráfica deberá ser discutida en todas las reuniones y deberá:

- Comparar los resultados reales con los del mes.
- Actualizar los "resultados posibles" basados en la información enriquecida.
- Actualizar la "probabilidad" basada en la información enriquecida.
- Recalcular los "resultados esperados", con base en las últimas expectativas.
- Decidir si algunos proyectos deben abandonarse.
- Decidir si algunos proyectos deben agregarse.

Lo mínimo que necesita saber

- Para una administración y una evaluación más fáciles, convierta todo lo que usted pueda en números.
- Los informes financieros como los estados de ganancias y pérdidas y la hoja de balance producidos por el personal de contabilidad son mejores si son evaluados externamente y no por la administración interna.
- Los informes de acceso rápido dan el pulso de la organización. Si no pueden ser generados por el departamento de contabilidad, deben ser generados por el gerente.
- Las oportunidades deben medirse; de lo contrario, no sabrá por qué luchar y de qué debe mantenerse alejado.

Conozca sus números o encuentre alguien que lo haga

En este capítulo

- ➤ Qué medir y cuándo
- ➤ Informes diarios para la toma oportuna de decisiones
- ➤ Utilización de las herramientas de pronóstico para mejorar sus resultados
- ➤ Dónde, cuándo y por qué puede llegar a necesitar una auditoría

Hay muchos grandes gerentes que no se obsesionan con los números. Pero si no lo hacen, contratan a alguien que *sí* se obsesione con las cifras. Sin importar de qué se trate, todo tiene que sumar. Los grandes gerentes hacen que los números funcionen para ellos. Así que si no es su fuerte, aumente su personal con alguien que pueda no sólo entenderlos, sino también explicárselos.

Hay una montaña de información en el negocio. Crece y crece. Usted necesita aprovechar esa información y hacer que se mueva, no que se acumule. Cuando lo logre, se habrá vuelto un maestro en el arte de hacer que los números funcionen para usted y estará en el camino de ser un gran gerente.

La meta, claro, es un paso, pero no es suficiente por sí sola. Usted necesita medir su progreso en función de ciertos indicadores a lo largo del camino. Ello significa que debe medir numerosas cosas, múltiples veces dentro de su proceso de trabajo.

En los negocios, no es conveniente tener sorpresas, ni siquiera las positivas, ya que afectarán demasiado a su organización.

En su lugar, es mejor tener números.

Este capítulo trata sobre la esencia del mundo de los números y cómo éstos lo ayudarán o lo traicionarán. Aprenderá qué medir, cuándo y cómo usar sus mediciones para mejorar sus resultados. Conocerá sobre auditorías y si usted necesita o no una y cuándo. Lea este capítulo y descubra cómo se suman las cosas.

Qué medir: enfóquese en aquello que es determinante

Usted obtiene números al medir y monitorear. Luego responde a lo que los números le dicen. Eso es administración. Pronosticar y reaccionar. Usted necesita hacer ambas cosas. Necesita poner a su gente en tal posición que dé resultados óptimos.

Usted realiza lo anterior al mantener un registro de los números; por medio de los sistemas de contabilidad y mediante el uso de las técnicas mencionadas en el capítulo 16.

Cuando menos, pida un reporte periódico del estado de ganancias y pérdidas y de la hoja de balance. Necesita estos números una vez al mes dentro de los 15 días posteriores al término del mes anterior.

Requiere estos números para usted mismo y para mostrarlos a la demás gente.

Si solicita un préstamo, los bancos, por lo menos, querrán un resumen de su estado de ganancias y pérdidas y de la hoja de balance, probablemente una vez al mes. Los investigadores también lo requerirán, pero no tan seguido. Sus vendedores clave requieren conocer sus cifras anuales.

Usted pedirá la misma información, pero significativamente expandida para su propio uso.

Cada mes, hay cuatro reportes vitales en los que me apoyo y que han sido los más valiosos también para otros hombres de negocios.

1. Comparación de las finanzas contra el presupuesto.
2. Comparación de las finanzas contra el año pasado.
3. Comparación de las finanzas del año a la fecha contra el presupuesto.
4. Comparación de las finanzas del año a la fecha contra el año pasado.

Estos reportes presuponen que usted tiene un presupuesto mensual. Yo no sólo lo supondría, sino que también insistiría en ello. Un presupuesto mensual es una herramienta esencial.

Qué hacer con estos presupuestos comparativos

Si su banco o un inversionista le pide no sólo los resúmenes sino también las comparaciones, yo le recomiendo, en caso de lo segundo, hacer un presupuesto más conservador y elaborar las comparaciones contra éste, a fin de mostrar todo el escenario de la mejor manera posible.

Los presupuestos de casa, aquéllos para uso interno, con frecuencia son agresivos y están establecidos de esa forma para motivar a los empleados. Es una buena idea. Con frecuencia funciona. Pero a veces no, por lo que el presupuesto que entregue a las fuentes de fondeo debe ser más conservador que el que se hace en casa para tener la seguridad de que se alcanzarán las metas. Si usted no logra los objetivos, los banqueros e inversionistas no estarán muy felices. Así que probablemente deberá establecer dos series de presupuestos.

Usted necesita a alguien que haga los presupuestos. Las grandes compañías por lo general tienen un equipo de contabilidad interno. Las pequeñas podrían también tener uno, pero con frecuencia utilizan contadores externos.

> **Rompetensiones**
> Si no tiene un sistema de contabilidad regular con impresiones mensuales, usted necesita uno, ¡AHORA! Contrate a alguien o establézcalo usted mismo. Pero hágalo, o no detectará ningún problema potencial o en crecimiento. En verdad no tiene opción.

Cualquiera que sea la forma que elija para obtener sus números, tendrá que ver los reportes. Debe contar con la información lo más rápido posible.

La primera regla de las finanzas es que los números deben decir siempre la verdad. Aquéllos son lo que usted necesita saber aun cuando no le guste lo que digan. En otras palabras, no le dispare al mensajero.

Partiendo de ahí, usted puede encontrar formas diferentes de interpretar los números para presentarlos a los demás. Esto se llama (siendo un poco irónico) contabilidad creativa.

Pero primero, usted necesita entender la realidad, o como les digo a mis clientes, antes que nada conocer los hechos.

Finanzas amistosas

En la administración, usted necesita optimistas en ventas y pesimistas en contabilidad, y un poco de las dos formas de ser en su propia personalidad. Usted debe entender los números para saber qué lado sacar.

No necesita ni quiere informes complicados, sino reportes que estén a tiempo y en una forma entendible.

Los reportes oportunos se trataron en el capítulo 16. En cuanto a lograr que sus finanzas sean legibles, hay unos recursos simples a los que puede acudir, no sólo para hacerlos fáciles de entender sino también amigables.

Los porcentajes son siempre un ingrediente clave en la elaboración de reportes cuya lectura es muy fácil. Presentan las cosas en perspectiva. Son números que dicen algo.

¡NOTICIAS!

Últimas noticias

Un estudio reciente de la Universidad de Pittsburgh encontró que 90% de las compañías exitosas mantienen registros financieros adecuados. El mismo estudio encontró que 90% de las empresas que fracasaron no mantuvieron estos registros y que 40% de los negocios con malos registros terminaron en problemas con el fisco. Algo que no le deseo ni a mi peor enemigo.

He aquí unas formas de hacer amigables las finanzas:

- *Liste los gastos de mayor a menor en su presupuesto y en sus finanzas.* De esta forma sus ojos avanzan desde el gasto más grande hasta el menor. Esto ayuda a dar prioridad y le permite acelerar los análisis, ya que todo lo que es grande y raro salta a la vista. No se deje atrapar en los detalles pequeños. Normalmente, el 20% de sus categorías cubrirán el 80% de los gastos reales.
- *Divida los gastos en fijos y variables.* Esto favorece un panorama más preciso del flujo que probablemente enfrente.
- *Recuerde que algunos gastos están relacionados con las ventas.* Si las ventas suben, es lógico asumir que algunos gastos, como las comisiones, deberán subir y ser variables. Pero otras erogaciones como los salarios o la renta deben permanecer fijos.
- *No se apoye en una comparación de las ganancias netas solamente.* Necesita considerar también las subcategorías para tener todo el panorama.
- *Establezca un presupuesto y manténgase apegado a él.* Si lo cambiara durante el año, se engañaría usted mismo y les daría a los empleados un margen confuso con respecto a sus metas y objetivos. Es confuso y va en contra de la simplificación y el enfoque.

Uno de mis clientes tenía dificultades para alcanzar su presupuesto. Me llamó, deprimido porque no podía lograr su presupuesto. Un poco más tarde, me volvió a llamar. "Ya lo resolví", me dijo. Estaba encantado. Había vuelto a hacer su presupuesto y había reducido todo. "Alcancé mi presupuesto", dijo orgullosamente. Pero nunca vio las causas importantes de sus problemas, así que las cosas empeoraron.

Esto no significa que no deba volver a pronosticar conforme finaliza el año. Por supuesto, usted se ajusta conforme se presenta la situación. Y es obvio que usted debe considerar aprovechar nuevas oportunidades si es que las puede costear y si no minan el logro de su presupuesto. Pero si lo hace, debe establecer todo un nuevo presupuesto para este proyecto y manejarlo por separado.

Mida en forma regular y consistente

El tiempo es un gran profesor, pero desafortunadamente mata a sus pupilos. En forma similar, esperar a que el tiempo traiga resultados probablemente mate a su organización.

Los números tardíos, como he dicho, deletrean problemas. Simplemente no sabe lo que significa su tardanza.

Además del hecho de que los números tardíos significan problemas, tan sólo porque llegan tarde ya son un problema.

Usted necesita la información a fin de tomar decisiones a tiempo. La necesita para decirle a la gente simbólicamente y con precisión lo que usted piensa que está correcto o incorrecto. Debe ser importante si se mide con regularidad y ciertamente tiene un aire de urgencia.

Como gerente, he escuchado muchas excusas durante todos estos años en cuanto a por qué los reportes son tardíos: desde "mi perro se lo comió", hasta "hoy van a encarcelar a mi marido". Ninguna excusa es satisfactoria.

Rompetensiones

Si usted no tiene información en los 15 días posteriores al término del mes, algo va mal probablemente. Ya sea que los números que usted va a tener no son buenos o no van a ser precisos. Si la información es tardía, usualmente hay una razón.

Yo necesito los números para dirigir un negocio. Necesito que mi gente los entregue. Así que usted también. Si usted no cuenta con tales empleados, consiga gente nueva. No es una opción, es esencial.

La información es una herramienta poderosa si se utiliza para llevar a cabo una acción. La verdad es que algunos gerentes tienen miedo de compartir sus datos y tratan de mantener lo que saben bajo su control. De hecho, a veces tratan de maquillar la información. No pueden estar más equivocados.

Para algo, los empleados tomarán decisiones ya sea que tengan la información o carezcan de ella. Ése es su trabajo. El suyo es hacerles más fácil a ellos el tomar decisiones correctas. Déles la información.

Su gente también necesita formas objetivas de medir su desempeño para que se sientan satisfechos en el trabajo. Necesitan que se les permita tener acceso a los datos. Consiga la información que necesita y luego compártala con las personas adecuadas. Aprenderá algo acerca de su compañía y de su personal cada vez que lo haga.

Utilice el pronóstico para incrementar los resultados

La herramienta principal que liga las metas corporativas a los esfuerzos de día con día es un presupuesto pronosticado. El mejor *pronóstico* se basa en la información pasada y se vincula a áreas específicas individuales de responsabilidad.

Alguien dijo una vez: "Aquellos que no estudian el pasado están condenados a repetirlo". El corolario en un negocio pudiera ser: "aquellos que no conocen el pasado nunca lo mejorarán".

En pocas palabras...
Pronosticar es hacer una proyección de los números esperados. El pronóstico más común es el del presupuesto anual, el cual incluye el estado de ganancias y pérdidas, el del balance y el de fuentes, así como los usos de cada uno.

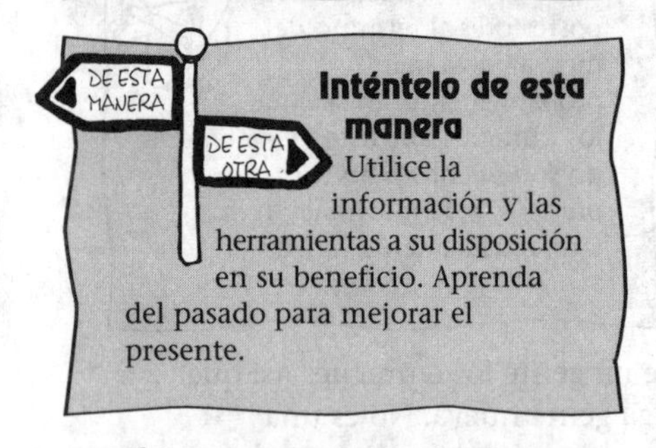

Inténtelo de esta manera
Utilice la información y las herramientas a su disposición en su beneficio. Aprenda del pasado para mejorar el presente.

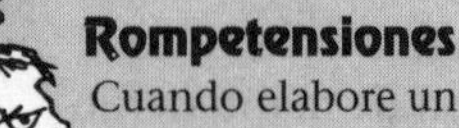

Rompetensiones
Cuando elabore un presupuesto, use números reales, no presupuestos de sus años anteriores. Usar presupuestos que desvíen de la realidad sólo multiplicará los errores año con año.

Considere la historia de cómo el ejército británico manejó la notoria ineptitud del general William Winden, durante la guerra de 1812. En esa guerra, las fuerzas británicas capturaron tropas estadounidenses que estaban bajo el "liderazgo" de Winden. Fue una victoria fácil para los británicos. Winden también fue capturado.

Después de hacer una breve entrevista y de evaluar la situación, los británicos se dieron cuenta de que tenían en sus manos una gran arma bélica. Y supieron que para usar al general Winden eficazmente, sólo había una cosa que hacer: regresar al general a los estadounidenses.

Estados Unidos, después de hacer que regresara el "heroico" general Winden, lo recompensó, haciéndolo cargo de Washington, D. C. Poco después, los británicos incendiaron la capital hasta sus cimientos. Supieron reconocer una buena arma cuando la tuvieron.

Use la información sobre el pasado como una base de las decisiones futuras. Por ejemplo, si su año fiscal empieza el 1 de enero, probablemente hará su presupuesto en noviembre. Es una buena idea poner un año base de sus finanzas para los 10 primeros meses (enero a octubre) más dos meses de los resultados estimados. Esto le da un estimado más o menos sólido del año fiscal como base para pronosticar.

Utilice la información de los 10 meses anteriores como una ayuda para comenzar su presupuesto. De ahí en adelante, trate de identificar las anormalidades que ocurrieron el año pasado y las que ocurrirán el siguiente año, y ajuste sus números de acuerdo con ello.

En este punto, empiece su proceso de pronóstico. Mientras más detalles incluya y más gente involucre, mejor.

Recuerde, si un empleado participa en la planeación del presupuesto, es mucho más probable que cumpla el presupuesto.

Use las gráficas de cascada para actualizar la información

Una forma fácil de actualizar la información es desarrollar un número de pronósticos rolados que yo llamo gráficas de cascada. Esto trabaja manteniendo un pronóstico de 12 meses sobre variables clave tal como los gastos de ventas o los márgenes.

Para usar una gráfica de cascada, usted grafica las variables que sabe que son críticas para su negocio. Cada mes usted actualiza su pronóstico, manteniendo el mes que acaba de terminar y agregando el mismo mes al año siguiente.

Hay muchos beneficios con esta gráfica. Primero, usted siempre la está actualizando, así que cuando es tiempo de hacer su presupuesto anual el procedimiento es más fácil.

Segundo, usted puede buscar tendencias y determinar si fue demasiado optimista o pesimista y empezar a ajustar su pensamiento y pronosticar con base en esto.

Tercero, al pronosticar el mismo mes del año después de terminar el mes, usted entenderá mejor las idiosincrasias que impactaron su negocio de lo que probablemente las entendió al final del año, cuando usted estaba más lejos de la ocurrencia de los hechos y trataba de manejar 11 meses adicionales de información.

Reportes de acceso inmediato *versus* reportes financieros

Los reportes de acceso inmediato, como aprendió en este último capítulo, son reportes de elaboración rápida y oportunos que se utilizan para ayudar a tomar decisiones administrativas operativas. Por naturaleza, son diferentes de los reportes financieros.

Lo reportes de acceso inmediato son informes internos, diseñados para dar rápido una información. No necesitan ser precisos, sólo lo razonablemente precisos y muy rápidos.

Estos informes abarcan un número de variables críticas, entre las que se incluyen:

- Ventas diarias
- Posición de efectivo en el banco *versus* sus libros
- Progresos en la producción
- Niveles de inventario

Si usted necesita información rápidamente, no importa cuál sea el tema, deberá arreglar que tenga reportes de acceso rápido regulares.

No se empantane con información diaria. Su trabajo no es ahogarse en papel. Sólo necesita la información vital. Por ejemplo, yo solamente veo las ventas diarias. He decidido que, para mí, las ventas diarias son una pieza vital de información.

Algunos consejos que pudieran serle útiles al usar la gráfica de reporte de acceso inmediato son los siguientes:

- Normalmente yo excluyo los fines de semana para que de esta forma lea la gráfica más rápido y haga comparaciones con un mayor significado con los años anteriores, los cuales tienen fines de semana en fechas diferentes.
- Resalto la semana para posibilitar comparaciones más rápidas y fáciles.
- A veces dejo un espacio para una columna de comparación del presupuesto con el mes a la fecha real, para un análisis más rápido.
- A veces incluyo una sección para comparaciones en porcentaje semanales por semana para una hojeada rápida.

Los informes de acceso inmediato no son los mismos que los informes financieros, los cuales son documentos formales que con frecuencia requieren de una auditoría (tema que se estudia a continuación).

Auditorías: lo bueno, lo malo y lo feo

Generalmente las *auditorías* son más formales que todos los demás reportes financieros y por lo común son anuales. Pueden hacerse internamente, pero con frecuencia se llevan a cabo por firmas externas en conjunto con el personal.

En pocas palabras...
Una *auditoría* es una revisión formal de sus libros por parte externa independiente. Usualmente, aunque no siempre, es parte de su reporte anual de ganancias. Otras veces es sólo para validar los números que usted entrega.

Los bancos y los acreedores con frecuencia piden una auditoría externa ya que éstas son más confiables. Los auditores hacen una doble verificación de la integridad de sus sistemas internos e informes. Le da a usted y a los externos una mayor seguridad. Los auditores externos también aportan su experiencia en áreas tan arcanas como los impuestos y las nuevas reglas de contabilidad, que usted tal vez no desee pagar por todo el año.

En Estados Unidos los contadores externos pueden ser contadores públicos (CP) o contadores públicos titulados (CPT). Un CPT está certificado y ha pasado un examen riguroso de contabilidad. Tiene habilidades especializadas y pueden ser de gran ayuda a un gerente. Debido a esto, el CPT es con frecuencia más aceptado por los externos. Sin embargo, he visto muchos CP que son tan buenos como los otros, si no es que mejores que muchos CPT. La opción depende realmente de lo que usted necesita o de lo que la gente a quien usted reporta requiere.

Si quienes toman las decisiones buscan capital externo en las instituciones que prestan, desde los inversionistas o proveedores, usted puede estar seguro de que necesita un auditor certificado. El costo se justificará y conseguirá algunos beneficios. Si usted está en una compañía pública, es obligatorio que realice una auditoría.

Últimas noticias

Mientras más grande sea su compañía y más dinero busque usted, mayor será su necesidad de una firma de contaduría respetable. Los externos saben que las firmas de contabilidad grande están obstinadas en el detalle y no se arriesgarán a demandas por ninguno de sus clientes.

Sin embargo, no sólo use a los auditores por razones de credibilidad. Aproveche su experiencia. Ellos han trabajado con cientos de compañías y han adquirido muchos conocimientos. Pídales consejo.

Periódicamente pida un reporte de administración que revise sus operaciones. Cuesta más, pero obtendrá el conocimiento de los expertos.

Lo mínimo que necesita saber

- La contabilidad financiera se hace por lo regular mes a mes y anualmente, mucho después de que los hechos y los eventos que crearon los números y mucho más allá del tiempo necesario para corregir las cosas.
- Los reportes operacionales diarios y semanales le alertarán de manera oportuna sobre las situaciones que debe corregir.
- Usted necesita mediciones financieras consistentes para saber dónde se encuentra, cuál es su avance y hacia dónde se dirige.
- Si planea pedir prestado dinero, buscar un inversionista externo o conseguir un crédito significativo de sus proveedores, es muy probable que necesite un estado financiero auditado.

Cómo medir el desempeño objetivamente

En este capítulo

- Divida las cosas para que pueda medirlas
- La diferencia entre costos fijos y costos variables
- La historia y su papel en la medición
- Qué comparar y los beneficios de hacerlo

Para progresar, debe tomar las decisiones con base en cálculos fríos. La administración no es un lugar para los sentimientos ni para lo subjetivo. Retroceda y observe las cosas con objetividad; ésta es la característica del gerente que sabe a dónde va.

En otras palabras, usted necesita los *hechos*. El mundo está lleno de razones, excusas y circunstancias mitigantes, donde no le compran ni un periódico si no hay 50 centavos de más. Es verdad. Su vida como tomador de decisiones empieza y termina con los hechos y con su habilidad para medirlos objetivamente.

Este capítulo trata de cómo hacer un análisis objetivo. Sabrá por qué necesita dividir todo en unidades que pueda analizar. Le presentaré la diferencia entre costos fijos y variables, el papel del pasado en su análisis del futuro, aprenderá con quién deberá comparar su organización y cómo verificar el progreso a lo largo del camino.

Divida los presupuestos, las proyecciones y otros números en unidades distintas y asignables

Todo mundo ama a un ganador. ¿Pero quién es un ganador? El propósito de medir el desempeño es encontrar a los ganadores. Sepárelos. Alientelos. Déles más oportunidades.

Por el otro lado, los perdedores necesitan que se les ayude o que se les mande lejos. Ciertamente, su impacto en la organización necesita ser disminuido hasta que obtengan sus resultados esperados.

Usted necesita descubrir lo más temprano posible quién está ganando y quién está perdiendo, las razones de cada uno, lo que puede hacer para alentar a los ganadores y si vale la pena ayudar a los perdedores.

Pero usted no quiere que lo decepcionen. Usted quiere hechos, no pretensiones. Quiere objetividad. Pero eso puede ser difícil de conseguir ya que las cosas no son siempre lo que parecen ser. Por ejemplo, los grandes agentes de ventas tal vez no sean tan grandiosos; de hecho, podrían venderse ellos mismos con usted mejor de lo que venden su producto a sus clientes. Sea cuidadoso. Como Joe Friday solía decir, fíjese "sólo en los hechos".

Últimas noticias

Aun lo obvio no siempre es lo que parece. Por ejemplo, el final del Pacífico del Canal de Panamá es el este del Atlántico. Si usted no se apoya en las medidas de longitud y latitud, fácilmente podría caer en un error.

Usted puede llegar a ser subjetivo sin darse cuenta. La gente que le cae bien a usted pudiera ser objeto de un análisis menos riguroso que alguien que no le cae bien. Y la gente tranquila pudiera ser muy opacada por los tipos gregarios. Es fácil ser subjetivo. Después de todo, todo mundo tiene una opinión.

La objetividad, sin embargo, requiere de una gran disciplina. Algunas de las formas para mejorar la objetividad de cualquier análisis de su área de responsabilidad se listan a continuación:

- Divida todo en unidades pequeñas, hágalas tan pequeñas como prácticas.
- Elimine la *combinación al estilo de manzanas y naranjas, de números que no tengan relación, pues carecen de* significado.
- Incremente la tranquilidad del análisis al permitir que los sistemas de su organización hagan algunos análisis para usted.
- Identifique si las unidades son centros de ganancias, centros de costos o centros de responsabilidad de otros.
- Asigne un individuo a la cabeza de cada unidad, y déle a esa persona tanto la responsabilidad como la obligación.

- Delinee las tareas de equipo y las individuales.
- Si se le da la responsabilidad a un equipo de personas, todavía incluso así ponga a alguien a cargo del equipo, para asegurar la responsabilidad y la obligación. Alguien debe tener la responsabilidad final.

Diferencia entre costos fijos y costos variables

No todos los costos son los mismos. Aunque todos ellos aparecen en el estado de ganancias y pérdidas, algunos variarán con el volumen mientras que otros se mantendrán constantes. La diferencia es importante.

En su análisis debe tomar esto en consideración. Por ejemplo, no puede pensar automáticamente que los gastos por ventas y comisiones son "malos". Después de todo, las comisiones se dan por las ventas y las ventas son "buenas", ¿no es así?

La medición correcta de las comisiones por ventas es si la variabilidad es consistente con el incremento en las ventas.

Por lo tanto, es mejor dividir sus gastos del estado de ganancias y pérdidas en cuatro secciones:

- *Costos fijos*. Son los costos que permanecen constantes sin importar cuál sea la fluctuación en el negocio; por ejemplo, la renta o los salarios del personal.
- *Costos variables*. Son los costos que se alteran con algún cambio en el negocio. Las cosas más comunes y más fáciles de medir por las variaciones son los costos relacionados con el volumen de ventas; por ejemplo, las comisiones por ventas y los costos de embarque.
- *Costos semivariables*. Son los costos conformados por elementos de costos fijos y variables. Por ejemplo, algunos costos, como el teléfono y los servicios públicos, tienen un costo base que es fijo y un elemento variable que se basa en el uso.
- *Costos distribuidos*. Son los costos que provienen de otros departamentos y que se distribuyen bajo alguna base por el departamento de contabilidad. Éstos pueden ser los costos de Internet, de mercadotecnia y otros como la contabilidad.

Dividir los costos en fijos, variables, semivariables y distribuidos no es la manera en que a la mayoría de los contadores les gusta entregar los estados. Usualmente se prefiere una lista alfabética o algún otro listado. Sin embargo, usted deberá trabajar para hacer que dividan los estados en estas cuatro categorías. Esto hará su trabajo más fácil.

Una vez que los haya dividido, es necesario hacer una comparación entre los números absolutos y los porcentajes. Esta separación permite una evaluación fácil de los diferentes componentes del desempeño. Por tanto, destacan los costos fijos, los cuales son más que el límite de dólares fijo. A continuación listo algunas sugerencias para mantener bajos los costos fijos.

- Dé Bonos en lugar de aumentos fijos.
- Pague a la gente con base en su desempeño, no sólo con base en la posición que tienen.

- Mande maquilar todas las actividades que no son esenciales para que pueda eliminarlas fácilmente si los tiempos son difíciles.
- Mantenga la cuenta baja. Cada persona extra trae consigo muchos gastos extra: prestaciones, teléfono, viajes, provisiones, necesidades de espacio, computadora, etcétera.

Cuando divida las cosas, los costos variables que excedan el porcentaje variable estándar tendrán que salir.

Los costos semivariables son un poco difíciles de analizar. Pero si los divide, cuando menos evite provocar confusiones a otros análisis.

Los costos distribuidos se muestran en el presupuesto para que el gerente tenga presente que está usando recursos que debe pagar la compañía. De otra forma, es frecuente que éste sea dejado en el olvido. El problema con estos recursos es que nadie (y quiero decir *nadie*) estará nunca de acuerdo en la cantidad adecuada de la distribución de recursos. Cualquier desviación en la cantidad real del presupuesto hará ver mal al gerente del presupuesto. Sin embargo, esto debe tomarse en consideración.

Para saber hacia dónde se dirige, tiene que saber dónde ha estado

Ahh, la historia. Usted debe haber estado ahí. Es un gran precursor de lo que viene. Es también la referencia para saber si está logrando sus resultados.

Está bien. Usted no puede responder si está logrando sus resultados a menos que los compare con algo. Es como el viejo chiste: "¿Cómo está tu esposa?" "¿Comparada con quién?"

La clave es contar con una medición válida. Las dos mejores cosas con las que puede comparar su rendimiento son:

- Los números del año pasado
- El presupuesto de este año

Los resultados reales deben medirse contra estos dos elementos. Todos los dólares, los porcentajes y las variaciones deben ser impresas por su sistema computacional. Las computadoras pueden ahorrar mucho trabajo. Aunque aquellos estándares son importantes, la experiencia me ha demostrado que ambos derivan del mismo grupo de números, los números del año pasado. La única vez que esto no es así es cuando se utiliza un *presupuesto de base cero*.

En la mayoría de los casos, los presupuestos están enraizados firmemente en lo que ocurrió el año pasado. Yo no tengo argumento para eso. Funciona, mientras se piensa línea por línea y nada importante haya cambiado dentro de su compañía, su industria o la economía.

En pocas palabras...

El *presupuesto de base cero* es una técnica en la cual todas las líneas del presupuesto son cero. Los números se empiezan a crear a partir de ahí. Ésta es diferente de la técnica normal de comenzar con los números del año pasado, ajustándolos a los cambios esperados. La idea es ser capaz de excluir cualquier cosa que no esté justificada. Todo empieza de cero.

Usted debe tener algunos parámetros.

¿Cómo son sus resultados? ¿Comparados con qué?

Una vez que conoce la historia, necesita resolver el futuro y tener cuidado de no ser tan optimista que se salga de la realidad.

Tengo un amigo que una vez entregó su pronóstico a los directivos de la compañía y ellos dijeron: "no está bien, necesitamos más". Así que subió su pronóstico un 20%. De nuevo le dijeron: "no está bien, necesitamos más".

Finalmente, mi amigo optó por decir: "sólo pongan lo que quieran. De todas maneras no están interesados en la realidad". Al siguiente día mi amigo empezó a buscar un nuevo trabajo. No estaba dispuesto a cambiar un acuerdo confortable con 12 meses de preguntas sobre por qué no cumplió su pronóstico.

Rompetensiones
Un presupuesto de los resultados futuros es una gran herramienta que puede impulsarlo. O puede ser un sueño irreal que usted nunca alcanzará, y por tanto usted se verá terrible por no alcanzar su meta. Un pronóstico debe ser preciso. Si el suyo es un número irreal y no lo cumple, usted habrá hecho un mal trabajo. Punto.

Recuerde, su pronóstico establece sus expectativas y controlar manejar esas expectativas.

También considere que la estimación irreal de ventas irreales le llevará a un incremento en los costos y en los gastos generales. Cuando éstos se incrementan demasiado, multiplican los efectos de un año mediocre.

Pronósticos rodantes

Los números pueden variar ampliamente de un mes a otro. Esa volatilidad puede hacer que las comparaciones a corto plazo parezcan de alguna manera sin sentido. Las tiendas al menudeo son un ejemplo de esto.

Pero existe una forma de hacer más claros sus pronósticos: un análisis rodante de 12 meses. En éste, el promedio de los 12 meses anteriores se grafica. Cada mes, se agrega el promedio del último mes y se desecha el mes correspondiente del año anterior.

Esta gráfica logra mucho. Grafica el progreso con el tiempo, lo que proporciona un sentimiento de dirección y cadencia a la organización. Suaviza las distorsiones causadas por fenómenos como huelgas, mal tiempo y temporadas. Y, además, es visual.

Compare su organización con lo mejor

La idea es ganar. La única forma de perseguir la grandeza es encontrar a los grandes y centrar su vista en ellos. A veces es un grupo específico de resultados. A veces, sin embargo, es una organización específica, la que lo está venciendo. La que está venciendo a todos.

La grandeza reside en muchos lugares y si se vuelve ensimismado y no entiende que existe un mundo alrededor de usted, puede pasarlo por alto. Es fácil volverse complaciente. Si piensa que usted es exitoso, probablemente esté pasando por alto todo el panorama.

De hecho, su posición relativa a su competencia y específicamente a las mejores organizaciones en su mercado, será un determinante clave de cómo se desempeña su negocio.

Últimas noticias

Había una vez una compañía en el negocio de la ropa para campismo que ignoró a su competencia. La administración estaba feliz con una ganancia pequeña. Las ventas crecían a una razón de 3% al año. Todos se sentían contentos y cómodos. Entonces, un día, se despertaron y encontraron que su competencia dominaba el campo. La única forma en la que podían competir era reduciendo sus precios, así que lo hicieron. Y de la noche a la mañana las ganancias se evaporaron. La moraleja de esta historia es que la ignorancia no es salvadora, es ciega.

Comparar su organización con la mejor de su industria le da a todos un objetivo. Puede ser tremendamente motivador. De hecho, puede ser electrificante. Define el enfoque.

Por el otro lado, si usted se compara a sí mismo con la competencia mediocre, minará sus oportunidades de éxito. "¡Somos una empresa promedio!" no es exactamente un buen lema que gritar.

Benchmarking: una herramienta para la excelencia

¿Hacia dónde apunta si usted es el mejor? Para muchas organizaciones, la respuesta parece ser que hacia las compañías que están a la mitad. Con frecuencia, las empresas suben hasta la cúspide de la montaña sólo para descubrir que la vista desde arriba es mirar hacia abajo. Luego, empieza la caída.

Inténtelo de esta manera

No se contente con dirigirse al mejor en su industria. Diríjase simplemente *al mejor*.

El problema con el éxito es que la visión se vuelve borrosa y se apacigua la lucha por el progreso.

Hay una forma de atacar esto: el *benchmarking*. Ésta es una técnica en la cual usted mira fuera de su mercado. Ve a las mejores compañías del negocio en conjunto. Está bien, compárese usted mismo con lo mejor de lo mejor. ¿Qué empresa hace una cosa en particular —digamos mercadotecnia, servicio o distribución— mejor que nadie en el mundo? ¿Cómo se compara su empresa con ésta?

Lo que usted puede medir tal vez es tan amplio como su imaginación. Los límites estarán definidos solamente por su habilidad de conseguir información de los mejores en el mundo. He aquí algunos ejemplos:

1. Compare sus embarques.

➤ Mida la tasa de cumplimiento para ver cómo se compara su sistema de embarque con el del mejor en el negocio. Ordene un rango de productos de estas compañías para establecer sus mediciones.

- ➤ Mida el tiempo de entrega de una orden solicitada a otra compañía y compárela con el de usted.

2. Compare su servicio al cliente.
   - ➤ Mida el número de llamadas no atendidas.
   - ➤ Mida el número de clientes repetidos.

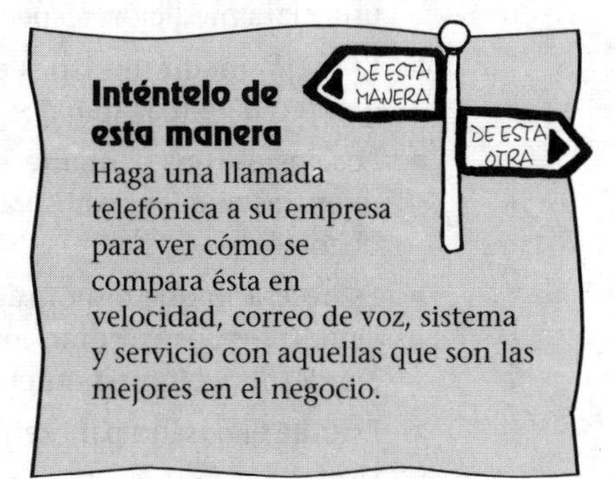

Inténtelo de esta manera
Haga una llamada telefónica a su empresa para ver cómo se compara ésta en velocidad, correo de voz, sistema y servicio con aquellas que son las mejores en el negocio.

3. Compare su calidad.
   - ➤ Compita por algún premio prestigiado de calidad. En Estados Unidos, el premio Baldridge es un control de calidad del gobierno estadounidense otorgado anualmente a las mejores compañías en ese país.
   - ➤ Mida sus tasas de defecto y devolución.

4. Compare sus resultados financieros.
   - ➤ Mida, por ejemplo, la rotación de inventarios, las cuentas por cobrar, el rendimiento sobre las ventas, el rendimiento sobre la inversión y la tasa de crecimiento.
   - ➤ Vea los porcentajes de deudas incobrables, costos de garantía y obsolescencia para ver si usted es tan bueno como dice.

La lista es ilimitada, pero deberá enfocarse en pocas cosas pero vitales, que hagan la diferencia para su organización. No se confunda haciendo demasiadas comparaciones. Y no se limite a observar a compañías domésticas. Algunas de las mejores son extranjeras.

Usted puede hacer muchas cosas con el benchmarking y en muchas formas que le ayudarán a estar motivado y a competir. Pero eso solamente funciona si:

- ➤ Hay comparaciones regulares.
- ➤ Toda la información es precisa y actualizada.
- ➤ La información se comparte con todo mundo en la compañía.
- ➤ Escoge a las mejores compañías como sus estándares.
- ➤ Está dispuesto a cambiar para ser más competitivo.

Aspire alto. El benchmarking es una maravillosa forma de mejorar sus aspiraciones.

Lo mínimo que necesita saber

- La administración objetiva empieza con el establecimiento de un pronóstico válido, con una clara medición respecto del pronóstico y los números del año pasado.
- Es mejor medir unidades pequeñas para que usted pueda señalar el éxito e identificar lo que requiere más trabajo.
- Los costos fijos permanecen constantes, sin contar las fluctuaciones del negocio, mientras que los costos variables aumentan o disminuyen con algún aspecto del negocio.
- Es necesario que responsabilice a la gente de cosas que en realidad pueda controlar. Dividir los costos como los gastos distribuidos, aclara la evaluación del desempeño del empleado y elimina muchas disputas.
- Estudie el pasado para tener idea de si está haciendo algún progreso.
- Utilice el benchmarking para comparar su empresa con lo mejor en su industria y en el mundo. Usted y su personal se sentirán impulsados a seguir adelante.

Capítulo 19

La administración de recursos financieros

En este capítulo

- La diferencia entre flujo de efectivo y el estado de ganancias y pérdidas
- Lo que se debe hacer y lo que debe evitarse en cuestión de precios
- Sesión de revisión mensual para garantizar buenos resultados financieros
- Cómo maximizar el uso de sus recursos financieros
- Fuentes de financiamiento que pudiera no estar aprovechando

Es importante mantener un registro de sus recursos. Usted está obligado a saber acerca de ellos. Tiene que *conocerlos*. Tiene que saber a dónde va cada centavo que gasta.

Esto es, por supuesto, imposible.

De hecho, diferentes gerentes tienen diferentes niveles de control de sus recursos. Pero mientras más sepa acerca de sus recursos y mejor los controle, mejor estará. Sus resultados serán mejores; además, usted tendrá más opciones abiertas. La eficiencia y la organización están bien.

Este capítulo trata sobre la oportunidad y el riesgo. Le mostraré cómo maximizar las oportunidades para que finalmente asuma el control. Aprenderá las bases, incluyendo la diferencia entre el flujo de efectivo y el estado de ganancias y pérdidas así como las diferentes estrategias para utilizar cada uno. También descubrirá cómo maximizar sus recursos existentes y encontrar nuevos recursos, si los necesita.

La importancia del flujo de efectivo *versus* el estado de ganancias y pérdidas

En pocas palabras...
El *flujo de efectivo* es un término utilizado para describir el flujo del dinero de dentro y fuera de la compañía, incluyendo los préstamos y el dinero invertido.

En pocas palabras...
El *estado de ganancias y pérdidas* es un documento que registra los gastos y el ingreso durante un periodo. No se fundamenta en el momento real de los pagos, sino que utiliza las convenciones de aumento y de contabilidad para repartir los costos con el tiempo.

El efectivo es el rey. Es verdad. Muchos negocios asumen que si generan más ventas y mayores ganancias, todo es maravilloso. Esto pudiera no ser válido. Recuerde, el efectivo es el rey.

Claro, todo depende de su situación. Si tiene los recursos, usted puede ir a la caza de una gran ganancia. Pero si necesita flujo de caja, probablemente no tenga el tiempo para perseguirla.

Es obvio que usted necesita dinero para gastar dinero. Si no puede enviar dinero a donde se supone que debe de ir, algunas personas no estarán felices. Peor que eso, sin el flujo de efectivo, se pierde la oportunidad.

Hay una diferencia entre el *flujo de efectivo* y el *estado de ganancias y pérdidas* (GyP). Usted necesita ambos, pero a veces no tiene el segundo porque carece del flujo de efectivo.

Cuando se acerca a la bancarrota

En ciertos climas es fácil perder el enfoque sobre el flujo de efectivo, la sangre de su organización. El problema de crecer es que con frecuencia requiere de un compromiso del capital antes de que las ganancias se pongan en el banco. El efectivo se necesita por lo regular para:

- Inventario
- Financiar gastos por cobrar
- Personal
- Incremento en los activos fijos

Usted no tendrá un acceso ilimitado al capital. No en el mundo real. No importa cuán grande sea su compañía, usted tendrá límites. Estará compitiendo con otras divisiones. Siempre es mejor saber qué tiene antes de tratar de usarlo.

Tasa de crecimiento sustentable interna

Usted genera fondos. La pregunta es, ¿qué tasa de crecimiento puede mantener con esos fondos? ¿Qué tan rápido puede crecer sin tener que buscar fondos externos? Es una buena pregunta, y muy crítica. Si no toma esto en consideración, probablemente termine deteniéndose justo cuando todo va bien.

La clave es la correlación entre su lucratividad y su flujo de efectivo. Usted tiene que tomar en consideración sus términos de ventas y de compras.

Mantenga esto en mente conforme considera lo siguiente: si va a pagar en efectivo todos sus bienes y extiende crédito a sus clientes para asegurar las ventas, entonces usted está actuando como banco. Pero usted no es un banco, usted es el gerente de una organización que trata de sobrevivir y progresar. Esto puede ser muy engañoso.

Por tanto, la tasa de crecimiento sostenible interna es un número clave. Una vez que ha calculado esta tasa, sabrá si puede financiar su crecimiento internamente o si debe buscar fondos de otras fuentes.

Esta tasa dice simplemente cuánto puede crecer su compañía sin tener que recurrir al dinero de fuentes externas.

La manera más fácil de calcular es tomando la relación histórica entre el capital que tiene en el negocio (es decir, capital más las ganancias retenidas al principio del año) y dividirlo entre las ventas. Esto le dirá cuántas veces puede convertir su capital. Si luego toma este número y lo multiplica por su flujo de caja esperado, sabrá cuánto crecimiento puede manejar con el efectivo que espera generar, con lo que se obtiene la tasa de crecimiento que puede mantener con las operaciones internas.

Precio para ganar, no sólo para sobrevivir

El ingrediente clave para financiar su crecimiento inevitablemente serán sus ganancias y éstas usualmente comienzan con políticas de precios. Los márgenes de ganancias son las variables más importantes que encontrará.

La mayoría de las compañías temen quebrar. Tienen miedo de fijar un precio agresivo. Ésta es la razón de que muchas empresas sean como la mayoría de las *demás* compañías.

Su principal fuente de crecimiento es la ganancia que obtenga. A continuación, listo algunos puntos que deben seguirse al establecer los precios:

Asegúrese de:

- Conocer todos sus costos, incluyendo sus costos de operación indirectos.
- Conocer todos los precios de sus competidores y la oferta de productos.
- Comprender que los precios fuera del país en el que se encuentre su empresa diferirán de los de dentro.
- Incluya los términos y los descuentos cuando calcule sus precios.
- Determine el costo de "deshacerse" de cualquier exceso de mercancía que usted pudiera tener al final de la temporada.
- Establecer precios basados en el valor de su producto o en el servicio al cliente.

Nunca debe:

- Asumir que sus competidores conocen sus costos.
- Establecer un precio que consiga el 100% del mercado.
- Establecer precios por debajo de sus costos totales.

- Establecer precios sólo para sobrevivir.
- Utilizar solamente un porcentaje estandarizado constante por encima de los costos.
- Asumir que todo mundo compra al menor precio.

Últimas noticias

Durante los primeros años de su existencia, Power Bar, la compañía de comida energética, no pidió prestado dinero. En su lugar, la compañía se hizo cargo de todos los costos y los duplicó para calcular los precios. Luego reinvirtió la mitad de las ganancias para fabricar más barras energéticas y mantuvo el resto para el incremento en los costos. Por tanto, la compañía creció dentro de los límites de sus recursos.

Evaluación financiera mensual

Administrar los recursos financieros requiere de una atención constante. Tener sólo el presupuesto no es suficiente. Un presupuesto es simplemente el principio de un pronóstico. *No* es la realidad.

Una vez que tenga el presupuesto, debe medir con regularidad sus resultados contra el presupuesto y luego tomar cualquier acción correctiva que sea necesaria. Casi siempre habrá una corrección que necesita hacerse, ya que inevitablemente las cosas se desvían de las proyecciones. No estamos en la tierra de la utopía ni en el Cielo. Vivimos en la Tierra, el lugar de las ocurrencias azarosas. Así que, como terráqueo y gerente, usted debe mantener un registro de las ocurrencias azarosas y de las regulares.

Yo estoy en favor de una evaluación mensual que por lo regular es consistente con el reporte financiero y con el presupuesto mensual de la compañía. Haga esta reunión a principios del mes, siempre que sea posible. Mientras más pronto se haga esta reunión, más fácil será recordar lo que pasó en el mes anterior. Por tanto, más rápido podrá hacer correcciones.

La clave de todo esto es crear un sentido de la urgencia, usted necesita resultados, y los necesita ahora. La reunión ayuda a generar este clima.

¿Quién debe participar en dicha reunión?

- Usted mismo
- Alguien de contabilidad que genere los números o alguien que pueda encontrar de dónde se originaron tales cifras

- Su empleado que está a cargo del área de responsabilidad
- Alguien que controle el tiempo de la reunión y que lleve un registro de los compromisos que se asumen

Qué debe tratarse:

- El estado de resultados (estado de ganancias y pérdidas) comparado con el presupuesto
- El flujo de efectivo comparado con el presupuesto
- La hoja de balance (inventarios, cuentas por cobrar y gastos mayores de capital) comparado con el presupuesto
- El plan de ganancias (si lo usa)
- Comparación de los resultados para actualizar las expectativas enunciadas al principio de la reunión mensual

> **Rompetensiones**
> Manténgase pendiente del pulso de su organización y evite las sorpresas. Las sorpresas nunca son buenas, aun si usted piensa que se ha encontrado con una buena sorpresa. Por ejemplo, si las ventas son más altas de lo esperado, posiblemente se le acabe el inventario.

Qué hacer con las desviaciones:

- Analizar la causa y el impacto
- Siempre que sea posible, escribir un plan específico para volver a los números
- Monitorear el plan

> **Rompetensiones**
> No espere que las cosas se corrijan durante la noche. Me he dado cuenta de que las cosas tardan dos veces más de lo esperado y cuestan tres veces más de lo estimado.

Qué hacer cuando se encuentren errores:

- No entrar en pánico, entender que mucha de la información traerá errores inevitablemente
- No permita que los errores contaminen su análisis
- Pida que el departamento de contabilidad ajuste las cifras históricas (no sólo las ponga en el siguiente mes)
- Después de que se hayan corregido los errores, mire el mes nuevamente

Maximice sus recursos financieros

Sólo se cuenta con los recursos que se encuentran alrededor y, como gerente nuevo, usted descubrirá que muchos de ellos no le van a llegar. De hecho, una forma segura de perder el apoyo de la administración superior rápido es llegar y de inmediato empezar a pedir más recursos. La luna de miel terminará pronto.

En lugar de pedir más recursos, necesita encontrar una forma de hacer su trabajo con los que usted tiene. Claro, se dará cuenta de que no tiene todos los recursos que necesita, es típico.

Primero, analice si está maximizando lo que usted tiene

Revise sus activos, ¿los necesita todos? ¿Puede vender la Van? ¿Puede mantenerse con menos?

Revise sus gastos. Casi cualquier compañía puede reducir sus gastos 5%.

Revise sus términos para con los clientes. ¿Puede conseguir acortar los plazos para obtener más pronto el efectivo? ¿Puede disminuir los descuentos para ser más lucrativo?

Revise sus términos con los proveedores. ¿Está pagando demasiado rápido? ¿Puede conseguir que se extiendan los plazos sin cargos por intereses? Si es así, probablemente sea el efectivo más barato que usted podrá encontrar.

Revise sus precios. ¿Hay alguna posibilidad de incrementar sus ganancias e incrementar sus precios?

No siempre asuma que un incremento en el precio lo dañará. Tómese el tiempo para hacer los cálculos y proyectar el impacto de incrementar los precios. A veces esta acción, en lugar de inhibir las ventas, puede darle una mayor ganancia y requiere que usted comprometa menos efectivo en el inventario. Haga sus cálculos.

Segundo, examine su financiamiento actual proveniente de las fuentes existentes

Si, en su trabajo de gerente, puede tener injerencia en el departamento de finanzas, le será más fácil examinar su financiamiento actual.

En pocas palabras...
Los *factorajes* son organizaciones que prestan dinero en contra de las cuentas por cobrar. Son más audaces que los bancos y con frecuencia ofrecerán un alto porcentaje. Los factorajes realizan sus propios cheques de crédito y no necesariamente aprobarán cualquier cuenta. Cuando prestan contra las cuentas por cobrar, toman la posesión de estas cuentas como certificados.

Financiamiento. Correcto, préstamos. Los préstamos son una fuente estandarizada de los fondos que se utilizan además de los generados internamente. Pero, claro, el dinero cuesta dinero y por tanto es precioso.

El primer paso es descubrir cuáles son los términos de sus préstamos y compararlos con el estándar. Siendo optimista, usted encontrará una oportunidad de mejores términos en algún lado, ya sea en un banco, en una compañía financiera, en un *factoraje* o en donde sea.

Si usted no controla el departamento de finanzas, tendrá que tratar con él. Si usted está a cargo de un departamento y finanzas trata con muchos departamentos, sus preocupaciones probablemente no sean las de ellos. Tal vez hagan cosas que no maximicen sus recursos financieros. O quizá ellos no han visto en detalle todas sus necesidades u oportunidades.

Cualquiera que sea su razón, si usted tiene que pedir más dinero para dirigir su organización, siempre es mejor ir al departamento de finanzas no sólo con una petición. Lleve también una solución.

Encuentre otros recursos financieros

A veces, probablemente necesite salirse de la tradición. Si su compañía no puede proporcionarle los recursos que necesita, tiene otras opciones. Mencionaré algunas de ellas. Pero recuerde: es difícil forzar a pensar a la gente fuera del terreno de la tradición. Calcular su capital político, luego considere cuánto necesitaría gastar para conseguir lo que necesita.

Primero, considere estas recomendaciones

Utilice el sentido común cuando busque el dinero que necesita para lograr sus metas. Pondere los más y los menos. Vea el panorama con optimismo y sea siempre positivo. Recuerde:

- Hay algunos riesgos personales. Si algo sale mal con la solución que haya ofrecido, usted tendrá la culpa.
- Hay riesgos corporativos. Su idea puede ser riesgosa para todo mundo.
- Si le lleva a su jefe una solución financiera sugerida, incrementará las posibilidades de obtener el financiamiento. En lugar de decir: "necesito...", es mejor decir: "por qué no tratamos..."
- Es mejor buscar el dinero *antes* de que usted lo necesite.

Cinco fuentes adicionales de financiamiento

Si tiene agallas, puede ser creativo. Cuán creativo depende de usted. Si tiene un plan en el cual los riesgos se justifican por las recompensas y, además se siente seguro de sus proyecciones, podría tratarse de aquello que lo catapulte en la escalera corporativa y que lo haga establecer su compañía aparte de todas las que se quedan "en lo tradicional" y que no corren riesgos.

Las siguientes fuentes de financiamiento no son para todo mundo, pero pueden ser lo que busca para su compañía:

1. *Financiamiento a través del cliente.* A veces, usted puede obtener financiamiento de un cliente más allá de lo normal. A esto se le llama "financiamiento del canal". Los clientes pagan por adelantado, aprovechando un "descuento anticipado", que se les da por pagar por adelantado. Esto funciona mejor en un mercado apremiante donde al cliente le preocupa la disponibilidad de los bienes, la exclusividad o los precios.

   Los clientes pueden pagar también con *Cartas de crédito*, que puede llevar a su banco a fin de apoyar su financiamiento. Estas cartas prevalecen en las transacciones internacionales, pero también se usan domésticamente.

En pocas palabras...

Las *cartas de crédito* son compromisos formales por medio de los cuales un banco paga una obligación en beneficio de una compañía en algún momento futuro. Esta carta designa específicamente qué bienes van a comprarse y cuándo. Normalmente, el plazo puede extenderse más allá de los 180 días. El receptor cobra directamente al banco. El banco, a su vez, cobra a la compañía la emisión de la carta de crédito.

2. *Financiamiento a través del proveedor.* Ésta es otra forma de financiamiento del canal. Los proveedores le amplían los plazos de pago. Así lo ayudan a incrementar su flujo de caja y presumiblemente a mejorar su negocio. El proveedor es más liberal que un banco, debido a que obtiene una ganancia de lo que él le venda y además recibe intereses sobre el balance restante. Por tanto, la razón riesgo/recompensa del proveedor es mejor que un prestamista tradicional. Las compañías japonesas con frecuencia ofrecen esta clase de financiamiento.

3. *Pagar con algo más que no sea efectivo.* Los proveedores a veces aceptarán que les pague con una nota asegurada o con una carta de crédito posfechada. Si usted ofrece pagar un interés por encima del costo del dinero por el tiempo de retraso, sería más atractivo para ellos. Aun sin el interés, muchos proveedores encontrarán que les conviene ayudarlo.

En los negocios internacionales, las cartas de crédito fechadas son comunes; los proveedores las utilizan para respaldar su propio financiamiento. Si su banco le pide que ponga el 100% de colateral para respaldar la carta de crédito, inutiliza el propósito de financiar. Pero lo más frecuente es que los bancos no pidan este colateral del 100%.

4. *Financiamiento con base en la producción.* En la fase de inicio (producción) antes de los picos de embarque, muchos fabricantes de rápido crecimiento probablemente no tengan el inventario suficiente o las cuentas por cobrar necesarias para apoyar sus necesidades de préstamo. Esto puede enfrentarse con un adelgazamiento del efectivo durante esta fase. La ironía, claro, es que el flujo de efectivo, las ganancias y el colateral son enormes una vez que embarca. La cuestión es cómo obtener el efectivo suficiente para producir y poder embarcar.

En pocas palabras...

Los *certificados de depósito (CD)* son bonos que compra usted a un banco y que pagan mejores intereses que las cuentas tradicionales de ahorros. Éstos requieren que usted mantenga invertida una cantidad durante un periodo fijo y están respaldados por el banco.

Algunas compañías financieras entienden esto y proporcionan cartas de crédito al que necesita el préstamo para que compre a una fuente externa. Como seguridad, toman el título de los bienes en la producción. También requieren a la compañía órdenes de compra equivalentes por lo menos, 120% la cantidad prestada. Entonces, cuando los bienes se envían a los clientes, el fabricante consigue sus cuentas por cobrar por adelantado y, a su vez, paga a la compañía que financia.

5. *Los certificados de depósito o los bonos del Tesoro de Estados Unidos respaldan su préstamo.* A veces usted se encontrará con personas o compañías que lo apoyan pero que no están dispuestas a invertir directamente en su organización. Hay formas de conseguir ayuda de ellas.

Pídales que pongan un *certificado de depósito (CD)* o un *bono del Tesoro (T-bill)* en su banco como colateral por el préstamo que su banco le haga.

De este modo, su apoyador continúa ganando un interés sobre el CD o el bono del Tesoro que entregó al banco. Usted le paga un interés adicional (digamos un 2%) sobre el dinero. Cuando usted paga el préstamo, su apoyador es libre de retirar el colateral y hacer con él lo que le plazca. Él obtiene la ventaja de un rendimiento mayor sobre su inversión y puede utilizar al banco para hacer los cobros necesarios.

En pocas palabras...
Los *bonos del Tesoro de Estados Unidos* son similares a los certificados de depósito sólo que son emitidos y respaldados por el gobierno federal de Estados Unidos. Debido que son del gobierno federal, la mayoría de la gente considera que son más seguros que los CD. Tienen un vencimiento mayor que el de éstos.

Lo mínimo que necesita saber

- No asuma que las ventas crecientes y el aumento en las ganancias significan que todo va muy bien. Estudie el flujo de caja para asegurarse de que no se está acercando a la bancarrota.
- Una evaluación mensual regular que compara los resultados actuales con las proyecciones es necesaria para administrar en forma adecuada sus recursos financieros.
- Antes de que vaya con su jefe para pedirle dinero, vea los recursos existentes que tiene para ver si puede reducir algún gasto.
- En un mercado en expansión, es común que el canal del cliente o proveedor lo financien. Las compañías comerciales son más liberales al financiar a sus clientes, quienes también tendrán una ganancia sobre los bienes que les son comprados por ellas.

Parte 5
La administración de las ventas y la mercadotecnia

Bueno, mire, ya tenemos las cosas y el dinero para comenzar a vender. Pero lo que ofrezco aquí no es simple vapor. Le ofrezco un negocio real, información fría a precio razonable. Ya compró el libro, ahora todo lo que tiene que hacer es invertir un poco de tiempo. Mi mercadotecnia funcionó, es momento de cerrar la venta.

Esta parte del libro trata acerca de cómo llegar al punto de venta. Aprenderá por qué necesita dinero para vender cosas y descubrirá las herramientas que necesita para lograr la venta. Finalmente, le enseñaré a escoger a sus clientes. Está bien, escójalos usted. De hecho, yo lo escogí a usted. ¿Se da cuenta cómo funciona? Ya lo verá.

Así que aventúrese. Le enseñaré algunas cosas.

Capítulo 20

Usted no puede vender algo que no tiene

En este capítulo

- ➤ Cómo la venta está estrechamente relacionada con sus finanzas
- ➤ Qué recursos necesitan ser determinados en las decisiones de mercadotecnia y ventas
- ➤ Por qué el embarque ocurre por lo regular al final del mes y cómo evitar esto
- ➤ Manejar el costo de ventas en una era de incertidumbre

Una venta no es tal hasta que se entregan los productos y hasta que éstos se pagan. Las ventas significan dinero. Hasta que el dinero cambie de mano, usted no tiene una venta y la única manera de asegurarla es con el trabajo de equipo corporativo. Existe un gran apoyo de muchos recursos de la compañía para hacer una venta exitosa.

En muchas compañías, hay una carencia mutua de respeto entre los distintos departamentos. Por ejemplo, la mayoría de los equipos de ventas y mercadotecnia prefieren apartarse lo más lejos posible del departamento de finanzas, tienen mentalidades diferentes. Y las ventas pueden resentir esta relación.

Este capítulo trata de la interrelación entre ventas, mercadotecnia y finanzas. Usted aprenderá que todos los departamentos de una compañía están interconectados y deben luchar por la misma meta. Descubrirá el porqué el departamento de ventas, en particular, ha utilizado todos los recursos de la compañía a fin de maximizar sus resultados. Y, además, sabrá por qué las compañías siempre embarcan al final del mes y cómo mantener los costos de ventas bajos en un mercado incierto.

Conozca sus recursos

No es raro escuchar que el personal de ventas diga: "¿por qué no me dejan en paz y me dejan vender?"

La respuesta: porque así no es la realidad. En el mundo real, todo está entrelazado. Aun siendo tan independientes como desearían ser los agentes de ventas, dependerían del resto de la compañía para recibir la información y el apoyo necesarios para ejecutar las ventas.

Si los representantes se lanzan a la venta antes de tomar en consideración los recursos, inevitablemente prometerán demasiado y decepcionarán a sus clientes. En su mayoría, los vendedores necesitan tomar en consideración lo que proporcionan los departamentos de finanzas y operaciones.

Rompetensiones

Siempre tenga por escrito un programa de ventas por adelantado y haga que todo mundo lo firme antes de que el personal de ventas se ponga en camino. Sin las directrices de la compañía, pueden hacerse muchos compromisos que la empresa no será capaz de cumplir. Aun si ésta puede cumplirlos, aquéllos podrían ser muy costosos. Sus empleados tienen que saber lo que están vendiendo.

Finanzas proporciona:

- El capital para producir y almacenar el inventario
- El capital para financiar las cuentas por cobrar
- La información sobre los costos para facilitar el establecimiento de precios
- El análisis de crédito para determinar si el cliente es sujeto de crédito
- Los cobros sobre cuentas por cobrar

Operaciones proporciona:

- El programa para saber cuándo estarán disponibles los productos o servicios
- La ejecución de que el producto o servicio para la planta o almacén estén a tiempo a los costos esperados
- La infraestructura para asegurar un embarque preciso y a tiempo
- Funciones de control y apoyo de calidad

Si el personal de ventas promete demasiado porque no sabe lo que la compañía puede *entregar*, el costo será alto. Primero, habrá costos monetarios, por ejemplo. Segundo, se propiciará un sentimiento de enemistad. Y tercero, los niveles de ventas no serán lo que parecen ser. Así de simple, ventas requiere de una gran coordinación.

Consideraciones sobre los recursos para ventas y mercadotecnia

Hay, por supuesto, temas tradicionales. ¿Qué tenemos que vender? ¿A quiénes queremos como clientes? ¿Cuándo estarán disponibles los productos o servicios? Pero también hay otros temas.

Los recursos de efectivo y financieros:

- ¿Tiene muchos o pocos en comparación con la competencia?
- ¿Puede utilizar sus términos (venta anticipada, descuentos, ofrecimiento de extensión en las fechas de las cuentas, ofrecimiento de límite de crédito libre, etc.) como una fortaleza o sus competidores están mejor enfocados y son capaces de ofrecer más, de modo que hace parecer débiles sus condiciones?

La efectividad de la investigación y el desarrollo:

- ¿Su compañía está en favor de la originalidad o copia rápidamente para responder a los mercados?
- ¿Su empresa puede cambiar con rapidez los diseños o es lenta y más ordenada?

Plan de producción:

- ¿Produce conforme a las órdenes o almacena?
- ¿Puede producir de inmediato o existe un tiempo de espera entre la orden y la entrega?

Oportunidad:

- ¿Es usted más rápido o más lento que su competencia?
- ¿Llega primero o después que su competencia?

Calidad:

- ¿Está más arriba o más abajo que su competencia, en cuanto a calidad?
- ¿Debería proporcionar una garantía?

La lista puede seguir y seguir, pero éstos son los temas más críticos. Si no los conoce ni los toma en cuenta, probablemente esté comprometido en demasía o no en toda su capacidad.

El tiempo puede ser su recurso más precioso

Las ventas tienen que tomar en consideración un adecuado tiempo de espera, necesario para ejecutar un programa. Hay formas de sobreponerse a los retrasos, pero todos éstos tienen costos. A veces, a pesar de todo el movimiento, usted excede sus fechas límite y entonces termina con incrementos en los costos y sin ninguna venta. Así que sea cuidadoso. Sin embargo, puede intentar lo siguiente:

Inténtelo de esta manera
Busque oportunidades para vender sus cosas globalmente. La población de Estados Unidos de 250 millones es sólo una pequeña parte del mundo. La nueva unión europea cuenta con 350 millones y Japón tiene 120 millones. A su vez, la población de China está formada por más de mil millones de habitantes. En pocas palabras, hay mucha gente que necesita muchas cosas.

- Transportar los materiales por aire (aunque eso cuesta más dinero).
- Transportar por aire los productos a los clientes (aunque también eso cuesta más dinero).
- Hacer entregas parciales a los clientes (aunque esto mina su imagen).
- Desviar sus embargos a sus mejores clientes (aunque entonces desarrollará una reputación de no ser confiable en el mercado en general).
- Hacer que su gente trabaje tiempo extra (aunque eso cuesta más dinero).

Es verdad que el tiempo es dinero y, por tanto, es un recurso que debe ser tomado muy en serio.

Piense globalmente

El mundo cada vez se hace más pequeño de muchas formas. Los sistemas de comunicaciones se han vuelto muy eficientes. El costo relativo de viajar disminuye en la medida en que la velocidad de viajar se incrementa continuamente. Y la cultura popular estadounidense se convierte, cuando menos de manera parcial, en la cultura popular del mundo.

Este mundo más pequeño está ahí para usted, si saber qué hacer. Ahora las compañías pueden llevar la fuerza de trabajo y la producción a los mercados más eficientes del mundo. Aun las compañías pequeñas enfrentan la competencia global. Usted cuenta con recursos en todo el planeta. Depende de usted encontrarlos y usarlos en forma adecuada.

Por qué las compañías siempre embarcan al final del mes

El final del mes es la época de embarque. A veces, las compañías mantienen abiertos los libros por uno o dos días después de que termina el mes sólo para enviar lo suficiente y registrarlo en ese mes.

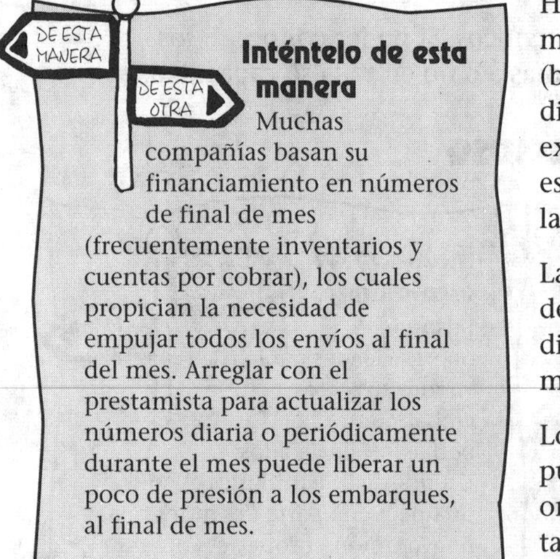

Inténtelo de esta manera

Muchas compañías basan su financiamiento en números de final de mes (frecuentemente inventarios y cuentas por cobrar), los cuales propician la necesidad de empujar todos los envíos al final del mes. Arreglar con el prestamista para actualizar los números diaria o periódicamente durante el mes puede liberar un poco de presión a los embarques, al final de mes.

Hay diversas razones de que las compañías envíen al final del mes. El primero es psicológico. El informe a los externos (bancos, propietarios, etc.) se hace mensualmente. Todo mundo dirige sus esfuerzos para lograr que estos números cumplan o excedan el presupuesto; así que, de alguna forma, es el caso del estudiante que se prepara para los exámenes finales o que hace la tarea en el último minuto. Tiene que hacerse.

Las compañías también hacen sus embarques al final del mes debido a que la proliferación de las líneas de producto hace más difícil el envío completo y a que las metas se establecen mensualmente.

Los picos y valles que resultan del embarque al final del mes pueden impactar en las finanzas y en la contabilidad de la organización. No es agradable ni benéfico. Y los clientes tampoco lo aprecian. Hay varios pasos que usted como gerente puede tomar para cambiar este hábito y hacer que todo mundo sea más feliz con su eficiencia. Le recomiendo que los considere:

- Establezca metas basadas en periodos cortos menores que un mes. Cada semana es mejor, pero cada dos semanas o cada 15 días también funcionan.
- Escriba las órdenes de modo que deban entregarse en intervalos menores a un mes. Tradicionalmente, las órdenes están escritas para entregarse en incrementos mensuales. Disminuya esto y cuide que se incremente la eficiencia.

- Sin importar qué escoja, es crucial que mida los resultados contra la proyección para ese periodo.
- No se enfoque sólo en metas de un mes. Una filosofía de "embarcar hasta las paredes" es de corta visión y terminará en los correspondientes vacíos en el almacén que toma semanas llenar.

Rompetensiones

Mientras más grande se vuelva, más difícil será llegar a sus metas en los últimos días del mes. Tratar de hacer esto se basa en muchas variables, empleados, vendedores, capacidades y otros factores desconocidos. Antes de que se vuelva demasiado grande, establezca un sistema que rodee el envío de final de mes. Si hace esto, su tasa de éxito se incrementará.

El valor del dinero en el tiempo

El dinero es dinero, ¿verdad?

Mal.

Un dólar recibido hoy vale más que el dólar que recibirá mañana. He aquí por qué:

- Si está en su mano, es seguro. Si va a llegar, es menos seguro.
- Si lo tiene, puede invertirlo y obtener un rendimiento sobre su inversión.
- Si lo tiene, cuenta con opciones de qué hacer con él.

Por tanto, usted tiene que tomar en cuenta el valor del dinero en el tiempo cuando tome decisiones. Si extiende la fecha de pago a sus clientes, como parte de sus términos de venta, necesita tomar en consideración el costo. Si planea mantener un gran inventario para apoyar sus ventas, necesita agregarlo al costo del capital.

Muchas compañías dividen sus presupuestos por funciones, así el costo de financiamiento termina bajo el departamento de finanzas. En consecuencia, nunca se le relaciona con los costos del departamento de ventas.

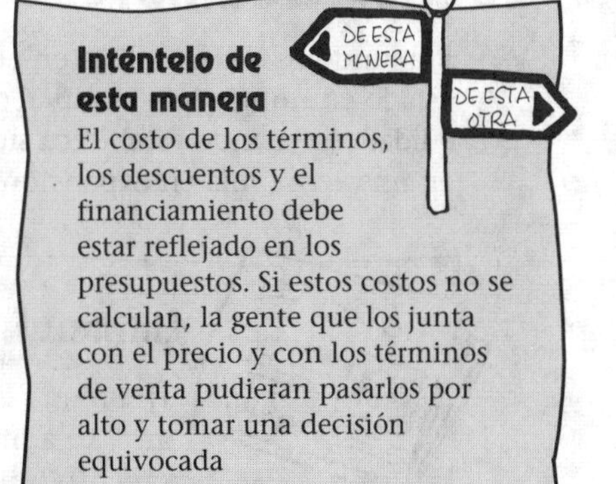

Inténtelo de esta manera

El costo de los términos, los descuentos y el financiamiento debe estar reflejado en los presupuestos. Si estos costos no se calculan, la gente que los junta con el precio y con los términos de venta pudieran pasarlos por alto y tomar una decisión equivocada

A nivel superficial, esto tiene sentido, pues el departamento de finanzas es el que usualmente negocia los términos del préstamo. Pero la cantidad del préstamo se determina por los términos de venta que están citados. En algunos casos, si los términos son demasiado liberales, usted podría quedarse sin crédito. Entonces, no tendrá el suficiente dinero para operar su negocio.

Aunque por lo regular es conveniente regirse por la regla de que el *efectivo es el rey*, y establecer los precios y vender bajo esos términos, hacerlo a veces es comercialmente impráctico. De hecho, si tiene el efectivo suficiente, es probable hacer más dinero al vender bajo los términos a un precio más alto.

Así que, ¿cómo sabe qué es mejor? Bueno, si no tiene dinero para extender los términos, el costo de su dinero es infinito. Usted no puede extender los términos. Punto. Pero si tiene el efectivo para hacerlo, no significa que deba hacerlo automáticamente. Mejor compare las alternativas.

La técnica de comparación utilizada con más frecuencia es el valor presente descontado, en el cual usted convierte los flujos de ingreso futuros a dólares constantes del día actual. Entonces escoge la mejor alternativa.

Primero, calcule su costo de capital (por lo regular, esto es la tasa a la cual pide prestado). Luego, descuente cualquier flujo futuro de ingreso por esa cantidad. Pongamos por ejemplo que tiene dos opciones. Puede escoger una venta en efectivo de $100 o una venta por $108 que se paga dentro de un año. ¿Cuál escoge?

Asumamos que la tasa a la cual pide prestado es de 10%. Haga estos cálculos:

Ingreso bruto	Menos descuento	= Valor presente
Venta en efectivo	$100 – 0	= $100.00
En un año	$108 – (10% × año × $108)	= $ 97.20

Ahora la decisión es obvia: es mejor escoger la venta en efectivo, aun cuando el precio parezca menor.

Cómo manejar las ventas y los costos en una era de incertidumbre

El mundo es incierto. Existen economías en expansión y en recesión, y cualquiera que haya estado en un negocio el suficiente tiempo sabe que nada es para siempre. Por tanto, sea muy cuidadoso cuando establezca sus propios costos fijos. Algunos pueden parecer una buena idea en una economía en expansión, pero sólo es cuestión de esperar.

¡NOTICIAS!

Últimas noticias

Hubo una vez una compañía de tablas para nieve que crecía al 50% al año. La administración supuso que ese crecimiento continuaría e incrementó todos sus gastos en un 50%. Cuando las órdenes llegaron al nivel del año anterior, habían gastado una enorme cantidad. Como dije, hubo una vez una compañía de tablas para nieve... pero ya no. Sea cuidadoso al gastar dinero que no ha ganado.

Con frecuencia, uno de los gastos más grandes que cualquier compañía enfrenta es el costo de su personal de ventas. Yo le sugiero dejar que estos gastos sean flexibles y variables.

Las compañías que empiezan con frecuencia tienen dificultades para predecir las ventas y con frecuencia optan por valerse de representantes independientes a comisión. Luego, conforme el negocio se hace más grande y predecible, contratan a agentes de ventas con salarios fijos. Esto es predecible, pero las ventas no lo son. A veces, los vendedores tienen un salario y una comisión.

La siguiente tabla lista algunas de las ventajas y desventajas tanto de representantes de ventas independientes por comisión como de representantes contratados como empleados con salario fijo.

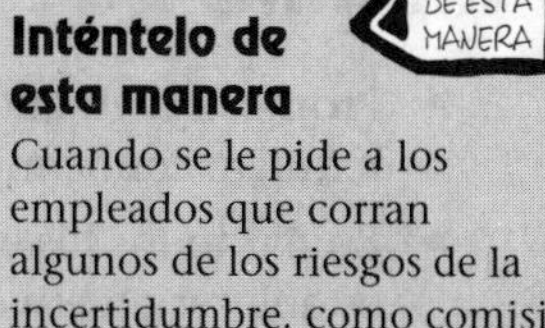

Inténtelo de esta manera

Cuando se le pide a los empleados que corran algunos de los riesgos de la incertidumbre, como comisiones basadas en los resultados o bonos al final del año, toman un riesgo más alto que el personal estrictamente asalariado. Del mismo modo, si los resultados son buenos, deben ser recompensados más que la gente asalariada. Es justo.

Representantes de ventas independientes por comisión

Ventajas	Desventajas
Los costos varían con base en los resultados	Usted no tiene todo su tiempo y probablemente ni siquiera el que le corresponde.
Son más emprendedores. Solamente son recompensados si son exitosos. Naturalmente excluye a los débiles.	Muchos también promueven otros productos que organizan con los suyos.
Puede utilizar otros productos como palanca para conseguir nuevos clientes.	Pueden utilizar sus productos como palanca para llevar otros productos a nuevos clientes.
Usualmente financian sus propios gastos y mejoran el flujo de efectivo.	Si se van y le deben nuestros comerciales o "adelantos" contra comisiones futuras, no le reembolsarán su dinero.
	Normalmente el costo es más alto.

Representantes de ventas contratados con salario fijo

Ventajas	Desventajas
Usted tiene el 100% de su tiempo y ellos sólo tienen éxito si la compañía lo tiene.	Tienen el colchón de un trabajo fijo y podrían sentirse menos impulsados a tener éxito o a exceder las expectativas.
En las grandes compañías el costo es más bajo.	En caso de ser necesario reducir los gastos por la disminución en las ventas, es difícil reducir los costos.

Lo mínimo que necesita saber

- ➤ Prometer algo que no puede proporcionar conduce a una mala venta. Superar esto requiere conocimiento de las áreas funcionales.
- ➤ Enviar todos los embarques al final del mes es un mal hábito que puede corregirse al establecer objetivos semanales de ventas, órdenes y en la programación de actividades internas.
- ➤ El efectivo casi siempre es el rey. Si sus términos de venta incluyen el pago diferido, necesita considerar esto en su establecimiento de precios y su análisis de flujo de caja para ver si tiene sentido.
- ➤ Utilizar las comisiones como un método de pagar al personal de ventas hace que sus gastos fluctúen mejor con las ventas y reduce sus costos fijos. Pero por lo regular es más caro que los salarios fijos.

Capítulo 21

El enfoque de primera línea, ventas y mercadotecnia

En este capítulo

- Las estrategias de mercadotecnia para resultados óptimos
- La relación y la diferencia entre las ventas y la mercadotecnia
- La diferencia entre las características y los beneficios
- Técnicas para establecer el precio para mejorar los resultados

Vender es importante. Es, de hecho, lo más importante, debido a que usted tiene que vender para ganar dinero. Y el dinero es la razón de que usted esté en el negocio. ¿No es así?

Ninguna compañía existe por mucho tiempo sin producir un buen resultado. Y usted no tendrá un resultado si no empieza por lo más importante: vender.

Usted requiere que las ventas y la mercadotecnia sean mejores a fin de mantenerse, ya que el mundo se está saturando de productos, promociones y publicidad. Algunos de los grandes resultados de mercadotecnia y ventas son simplemente producto de la alquimia. Otros podrán ser suerte. Pero la mayoría es una planeación y ejecución paso a paso.

Este capítulo trata acerca de las diferencias entre las ventas y la mercadotecnia y de cómo hacer que sean fenomenales: que sean independientes y al mismo tiempo, mantengan cierta relación. Presento una metodología y una lógica para seguir el proceso de las ventas y la mercadotecnia, y señalo algunas ideas típicas que están separando a las compañías en el mundo de los negocios hoy en día.

La mercadotecnia crea el interés

La mercadotecnia crea una sombrilla positiva sobre su producto o servicio que hace que la gente quiera comprarlo. La mercadotecnia es el intento de separar del mundo a su empresa y darle al cliente una razón irresistible para comprar. Es imagen y muchos detalles.

Últimas noticias

En Estados Unidos, el egresado promedio de preparatoria ha visto 15,000 horas de televisión y 350,000 comerciales. Como resultado, se tiene una generación de espectadores sobresaturados de marcas y mensajes que no están muy interesados en los anuncios, por lo que se dejan convencer solamente por uno.

Entender quiénes compran y cuándo

No todo mundo piensa de la misma manera. Y no todo mundo compra lo mismo. No toda la gente responde rápidamente o en la misma forma a la innovación. Sólo a un pequeño grupo de personas le gusta correr riesgos; los demás esperan para ver si a esos tomadores de riesgo les gusta algo.

De hecho, el proceso y la secuencia en los que la gente prueba los productos constituyen un patrón sociológico predecible basado en la composición de los clientes o del mercado.

Mientras más revolucionario sea el producto, más largo será el ciclo. La publicidad en los medios masivos de comunicación es una herramienta que puede acelerar el proceso, pero todavía es un proceso. Ésta es la razón de que el éxito de la noche a la mañana tome años y, además, de que con frecuencia sea mejor diferir los enormes gastos de mercadotecnia hasta que aseguren que traerán más éxitos.

Utilizar una estrategia u otra, no ambas

Si usted está vendiendo a través de vendedores al detalle para llegar a los consumidores finales, probablemente tenga dos estrategias: una para los vendedores al detalle y otra para los consumidores. Pero las estrategias tienen que integrarse para que sean efectivas.

Aunque debe aproximarse a los vendedores al detalle y a los consumidores de forma diferente, necesita decidir primero en cuál enfocarse. Existen dos estrategias comunes, la *de empujar* y la *de jalar*.

La primera designa aquélla en la cual todo el énfasis mercadológico trata de hacer que sus productos lleguen a los anaqueles del vendedor al detalle. Se utiliza normalmente para introducir un producto o cuando una compañía no es tan conocida como sus competidores.

La segunda es aquélla en la cual todo el énfasis mercadológico se pone en el consumidor final. Se utiliza normalmente cuando su producto está establecido, el mercado es grande y se busca una mayor representación con el vendedor al detalle. Con frecuencia, se recurre a esta estrategia para expandir la diferenciación del producto.

Yo estoy en favor de una estrategia de empuje hasta la tercera temporada, cuando hay suficiente producto en el anaquel para satisfacer a los consumidores. A continuación presento el patrón normal de compra:

- **Primera temporada:** Órdenes relativamente pequeñas. El detallista prueba si la compañía entrega a tiempo y los mismos productos que se dan como muestras. Los detallistas son escépticos, pero imaginan que siempre pueden vender algunos artículos de alguien.
- **Segunda temporada:** Si se pasa la primera prueba, entonces se hace una segunda orden más grande. Ésta es para ver a qué proporción de la clientela le gusta los productos y qué productos gustan más. Ahora el detallista busca patrones discernibles y la percepción de la demanda real del mercado.
- **Tercera temporada:** Suponiendo que la segunda temporada también fue buena, y que el detallista tiene buena información, ahora hará pedidos más grandes. Finalmente, "están a bordo".

Incremente su participación de mercado

La investigación muestra que de 0 a 30% de participación de mercado, hay una correlación directa entre el incremento en la participación de mercado y el incremento en el rendimiento sobre la inversión, la cual deber ser una de sus mayores metas de ganancias. Por tanto, todas sus estrategias de mercadotecnia deben estar encaminadas hacia el incremento de su participación de mercado. Para avanzar, ser mejor y más grande, debe atenderse a cuatro puntos principales:

1. Segmentación de mercado. Esto ayuda a aclarar el cliente y la meta de la publicidad y las promociones.
2. Innovación del producto. Esto da una ventaja competitiva y una razón para comprar su producto en vez de los demás y usualmente a un precio más alto.
3. Innovación en la distribución. Esto ofrece un método para ser más eficiente, con más puntualidad o un menor costo, todo lo cual constituye ventajas competitivas.
4. Innovación promocional. Esto le permite mantenerse en un mundo de demasiados anuncios, demasiada información y demasiada similitud.

Enfóquese en los beneficios, no en las características

Los clientes utilizan sus productos, así que ellos se interesan en cómo les ayuda su producto. Quieren saber los beneficios, no las características. No les diga cosas acerca de las cuales no están interesados; en su lugar, dígales cómo los ayuda el producto, que les ahorra dinero y que es maravilloso para ellos.

Piense de esta manera. Las características son cosas de los diseñadores e ingenieros: peso, velocidad, tamaño, durabilidad, color y otras por el estilo. Los beneficios son aquellas características que realmente significan algo para el cliente: vida útil, bajo precio, imagen, estatus, facilidad de utilización, etcétera.

¿Recuerda el proceso de difusión que mencioné con anterioridad? Los innovadores dirigen la carga. A los innovadores sí les interesan las características, pues tienen un mayor conocimiento y son quienes corren los riesgos. Tienen la habilidad de traducir las características a beneficios. El mejor ejemplo de esto es la industria de la computación. Los innovadores quieren conocer todas las especificaciones tecnológicas. Pero mientras más se adentre en la base del consumidor, menos sabe el usuario final y menos le importa. Él sólo se cuestiona: ¿qué significa esto para mí?, ¿qué hace por mí?

Otro ejemplo es el éxito de las compañías de publicidad iniciales para los autos Lexus e Infiniti. Nunca hablaron acerca de los frenos en las cuatro ruedas, las bolsas de aire, los motores V-8 ni de otras características. En su lugar, los anuncios se concentraron en el sentimiento que la persona obtendría al manejar el automóvil.

Conceptos de mercado, no sólo productos o servicios

¿Vende productos de casi un millón de dólares cada uno? Si no es así, de seguro no quiere vender sus productos de vez en cuando. Entonces, venderá *conceptos*.

Vender conceptos aclara quién es usted y lo coloca en la mente de los consumidores. Busque la claridad.

Por ejemplo, hay librerías que únicamente venden los best sellers del New York Times. Sunglass Hut se enfoca sólo en anteojos.

Si los clientes pueden relacionar su producto con un concepto, tiene una mejor oportunidad de mantenerse.

Muchos productos o servicios al mismo tiempo

Haga más con menos. La idea de la mercadotecnia es obtener más con su dinero, para hacer que todo ajuste para usted y, lo más importante, para la mente del consumidor.

¡NOTICIAS!

Últimas noticias

En el negocio del excursionismo, las compañías fabrican una amplia variedad de ropa. Los negocios han juntado las piezas y las han vendido a los detallistas como un concepto. Después de todo, los detallistas no tienen tiempo de ver todo, así que las compañías han promovido el concepto de vestir en capas y mucho: ropa interior, suéteres y ropa exterior. En lugar de vender sólo un producto, se venden muchos.

Usted como gerente sabe que, en el negocio, el tiempo es dinero y el dinero es su meta. Así que ¿cómo ahorra tiempo? Sencillo, elegantemente sencillo. No venda una sola cosa. Venda de todo.

Comprométase en una sociedad de mercadotecnia

Si encuentra un socio con clientes similares, puede compartir los recursos. Piense en el conejo de Energizer, el socio más reciente. La sociedad de mercadotecnia con frecuencia es publicidad, pero a veces es más que eso.

Formar sociedades con clientes o proveedores es aun mejor. La economía de la sociedad de mercadotecnia mejora debido a que hay una coordinación de esfuerzos y una reducción en la duplicación de tareas. Todo mundo gana.

¡NOTICIAS!

Últimas noticias

Una variedad de fabricantes textiles se combinaron con fabricantes de pantalones y detallistas en una alianza estratégica. Los resultados fueron sorprendentes:

- La combinación Wal-Mart/Seminole Pants/Milliken Mills hizo subir las ventas 31%. La rotación del inventario creció 30%.
- La combinación J. C. Penney/Lanier Pants/Burlington Mills logró subir las ventas 59%. La rotación del inventario creció 90%.

Cree una identidad de marca

Cuando usted vende un solo producto, usted genera una venta cada vez. Cuando crea un nombre de marca, crea una anualidad. Poner su marca en cada producto lo convertirá en un vendedor, el representante de ventas más barato.

Los logotipos, las imágenes y los nombres de marcas registrados constituyen un gran activo. La mayoría de los productos pueden copiarse o al menos imitarse, por tanto, se acortan los ciclos de vida. Pero los nombres de marca perduran para siempre.

Innovación constante

Renovarse o morir. Es muy simple, necesita cambiar, mejorar, pensar en nuevas ideas. La gente se aburre, más vale que usted no lo haga.

La lista de compañías que no han tenido éxito es muy, muy larga. Está formada por las compañías que no evolucionaban conforme los mercados cambiaban ni innovaban la investigación y el desarrollo para perpetuar su supervivencia. Los detallistas Five and Dime mantuvieron su formato hasta que fallecieron. Los esquíes Head dominaron el mercado con una enorme participación de mercado hasta que se rehusaron a cambiar al metal por la fibra de vidrio. Esto casi hizo salir del negocio a la compañía.

Haga que los clientes regresen con usted

Los clientes aprecian la calidad. Un cliente satisfecho es un cliente que regresa y, como leerá en el capítulo 23, sus mejores clientes son los que ya tiene. Concéntrese en ellos. Además de ser buenos consumidores, ellos le ayudarán a vender su producto. Recuerde que un cliente satisfecho habla sobre su compra con otras cinco personas. Un cliente insatisfecho habla con 25.

Vender = Dinero

Vender es cerrar. Vender es efectivo. Vender es lo que determina su éxito en el negocio. A veces, los gerentes olvidan esto porque están atrapados en otras cosas. Pero la verdad es que sin las ventas su organización no existirá.

Hay una verdad más elemental: usted tiene que buscar las ventas. Si no lo hace, el cliente no comprará.

La demostración más simple que he visto de esto fue en el piso de una tienda de esquíes. Había un cliente que ya llevaba un largo rato allí. Estaba interesado en un paquete de esquíes, pero era obvio que tenía algunas dudas.

El cliente no apartaba la vista de un paquete caro de esquíes, botas, palos y sujetadores. Todo era perfecto, pero el cliente estaba reticente. Él quería el paquete, pero volvía a dudar. Quizá era el precio. Quizá algo más. Finalmente, el vendedor le preguntó: "bueno, ¿los quiere?"

El cliente respondió, "Sí, pero..."

"¿Pero qué?" Preguntó el vendedor. "No se diga más, cómprelos."

¿Adivine qué pasó? Correcto. El cliente sacó su chequera y se dirigió a la máquina registradora.

Rompetensiones

No espere que los clientes lo busquen, pues probablemente encontrarán a alguien más. Hace algunos años, las tiendas de departamentos Dayton Hudson concluyeron que había suficientes tiendas en Estados Unidos para atender a 450 millones de personas. Pero que vivían allí solamente 250 millones. Alguien le está vendiendo a 200 millones de individuos que no existen. ¡Tenga cuidado de que ese alguien no sea usted!

Inténtelo de esta manera

Usted tiene que vender a una persona. La mercadotecnia trata con "clientes", las masas desconocidas, pero vender es un negocio de uno a uno con los "clientes". La batalla no es a final de cuentas un tema de masas. La batalla se gana con una persona a la vez.

Usted necesita una estrategia para vender

Son dos las estrategias principales para llegar a los clientes. Una es *de arriba hacia abajo* y la otra es *de abajo hacia arriba*. Ambas toman en consideración la forma en que las ventas funcionan en cualquier industria.

La estrategia de arriba hacia abajo trata de influir primero a los "establecedores de la tendencia" (hasta arriba de la pirámide) y luego hacer que éstos influyan en los demás. Esta estrategia se utiliza con frecuencia en los negocios como los de la industria de las computadoras y los bienes deportivos. Emplea la influencia de los expertos. Sí, es elitista, pero funciona.

Últimas noticias

Regis McKenna, el gurú de las relaciones públicas y la publicidad de Silicon Valley, ha ayudado a muchas compañías a volverse exitosas aplicando la estrategia de arriba hacia abajo. Él estima que no más de 100 personas influyen en toda la industria de la computación.

A menudo las compañías asiáticas recurren a la estrategia de abajo hacia arriba. Entran al mercado con precios bajos y tratan de obtener el máximo de participación de mercado y sacar a la competencia con base en los precios. Cuando el campo se ha estrechado, estas compañías gradual y deliberadamente mueven hacia arriba de la pirámide tanto los productos como los precios.

A veces, la carga y el estigma asociados con un producto de precio bajo es muy difícil de superar en el esfuerzo de subir. En este caso, el fabricante debe crear nuevas marcas. Los automóviles Lexus e Infiniti son ejemplos de cómo Toyota y Honda usaron este recurso.

Para vender, necesita mantenerse

Usted necesita que las personas lo noten. Si no lo ven, va a ser muy difícil que compren algo. Esto es tan simple que con frecuencia se ignora. Pero no espere que automáticamente la gente lo vea, usted necesita *hacer* que lo vean.

La manera más fácil de vender es diferenciarse usted de la competencia: en producto, segmentación, precio, distribución y comunicación.

Para vender, siga haciendo preguntas

¿Quiere saber lo que el cliente quiere? Claro que sí. Así que, pregunte. Haga preguntas a sus clientes, a usted mismo.

- ¿Qué está vendiendo?
- ¿Qué quieren sus clientes de usted?
- ¿Quién es su competencia?
- ¿Qué obtienen los clientes de la competencia?
- ¿Cuál es la salud financiera de los clientes existentes?
- ¿Quiénes son los nuevos clientes en el mercado?
- ¿Cómo puede ganar clientes de forma más eficiente?

Para vender, evite los factores que destruyen las ventas

A veces, hacer lo correcto no es sólo no hacer lo *incorrecto*. Gran parte del mundo de las ventas es personalizada, pero tiene que evitar las cosas obvias que pueden matar una venta, por ejemplo:

- *La falta de conocimiento del producto*. Si el cliente sabe más que usted, no le comprará.
- *El precio basado en el costo, no en el valor*. La necesidad del cliente es lo que debería determinar los precios.
- *Prometer cosas que no puede cumplir*. Si conoce su capacidad y su tiempo, mejorará sus ventas ahora y en el futuro.
- *Tratar de ser más listo que su cliente*. Usted quizá sepa más, pero a ningún cliente le gusta que usted se lo demuestre.
- *No mirar ni vestir apropiadamente*. Cada industria tiene su estilo y sus normas. Si viola la norma, se arriesga a que no lo tomen en serio.
- *No ser preciso*. Las aproximaciones y el trabajo de adivinanza le traerán clientes insatisfechos.
- *No dar soporte después de la venta*. Su mejor cliente de largo plazo es un cliente satisfecho.

El establecimiento de precios: un componente importante de las ventas

Usted tiene que vender con una ganancia. No debe alejar su producto del consumidor; tampoco le fije un precio tan alto que nadie se muestre interesado. Optime sus ganancias, lo cual no siempre significa que maximice sus ganancias. Debe fijar los precios en consistencia con sus objetivos.

¡NOTICIAS!

Últimas noticias

La ginebra Beefeater entró al mercado australiano pensando que con un precio bajo tendría éxito. Desafortunadamente, había muchos competidores de bajo precio. Sus esfuerzos fracasaron. Así que al entrar a Estados Unidos, Beefeater invirtió el curso. Se acercó al mercado con un perfil de alto costo y encontró la pista del éxito.

El establecimiento de precios es un acto de equilibrio que una administración cuidadosa ejecuta con cuidado. Después de todo, usted desea ganar dinero, no sólo vender un producto. Algunos gerentes piensan que vender barato les traerá más ventas. Eso sucede a veces, pero ciertamente no siempre.

Últimas noticias

El vodka Absolut tuvo una ventaja al ingresar al mercado estadounidense. Este vodka, proveniente de Suecia, tiene una tasa de impuestos de importación mucho menor que todos los vodkas de Rusia. Absolut pudo haberse establecido con un precio bajo, pero se deseaba una imagen de excelencia y que tuviera un precio acorde. Se utilizó un margen extra y se lanzó una compañía de publicidad para que se percibiera este vodka como el mejor. Ahora Absolut domina el mercado del vodka.

Evite los erosionadores de las ganancias

Hay factores que pueden reducir su margen de ganancia, por lo que usted necesita evitarlos a fin de tener éxito. Si no está vendiendo con una ganancia, entonces tiene que elevar sus precios. Si descubre que el mercado no pagará los precios altos, tendrá que cambiar sus precios. O probablemente tendrá que cambiar sus productos, sus costos o sus promociones. Si no tiene una ganancia, es seguro que algo debe cambiar; de otro modo o muy pronto tendrá que cambiar de trabajo.

Algunos ejemplos de erosionadores de la ganancia son:

- *Error al fijar el precio.* Verifique y vuelva a verificar los precios que estableció y los que están en la factura o en las etiquetas. Más veces de las que usted espera, se cometen errores humanos.
- *Depreciación.* Si vende bienes, habrá bienes dañados y robados. Es tedioso pero inevitable, así que el costo de estas pérdidas debe tomarse en consideración.
- *Precio basado en costos viejos o incorrectos.* Actualice y verifique sus costos con regularidad. Lo "casi correcto" nunca es lo correcto al establecer precios.
- *Una línea de producto demasiado grande.* Esto dará como resultado un inventario en exceso y productos que usted tendrá que desechar. No tenga miedo de decir no a la proliferación del producto.
- *No calcular el costo de las deudas incobrables.* Una venta no es una venta hasta que se paga. La mayoría de las compañías llegan a tener deudas incobrables, así que esto necesita tomarse en consideración al establecer el precio.
- *No calcular el costo de las devoluciones.* Si le devuelven algo, tendrá que venderlo con un descuento y sus márgenes mermarán.
- *No tomar en cuenta los descuentos para mover el producto obsoleto.* Su primera pérdida es la menor. Tan pronto como se dé cuenta de que algo es obsoleto, póngale un descuento y véndalo. Como el pescado viejo, nunca mejora ni se vuelve más valioso. Al contrario, se hace más difícil de vender.
- *Error al considerar el riesgo de la moda o de la maquila lejana.* Este costo es real, así que ponga en el costo una cantidad que lo cubra.

Técnicas de establecimiento de precios para mejorar resultados

Usted puede obtener mejores resultados. Esto debe ser su mantra: *puedo conseguir mejores resultados*. Claro, como todo lo demás en administración, usted tiene que tener un método. Una estrategia. Hay técnicas.

Inténtelo de esta manera

No hay situación más lucrativa que tener un producto especial en un mercado de artículos. Por ejemplo, el zapato Air Jordan Nike ha tenido una muy buena aceptación.

Antes de que tome cualquier decisión final de qué hacer, tenga a la mano tanto sus costos totales como los precios de sus competidores. Y, por supuesto, mida constantemente para comparar sus resultados con sus expectativas.

He aquí algunas técnicas de precios bastante probadas que pueden asegurarle grandes resultados:

- *Líderes de pérdida*. A unos productos se les asigna un precio muy bajo para hacer que los clientes los compren, con la suposición de que el cliente continuará comprando mientras esté en la tienda.
- *Economías de escala de precios*. El precio parte del volumen de ventas que se espera. Los precios se basan en las eficiencias de costo que ocurrirán una vez que usted alcance de verdad el alto volumen de ventas esperado, no los costos actuales.
- *Precios de costo incremental*. Se fijan diferentes precios para los distintos mercados que requieren diferente soporte. Por ejemplo, un producto que ha sido desarrollado y vendido en el país puede ser vendido internacionalmente a un precio inferior ya que el precio no tendría que apoyar la investigación y el desarrollo o la publicidad doméstica.

Lo mínimo que necesita saber

- Los clientes están más interesados en cómo su producto o servicio mejora su vida, no en lo que hace el producto.
- Combinar sus esfuerzos de mercadotecnia y el dinero con los de otras empresas (clientes, proveedores u otras compañías que pretenden llegar al mismo cliente) hará que se intensifique su trabajo mercadológico.
- Trate de establecer el impulso de las ventas y de la mercadotecnia y luego capitalícelo con audacia.
- Las ventas y mercadotecnia se incrementan en gran medida al diferenciarse usted mismo de sus competidores. La similitud propicia la confusión y ésta paraliza a los compradores.
- El precio debe establecerse con base en tres factores: sus costos totales, las expectativas de su cliente y sus objetivos.

¿CREO QUE NECESITAMOS UN MEJOR LEMA.

"NOSOTROS NO APESTAMOS".

Relaciones públicas y publicidad, herramientas imperfectas pero necesarias

En este capítulo

- Los beneficios de tener objetivos claros
- La publicidad que funciona
- Cómo darse a conocer y ahorrar dinero
- Por qué y cómo medir los resultados

Suponga que usted trabaja para un circo. (Oiga, pudiera ser.)

Suponga que están circulando unos rumores. El entrenador del elefante quiere su trabajo. Algunos miembros de la junta están tratando de que usted se vaya, así que de esto es de lo que se habla.

Usted es un gerente encargado de la venta de boletos del circo. Tiene que viajar por adelantado al próximo lugar donde se establecerá el circo, para vender los boletos. Si vende muchas localidades, usted ganará; si vende pocas tendrá que buscar otro trabajo. Podría valerse de la publicidad, las relaciones públicas y la promoción para atraer clientes. Éstas son sus herramientas. Afortunadamente usted ya había considerado esta situación, ya que siempre suceden cosas extrañas en el negocio. Las personas quieren su trabajo porque piensan que lo podrían hacer mejor. Usted sabe que tiene que usar todas las herramientas a su disposición para sacar la mayor ventaja.

Ahora supongamos que en su trabajo usted ha entrenado a un tigre para que lo ayude a vender boletos. ¿Que haría con el tigre? Ve, el negocio del circo es interesante, así que es mejor que sepa cómo funciona, cómo administrarlo si quiere permanecer en él. Más le vale que este tigre haga las cosas bien. Ése es el rumor, pues todo mundo sabe que el entrenador del elefante es capaz de hacer bien las cosas.

¿Así que cómo usa las herramientas disponibles para obtener la mayor ventaja?

Si quiere *anunciar* al circo, puede poner carteles en el siguiente pueblo que visite.

Si desea hacer una *promoción de ventas*, puede hacer desfilar a su tigre entrenado en el siguiente pueblo.

Si quiere hacer *publicidad*, usted puede llevar su tigre a la reunión del consejo de la ciudad.

Y si lo que desea son *relaciones públicas*, puede hacer que el tigre haga algunos trucos en la reunión del consejo y lograr que todos sonrían con el talento del tigre.

Todas estas herramientas son diferentes, sin embargo, están interrelacionadas. Este capítulo trata de cómo usar las herramientas disponibles para que usted promueva su negocio. Aprenderá acerca de las herramientas de relaciones públicas y de anunciar sus ventajas, desventajas y limitaciones.

Escribí este capítulo y quedó grandioso. Pero luego lo volví a escribir. Eso es lo que se hace con las herramientas como las relaciones públicas y los anuncios. Constantemente se reinventan las cosas para mejorarlas. De esto trata este pequeño apartado. Ahora que este capítulo es *nuevo y está mejorado*, ¡vayamos al circo!

Comience, como siempre, con un plan y objetivos

Enfoque. Ésa es la palabra. Siempre será la palabra.

Es un mundo grande, y hay muchas opciones de significado para esa palabra: el trabajo acerca de quién es usted, dónde está y qué vende. Usted puede hacer su trabajo de muchas formas pero primero debe determinar sus objetivos y luego desarrollar un plan para cumplirlos. Si desea resultados de largo plazo, necesitará un plan de largo plazo que no se desgaste. Si quiere darle a la gente una perspectiva, tiene que ofrecer un punto de vista.

¡NOTICIAS!

Últimas noticias

A veces los mejores resultados provienen de la publicidad más sencilla. Eric "El Rojo" alentó a sus seguidores escandinavos a emigrar a la tierra fría y estéril del oeste de Islandia al llamarla "Greenland", que significa tierra verde. A veces el agregar un lema a su compañía ayuda a aclarar de forma similar lo que usted está haciendo.

El plan debe estar en sincronía con los objetivos corporativos y, para ser efectivo, debe:

- Estar por escrito
- Tener objetivos mensurables
- Ser medido constantemente en función de los objetivos
- Tener un sentido de la urgencia

He descubierto que el mejor punto de vista es aquel que se mantiene. Y he aprendido que usted nunca puede mantenerse siendo el mismo.

De hecho, si alguna vez se encuentra usted describiendo su compañía de esta manera: "bueno, nosotros somos como (nombre de una compañía) excepto por..." ¡Cuidado! Usted está en problemas. Su trabajo está en juego, ya que no está haciendo nada para mantenerse.

En un primer vistazo, las probabilidades de mantenerse no son grandiosas. Un consumidor ve en promedio 560 anuncios al día. Usted tiene un presupuesto finito y lo que puede hacer con él es muy limitado. ¿No es así? Bueno, realmente, usted puede hacer más. Usted puede ser creativo, mantenerse, tomar riesgos. Vaya por todo. Usted tiene que hacerse notar pues el humilde nada heredará. Y, ¿sabe qué? Eso está bien para el humilde. Yo estoy aquí para decirle que no sea humilde.

Últimas noticias

La compañía constructora de Mike Dunne de Los Ángeles compite en el negocio de las renovaciones de edificios dañados por el fuego. Trabaja para las compañías de seguros. Él tuvo un plan para mantenerse en el negocio: *Dénos el trabajo, nos mudaremos inmediatamente y cumpliremos o terminaremos antes de su fecha límite. Si sucede lo segundo, usted nos da un bono.*

Debido a que las compañías de seguros a menudo pagan sitios alternos para que sean ocupados por sus clientes y debido a que las compañías constructoras son famosas por sus entregas tardías, Dunne se mantuvo fácilmente y no es de sorprender que muy rápido haya recibido muchos negocios. De hecho, su compañía se convirtió en el líder del mundo de los seguros de Los Ángeles.

Las facetas de la publicidad

El mundo de los medios es inmenso. Así, pues, el mundo de la publicidad tiene muchas manifestaciones, desde la televisión hasta las carteleras, el correo directo de propaganda al punto de compra. Nómbrelo y habrá un mercado de medios listo para atraer la atención o para ser ignorado.

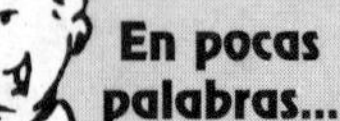

En pocas palabras...
PDC es el acrónimo de *punto de compra*, se refiere a los materiales utilizados en el punto de venta en una tienda. Estos materiales son utilizados para estimular el interés del cliente en un producto y para convertir ese interés en una venta. Puede ser para atraer la atención o para dar información de lo que trae el empaque o para ambos propósitos. Ejemplo de ello es el anuncio del anaquel de las medias L'Eggs, que claramente se muestra en las tiendas al detalle.

En medio de todo eso, debe encontrar alguien que ponga atención. Eso es la publicidad. Desea influir ya sea en el consumidor final o en el detallista. Pero sin importar cuáles sean, usted necesita objetivos en este mundo tan diverso. Una buena publicidad tiene estas premisas básicas:

- *No trata de lograr mucho.* Manténgala simple.
- *El mensaje es claro.* Lo bonito no es bonito si es confuso.
- *Es consistente.* La idea es construir una imagen por medio de la consistencia y la repetición.
- *Está dirigida.* Se conoce al consumidor y solamente se dirige a los clientes con la probabilidad más alta de poder de compra de su producto o servicio.
- *Es costo-beneficio.* Las opciones necesitan ser ponderadas sobre un número potencial de personas que verán el anuncio y el número de veces que lo verán.

En busca de resultados

Lo importante es cómo gasta lo que gasta. Una vez que sepa lo que puede gastar, entonces junte todo lo del plan que puede ser dirigido hacia un propósito: mejorar los resultados.

Rompetensiones
Los anuncios grandiosos pueden ser cosa de vanidad. Con frecuencia son como una reflexión personal. Pero también pueden hacerlo ver bastante tonto si no consigue los resultados.

Así que visite nuevamente su plan de largo plazo y su plan específico de mercadotecnia. Determine el camino más directo para llegar a donde usted quiere ir. Y luego recórralo.

Trabaje desde el cliente hacia usted. ¿Quiénes son los clientes? ¿Dónde se localizan? ¿Qué quieren? ¿Qué de particular les proporciona? Ahora de una manera clara, concisa y novelesca, desarrolle un programa comprensivo para ejecutar lo anterior. Hacerlo con un plan y un objetivo bien coordinados maximizará el resultado con un mínimo costo.

Enfóquese en la buena publicidad: haga que cuente cada centavo

Un famoso detallista una vez dijo: "Sé que la mitad de mis dólares en publicidad se desperdician, pero no sé cuál mitad". El detallista estaba en lo correcto.

Si usted no sabe cuál mitad de su publicidad se desperdicia y cuál funciona, ¿qué debe hacer? Puede gastar ambas por temor de conseguir cero, pero entonces se quedará sin dinero. O usted puede gastar cero y hacer nada, pero nadie sabrá de usted. Ninguna solución es efectiva.

Así, pues, ¿qué debe hacer? Ahh, sí, ahí está esa pregunta otra vez.

Las reglas para campañas efectivas pueden reducirse a la siguiente lista:

- Comience con objetivos claros.
- Dirija, no siga, a la competencia.
- Encuentre su audiencia y no trate de ser todas las cosas para toda la gente.
- Conecte sus objetivos de mercadotecnia a los objetivos de la compañía.
- Apéguese a su programa y déle una oportunidad de tener éxito.
- Piense en su camino a pesar de *todo*.

La mejor manera de maximizar la eficacia de su campaña de publicidad y relaciones públicas es entender su posición de mercado y comportarse de acuerdo con ésta.

Ahorre dinero usando tácticas de guerrilla

Usted *puede* vencer el sistema, el sistema de mercadeo de masas que está tratando de cambiar a Estados Unidos en un país de cinco marcas genéricas. Sí, hay algo que se denomina mercadeo de masas, que funciona para aquellas pocas compañías con más recursos que un general de cinco estrellas.

Pero para el resto de nosotros, es más divertido ser un guerrillero urbano, golpear rápido y con pasión y usar la creatividad como sustituto del músculo. Nosotros no somos genéricos.

Reebok no trató de competir con el número uno cuando salió. Se dirigió a convertirse en el número tres. Los representantes de Reebok se dirigieron al famoso detallista Nordstrom y le dijeron: "Sabemos que sus agentes de ventas muestran tres diferentes zapatos al cliente. Nosotros no esperamos ser el número uno o dos, pero háganos el número tres. Nosotros somos diferentes. Fabricamos un zapato más suave, más confortable."

Nordstrom escuchó, y Reebok se convirtió desde su introducción en *Reebok* el fabricante exitoso de calzado y ropa deportivos en todo el mundo.

Inténtelo de esta manera

Hágalo al estilo de Leonardo da Vinci: todo en uno. Siendo un adicto al trabajo y ambidiestro, dibujaba con la mano derecha mientras escribía con la izquierda. Debería ser fácil para usted ejecutar dos programas al mismo tiempo, si está organizado. Siga los rígidos horarios y mantenga puntos de verificación lógicos a lo largo del camino. Todos nosotros podemos caminar y masticar chicle al mismo tiempo, si lo intentamos.

Ahorre dinero en publicidad

¿Realmente necesita la publicidad? Si es así, ¿por qué?

Si también considera las relaciones públicas, el empaquetado y los regalos, se sorprenderá de cuán a menudo encontrará que no necesita anunciarse. Pero si todavía piensa que debe, hay muchas maneras de hacer que sus dólares vayan más lejos. Por ejemplo:

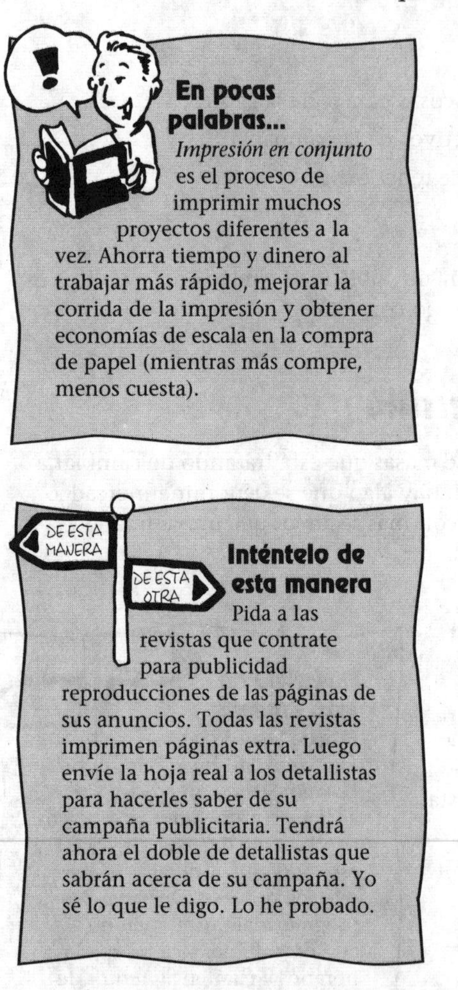

En pocas palabras...
Impresión en conjunto es el proceso de imprimir muchos proyectos diferentes a la vez. Ahorra tiempo y dinero al trabajar más rápido, mejorar la corrida de la impresión y obtener economías de escala en la compra de papel (mientras más compre, menos cuesta).

Inténtelo de esta manera
Pida a las revistas que contrate para publicidad reproducciones de las páginas de sus anuncios. Todas las revistas imprimen páginas extra. Luego envíe la hoja real a los detallistas para hacerles saber de su campaña publicitaria. Tendrá ahora el doble de detallistas que sabrán acerca de su campaña. Yo sé lo que le digo. Lo he probado.

- *Construya una agencia de publicidad en su empresa.* Las revistas y otros que tiene que ver con la publicidad dan por lo general un 15% de descuento a las agencias. Por lo tanto, al hacerlo usted mismo puede ahorrar ese 15%.
- *Lleve a cabo la publicidad en su compañía.* Hay grandiosos programas de computadoras para gráficas que pueden hacer publicidad en casa más rápido y más barato.
- *Deje pasar un tiempo de espera adecuado.* El resultado de una mala planeación es un montón de cargos innecesarios. Si planea lo suficientemente por adelantado, puede ahorrar dinero al utilizar la impresión de muchos artículos al mismo tiempo.
- *Intercambie anuncios.* Algunas revistas intercambiarán su espacio de publicidad por su producto o servicio. Y algunas compañías se especializan en el intercambio: ellos reciben sus bienes en exceso a cambio de espacio que han asegurado.
- *Sea flexible.* A último minuto, la televisión, la radio y las revistas pudieran tener espacios abiertos en los cuales ofrecieran una tarifa más barata.
- *Haga que la gente tenga conocimiento de su publicidad.* Los detallistas siempre piden al fabricante que anuncie para llevar gente a sus tiendas. Dígales dónde y cuándo serán los anuncios.
- *Recurra a socios.* Usted puede cooperar con sus proveedores o clientes para multiplicar sus dólares. A veces, debido a que ellos tienen mayor frecuencia que usted, sus tarifas pueden ser más bajas que las suyas.

Ahorre dinero con las relaciones públicas

Las relaciones públicas consisten en llamar la atención hacia la compañía sabiendo de antemano que los medios recogerán la historia sin ningún costo para usted. A veces es tan simple como llamar la atención hacia uno de sus productos. A veces puede ser difícil de controlar, pero en lo que cabe, casi cualquier publicidad es buena.

Mientras que no hay costo por el espacio que consigue, sí lo hay para llevar la información adecuada a la gente adecuada. Si no hace las relaciones públicas profesionalmente, las posibilidades de ser publicitado disminuyen muy rápido. He aquí algunas directrices para conseguir la publicidad barata:

- *Mande las historias por segunda vez.* Muchas veces, el primer correo no se imprime. Probablemente no se tomó en cuenta. Probablemente nadie pensó que valía la pena. Pero tan pronto alguien publique su artículo (relaciones públicas), le dará credibilidad. Envíe esto una segunda vez, con el nuevo artículo publicado, y obtendrá una respuesta.
- *Descubra el programa de los medios.* La mayoría de las revistas y periódicos tienen planeado un programa de lo que van a escribir. Estar ahí con la información adecuada en el momento indicado incrementa su probabilidad de publicación. Los medios están hambrientos de historias, pero necesitan la historia adecuada en el momento indicado.
- *Siempre ponga su nombre y su teléfono en las historias que envíe.* Si los medios están intrigados por su historia, entonces probablemente necesitarán más información. Facilíteles su trabajo.

Siga su dinero, mídalo

La mercadotecnia es una inversión. Debe tener objetivos claros y su éxito debe ser medido en contra de esos objetivos.

Usted, por supuesto, querrá empezar por medir dónde se distribuye su dinero. A las compañías ineficaces les gusta esparcir su dinero. Las eficaces enfocan algunos gastos y amontonan su dinero para cruzar el umbral del reconocimiento.

Inevitablemente hará algunas suposiciones erróneas y algunas inversiones fallidas con la publicidad. No está mal. Todo el mundo lo hace. Los gerentes listos, sin embargo, aprenden de ello. Usted puede aprender al establecer expectativas y medir respecto de ellas. Codifique sus anuncios con diferentes códigos de respuesta y luego mida el costo actual y la efectividad de cada anuncio. Proyecte la respuesta para los programas usando el *CMP* (costo por millar) como medida y luego mida los resultados reales en comparación con ello. Repita lo que sea grande o aun increméntelo. Deseche lo que no funcione. No tenga miedo de tomar decisiones.

En pocas palabras...

CPM (costo por millar) es la metodología utilizada para comparar los diferentes medios para publicidad. Éste toma el costo del anuncio y lo divide entre el número de observadores legítimos (expresado en términos de miles) del anuncio (no siempre la audiencia total ya que no todos son compradores potenciales). El número resultante se usa después para comparar y clasificar las opciones diversas.

Lo mínimo que necesita saber

- No tenga miedo de fracasar, la mitad de las cosas que pruebe usualmente no funciona. En su lugar trate de descubrir cuál es esa mitad.

- Usted debe tener un objetivo, una meta que se enfoque en el logro. Mida los resultados en contra del objetivo y continúe con aquello que ha sido un éxito. Su objetivo total es mantenerse.
- La mejor publicidad es la que está enfocada. El anuncio dirigido y los gastos de mercadotecnia son más eficaces que aquellos que se esparcen y nunca exceden el umbral del entendimiento del cliente.
- Usted puede ahorrar dinero siendo creativo y eficiente en su publicidad y en sus relaciones públicas.
- Analice sus resultados y haga correcciones desde ahí. Duplicar los dólares que gastó su competencia no es garantía del éxito.

¿Quién es (y dónde está) el cliente?

En este capítulo

- Dónde encontrar a su mejor cliente
- La estrategia más económica para vender a los clientes
- Cómo hacer que los pequeños presupuestos sobrepasen a los grandes
- Cuándo y cómo usar con eficacia la investigación de mercado
- Por qué debe escuchar a los consumidores

El cliente lo elige a usted

Sin embargo, si usted es un gerente listo entenderá que primero usted escoge al cliente.

No es tan circular como parece. Verá, los clientes compran lo que necesitan, no necesariamente lo que usted vende. Y así ellos lo escogen a usted. Pero usted elige a aquéllos a quienes se dirige. Y más vale hacerlo bien. Si usted no se acerca al consumidor adecuado, si no es conciso, si no es claro y si no es convincente, entonces dése por muerto.

Este capítulo trata acerca de la caza del consumidor adecuado. Aprenderá a reducir la lista de los clientes potenciales a aquellos que son sus mejores clientes y luego descubrir lo que quieren. En esencia, este capítulo le enseña a desarrollar un negocio orientado al cliente.

Usted ya tiene sus mejores clientes

Usted puede buscar clientes por doquier, pero el mejor lugar para buscar es su libro de órdenes.

Recuerde, es inusual obtener ganancias en la primera compra de un cliente, pero las tendrá si logra mantenerlo. Hay muchos costos asociados con encontrar un cliente: mercadotecnia, ventas, publicidad, diversidad de producto y otros por el estilo. Éstos son en realidad más de lo que usted podría recuperar con una compra inicial.

Si pierde a un cliente después de la primera venta, le costará mucho reemplazarlo. Pero si lo mantiene, entonces estará en camino a las ganancias y al éxito. La clave del éxito es alcanzar, entender y quedarse en contacto con su cliente. Necesita establecer una relación, hacer que sientan que *usted* es el cliente. Debe lograr que piensen: "ésta es *mi* compañía".

Los clientes son escépticos. No importa cuán maravilloso sea su producto o servicio, ellos no correrán a comprarle a usted. Tienen otras prioridades. Después de todo, la mayoría tiene una vida. No están obsesionados con usted ni con sus productos. Lejos de eso, ellos son bombardeados todos los días con productos que lanzan otras compañías. Usted no solamente tiene que hacer que sus clientes conozcan sus productos, sino que debe provocar que *quieran* sus productos.

Los clientes siguen un camino lento pero predecible hacia usted. Este camino es lo que yo llamo el ciclo de la conciencia.

Las dos primeras fases (conciencia e interés) normalmente constituyen el enfoque de sus programas de mercadotecnia.

Los siguientes tres pasos (convicción, prueba y repetición de la compra) cobran forma cuando la venta toma lugar, momento hacia el que sus dólares de las ventas deben estar dirigidos. Sus programas de ventas y mercadotecnia deben estar en sincronía para capturar al cliente y con ese fin deben trabajar con delicadeza. El periodo de espera no debe prescribir.

Usted necesita dar todo el tiempo que sea necesario para que sus clientes (es decir, sus compradores potenciales) vayan mentalmente a través del proceso hasta que estén listos para comprar. Su pensamiento, su planeación y sus proyecciones financieras tienen que tomar esto en cuenta. Por supuesto, su deseo es que los clientes regresen. Trabajar con clientes que vuelvan a comprar le da las siguientes ventajas:

- Existe un costo adicional menor para atraerlos de regreso.
- Saben dónde encontrarlo.
- Ya tienen un compromiso con usted.
- Usted ya sabe quiénes son y qué es lo que está vendiendo.
- Ellos han establecido alguna relación o atadura con usted.

Piense en esto: la gente rara vez cambia de dentista o de médico. ¿Por qué? Debido a que han establecido una relación basada en la confianza. Los gerentes exitosos hacen lo mismo con sus clientes.

Rompetensiones
No deje que su personal de ventas se dé por vencido o se desaliente muy pronto por el fracaso. Los representantes de ventas que tratan con nuevas cuentas saben que toma tres llamadas o visitas llegar hasta la puerta y cinco llamadas o visitas hacer la primera venta.

Atento a la mercadotecnia

Una vez que tenga al cliente en su terreno, no lo deje ir. Enfóquese en su mejor probabilidad de vender y luego cumpla lo que promete. Siempre cumpla.

Recuerde: Atraer un nuevo cliente cuesta cinco veces más de lo que cuesta mantener al que ya tiene.

Clasifique a sus clientes

Algunos de sus clientes son mejores que otros. Recuerde, el principio de Pareto establece que el 80% de su negocio proviene del 20% de sus clientes. Por tanto, usted necesita identificar ese 20% y luego confeccionar sus recursos para ellos.

Francamente, a menos que sea gerente de una agencia funeraria, para el que todo mundo es un cliente potencial, usted debe aprovechar su tiempo de ventas y dedicarlo a la gente y a las compañías que le den los mejores resultados. Después de todo, los negocios son los resultados.

La idea es clasificar a sus clientes de acuerdo con su volumen potencial o ganancias que ellos proporcionan y luego desarrollar una oferta a su medida, designar el tiempo que se les dedicará y la cantidad de dólares que destinará a la promoción con cada uno, de acuerdo con el potencial de cada cliente. Le sugiero dividir a sus clientes en tres categorías:

- *Clientes de nivel A.* Aquellos que forman el 20% que puede proporcionarle el 80% de su negocio.
- *Clientes de nivel B.* Aquellos que tienen el potencial de volverse clientes del nivel A o cuya posición es tal que nadie puede reemplazarlos.
- *Clientes de nivel C.* El resto del mercado. Estos clientes pueden ser aquéllos con los que usted disfruta trabajar, pero que tienen un potencial limitado de crecimiento.

Ofrezca un reforzamiento después de la venta

Los clientes quieren saber que han tomado una buena decisión. Claro, si ellos gastan el efectivo, ellos tienen cierto grado de seguridad acerca de su decisión. Pero nunca hace daño hacerles saber lo listos que son al comprar sus productos. Simplemente tener una persona en la caja registradora que comente acerca de la gran compra que el cliente ha hecho es un refuerzo excelente. Otra muy buena estrategia es realizar una llamada de seguimiento para ver si el cliente está satisfecho.

¡NOTICIAS!

Últimas noticias

Paula, la dama globo (Balloon Lady), fue contactada por un cliente desde 1,610 km de distancia. Él quería que le llevaran globos a su anciano padre, en su cumpleaños. Paula sabía cómo conservar a sus clientes. En lugar de limitarse a entregar los globos, ella dio seguimiento enviando a su cliente una nota escrita a mano y una fotografía del papá con los globos. El cliente nunca buscó otro proveedor de globos.

Aplique la mercadotecnia basada en la información

Cuando tenga clientes, manténgase en contacto. Consiga sus nombres, investíguelos mediante una tarjeta de garantía, de una orden de venta, de una encuesta, o simplemente pregunte. Mantenga los nombres en sus archivos y consulte con ellos constantemente. Ellos ya votaron con sus chequeras.

Las compañías de correo directo son expertas en esto. Registran cada cantidad de compra, el número de compras, la frecuencia de éstas y la compra más reciente que ha realizado cada cliente. Los clientes que pertenecen a la categoría más alta son los mejores consumidores. Es obvio.

La mercadotecnia de dentro hacia fuera

No hay como una cara amistosa, especialmente cuando usted está tratando de vender. Las personas que lo conocen mejor serán las que más apoyen sus planes y las más accesibles. Ellas probablemente ya se consideren "internas" y sepan de su confiabilidad. No debe ser difícil hacer ventas con ellas.

La mejor manera de hacer esto es clasificar a la gente que usted o su equipo conozca, de la más cercana a la más lejana. Luego, enfoque sus esfuerzos y sus promociones en aquellos que están más cerca de usted, son los mejores consumidores. Yo lo veo como un círculo, cuyo centro es usted.

¿Qué pasa si no consigue los resultados?

En una palabra, ¡persevere!

Correcto, si a la primera no tiene éxito, trate de esconder su sorpresa. Es difícil tener éxito al principio. La verdad es que (éste es un pequeño secreto desagradable del mundo del éxito) el éxito de la noche a la mañana toma por lo regular años. Aun en la industria de las computadoras, donde todos hemos escuchado historias de éxito rápido, todavía toma mucho tiempo. Aquellos que han tenido éxito están dispuestos a pelear a través del fracaso.

Claro, usted enfrentará cierta resistencia; es normal. Usted tiene que vivir el *cliché* y dar el 110%. Debe importarle. Tiene que sentir pasión. Perder una venta tiene que importarle tanto que, si le sucede, usted llorará de verdad. Cuando le importe mucho, no perderá muchas ventas.

Claro, usted tiene que mantener el registro de sus resultados y compararlos con su plan paso a paso. Si lo hace. Usted está en el camino del éxito.

Hay momentos en que simplemente no tiene sentido continuar la persecución de un cliente. A veces tiene que cortar sus pérdidas y seguir adelante. Es una llamada difícil de escuchar, especialmente si usted cree estar lo suficientemente seguro de tener éxito. Pero, con los análisis regulares y el sentido común, usted sabrá cuándo es tiempo de dirigirse a otros clientes. No lo haga prematuramente, pero cuando sea el momento, hágalo. No lo dude más.

Por ejemplo, si le ha estado haciendo llamadas regularmente a un cliente y ahora se ha vuelto imposible de localizar o siempre le contesta el correo de voz, usted puede concluir que es hora de borrar de su lista a este cliente y seguir adelante.

La era de los nichos de mercado

La era de lo "grande" ya se acabó. La uniformidad ha seguido el camino del modelo T negro. Por supuesto, Henry Ford triunfó con la fabricación de un coche en un color, pero eso fue hace mucho tiempo. Aun en la década de los cincuenta, cuando había pocas revistas (*Life*, *Look*, *Post*), la mayoría de los automóviles eran estadounidenses y había mucha similitud en el gusto. ¿Quién podría tener un gusto diferente? No había algo más que probar. ¿Chocolate o vainilla? Ésas eran las opciones.

Pero los tiempos han cambiado. Ahora el mundo ha explotado como un sueño en tecnicolor.

Inténtelo de esta manera

Establezca metas a lo largo de la venta —pasos de bebé, si quiere— para que de esta manera usted y su equipo puedan medir su progreso. No sólo se enfoque en la meta distante de la venta. Como gerente, mantenga a todo mundo informado de la forma en que progresa la venta. Ayudará a la moral y mantendrá el espíritu de equipo.

Últimas noticias

El consumidor promedio estadounidense es inundado por más de 750,000 impresiones de anuncios al año y más de 500,000 nombres de marcas registradas. ¿Y usted quiere mantenerse? Es muy difícil de hacerlo con un presupuesto limitado, y pocos tienen el presupuesto de Coca Cola, Nike, Budweiser o Chevrolet. La única respuesta lógica a esto es encontrar un área que sea demasiado pequeña o demasiado especializada, de modo que no sea atractiva para los grandes publicistas. Encuentre su nicho en los mercados donde usted puede sobresalir con su pequeño presupuesto.

El impacto de la década de los sesenta y la revolución tecnológica de los años recientes ha fragmentado la sociedad. Ahora hay toda clase de nuevos clientes que demandan toda clase de nuevos productos. Ahora hay *nichos de mercado*.

En pocas palabras...
Los *nichos de mercado* son aquellas subdivisiones de los segmentos de mercado que tienen suficientes similitudes y diferencias únicas para volverse mercados.

Los nichos geográficos

En este mundo cada vez más pequeño, existe más competencia potencial. Pero el vaso no sólo está medio lleno, pues hay más mercados. La tecnología y los viajes sin duda han hecho más compacto al mundo, pero echando un vistazo más cercano hay más oportunidades que no tienen barreras geográficas dentro o fuera de Estados Unidos. Los gerentes listos saben que una compañía que se enfoca nada más en Tom, Dick y Harry puede perder a Gunther, Pierre y Akio.

Rompetensiones
Registre sus nombres de marca antes de expandir su negocio. Muchas compañías han descubierto de forma dolorosa por qué esto es importante; alguien ya posee su nombre y sus derechos y recobrarlos pudiera costarle una pequeña fortuna. De hecho, algunas empresas no hacen otra cosa que registrar los nombres de otras compañías. Con frecuencia tiene que registrar país por país, pero vale la pena.

Nichos de producto

La mayoría de los clientes ya tienen las cosas que necesitan. Ahora buscan las cosas que quieren y las que los hacen diferentes. Todo mundo quiere sentirse como si fuera especial, parte de un mercado especial.

He aquí un ejemplo. Hace años, existía el mercado del "excursionismo", que no sólo abarcaba lo restringido a esta actividad. Pero todo estaba junto. Ahora, existen nichos como el campismo, la caminata, el montañismo en hielo, el alpinismo en roca, el montañismo puro, el balsismo, el kayaquismo y la pesca. De hecho, hay compañías excelentes ahí afuera que proporcionan todo lo necesario para estas necesidades particulares, cada una de las cuales constituye un nicho.

Inténtelo de esta manera
Es muy caro registrar cada categoría en cada país. Defina donde es probable que haga negocios y registre su marca en ese lugar.

Los nichos demográficos

¿De qué generación es usted? Con base en el superávit de productos disponibles, hay muchas generaciones que demandan productos que satisfagan sus necesidades particulares. Están los dispositivos de ayuda para escuchar y el complemento dietético Ensure para los ancianos. Se encuentran las tablas dezlizadoras para la gente joven. La lista es tan larga como la vida. Además, la edad de los grupos está cambiando constantemente. Después de todo, si usted es viejo, fue joven alguna vez. Al enfocarse en algo, usted puede encontrar oportunidades que las grandes compañías pasan por alto.

Últimas noticias
De toda la gente que ha llegado a la edad de 65 años en la historia del mundo, más de la mitad están viviendo ahora. Lo que esto significa es que hay un enorme mercado de productos necesarios para la gente adulta que nunca antes había existido. Suplementos alimenticios, productos para ayudar a la gente con artritis, instalaciones para el cuidado de los adultos, y la lista sigue y sigue.

El papel de la investigación de mercados, una ayuda en el establecimiento del enfoque

Es sabio estudiar a sus clientes. Aprender, recordar es bueno. Claro, usted necesita usar la intuición, pero nunca le causará daño alimentar su intuición con información. Una de las mejores maneras de hacerlo es la *investigación de mercados*.

Hay muchos tipos de investigación de mercados. Algunos son más específicos que otros, pero todos están dirigidos a ayudar a la compañía a encontrar clientes. Puede incluir una encuesta del consumidor, una investigación bibliográfica o una investigación real del mismo mercado. Muchas compañías no tienen en casa el talento necesario para hacer estos estudios. Hay compañías que pueden ser contratadas sobre una base de corto plazo para ayudar. A continuación hay cinco tipos comunes de investigación de mercado:

En pocas palabras...
La *investigación de mercado* es la recolección formal de información sobre los mercados y los consumidores, por parte de una organización. Ayuda a las compañías a tomar decisiones. Usualmente, la información es cuantitativa y estadística y mide la hipótesis de los gerentes.

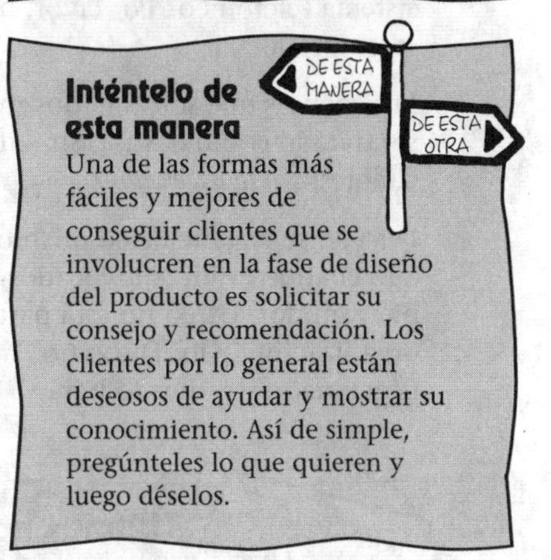

Inténtelo de esta manera
Una de las formas más fáciles y mejores de conseguir clientes que se involucren en la fase de diseño del producto es solicitar su consejo y recomendación. Los clientes por lo general están deseosos de ayudar y mostrar su conocimiento. Así de simple, pregúnteles lo que quieren y luego déselos.

- ➤ *Enfoque en grupos*. A unos pequeños grupos se les dan unas preguntas generales y luego son observados mientras discuten los temas. Los resultados por lo general no son cuantitativos, pero dan dirección.
- ➤ *Investigación basada en información*. La información que está disponible en las bibliotecas y en los registros se analiza para buscar oportunidades de mercado. El advenimiento de las computadoras ha ayudado grandemente a este tipo de investigación.
- ➤ *Investigación basada en el cliente*. A los clientes se les hacen preguntas acerca de sus necesidades y deseos. Esto luego se resume en resultados teóricos.
- ➤ *Investigación de mercado de prueba*. Los productos se ponen en un mercado para probar su aceptación. A veces se prueban diferentes precios para ver el impacto de esta variable.

No importa cuáles son pero debe tener una forma de hacer su investigación de mercado de una manera de costo efectivo. Usted necesita encontrar clientes, pero no tiene que destinar tiempo, gastos o financiar una expedición para pescar información. Debe ser inteligente. Establezca un objetivo de investigación. A continuación sugiero cuatro pasos, cuyo seguimiento le asegurará que su investigación está enfocada:

1. Involúcrese personalmente en el mercado. Esté presente, utilícelo. No lo deje a alguien más.
2. Haga un poco de investigación por su propia cuenta. Reúna a su gente de manera informal, a sus proveedores y a sus clientes de más confianza. Escuche, revise cualquier material escrito que encuentre.
3. Haga algo de investigación de asiento. Siéntese a tomar una cerveza o una taza de café y hágale plática a la persona que esté a su lado. Es grandioso lo que puede aprender por el precio de una copa.
4. Defina sus objetivos. Defina los beneficios potenciales y mantenga los costos dentro de los límites.

Negocios orientados al cliente

Pregunte a los clientes qué es lo que quieren y déselos. Claro, esto no parece un tema de estudio de la maestría en administración de empresas, pero es cierto.

Muchos negocios simplemente no "lo entienden". Algunos piensan que los consumidores se cruzan en el camino. Es una filosofía extraña, pero común. Muchos gerentes no tienen respeto por los clientes. La mayoría de esos gerentes no lo son por mucho tiempo.

Piénselo. ¿Recuerda la última vez que trató de conectar su teléfono? ¿Qué pasó la última vez que tuvo que formarse en una larga fila frente a un mostrador esperando que el personal se dignara a usar toda esa tecnología que tenía disponible? Lo hicieron sentir como "un obstáculo". Es común.

¿Alguna vez ha llamado a un negocio y ha pasado cinco minutos o más yendo a través de varios correos de voz solamente para saber que, de cualquier manera, nadie contestará el teléfono? Claro que sí. Todos hemos pasado por lo mismo. ¿Ha tratado de llamar a su propio sistema telefónico? Por favor, hágalo. Puede abrirle los ojos sobre cómo los demás perciben a su empresa.

Los clientes que son tratados mal se van a otra parte. Es la naturaleza humana. A nadie le gusta ser tratado como basura. Sin embargo, ése es el mensaje que muchos negocios envían a los clientes: *No lo necesitamos.*

Pero no se engañe usted mismo. Los clientes son los reyes. Ellos siempre están en lo correcto, aun cuando estén equivocados. Su papel no es rechazarlos o hacerlos sentir que no son bienvenidos. Usted no está para menospreciar a la gente que pudiera comprar algo a su organización. ¡Oh, Dios!, no. Y no sea condescendiente. Eso no funciona, nunca ha funcionado y nunca lo hará.

Últimas noticias

La base de su clientela cambiará. No puede asumir automáticamente que las cosas permanecerán constantes. Por ejemplo, para el año 2000, cerca de 1/3 de la población estadounidense se conformará por hombres y mujeres que no serán blancos ni latinos. Y para el mismo año, cerca de 1/3 de la población será mayor de 50 años.

Su papel no se limita a satisfacer al cliente. Su papel es agasajarlos, hacer que lo amen a usted y que amen a su producto o servicio. Usted quiere que ellos hablen de su producto. Necesita recordar que el testimonio hablado es muy poderoso. Y no sólo eso, además usted necesita que sus clientes regresen, si es que quiere sobrevivir.

Recuerde: los clientes pueden ser caprichosos. Pueden cambiar su forma de pensar y, claro, aun irritar. Pero los clientes pagan sus cuentas y lo mantienen en el negocio.

Lo mínimo que necesita saber

- Su mejor cliente es el que ya tiene. Las personas a quienes es más fácil vender son aquellas que ya lo conocen.
- El éxito de ventas "de la noche a la mañana" generalmente es el resultado de años de trabajo.
- La investigación de mercado puede ser utilizada para enfocar sus esfuerzos y escapar a los costos de las búsquedas de ventas de prueba y error.
- Todos los grandes mercados están fragmentándose en nichos de mercado. Esto abre nuevas oportunidades de ventas.
- El cliente es el rey. Trátelo como tal y usted también se volverá de la realeza.

Parte 6
Qué hacer cuando surgen los problemas

Todo esto es tan interesante, este intento de sistematizar la naturaleza humana. La administración está llena de hechos interesantes. Alguien diría que la administración simplemente es una atiborración de hechos.

Usted descubrirá que no siempre usted es el héroe. Además, que las nubes no siempre tienen un halo de plata e incluso también descubrirá que solamente cuando usted experimente las cosas (las ocurrencias de la vida real asociadas con los altibajos del negocio) tendrá las respuestas. En esta parte del libro, aprenderá a estar preparado para los problemas inevitables en cuestión de resultados y del personal y cómo superarlos. Aprenderá qué se necesita para lograr el éxito. Aprenderá a soñar y a recrearse con sus sueños.

Capítulo 24

Protéjase en contra de la adversidad

En este capítulo

- Expectativas de adversidad y cómo protegerse de ella
- Formas de manejar los despidos temporales y permanentes
- Alternativas a los despidos
- El manejo de las crisis de última hora
- Qué hacer con el plan de retirada cuando éste se termina

Se aproxima una crisis

No importa lo que piense al respecto, usted enfrentará una crisis de una clase u otra, si es un gerente. Ésta es la razón de que usted planee y se prepare para los problemas, ya que cuando lleguen, usted sabrá qué acción emprender. Su trabajo como gerente es hacer los ajustes necesarios, así que necesita comenzar con opciones.

La vida no es una opción entre el *riesgo* y el *no riesgo*. La vida es en realidad una serie de riesgos que necesita ponderar con mucho cuidado. Prepárese usted mismo y luego emprenda una acción.

Todo ocurre más rápido en una crisis.

Este capítulo trata de la adversidad y su papel en la administración. Aprenderá acerca de los despidos y cómo manejarlos. Le hablaré sobre la mejor manera de atacar una crisis y cómo actuar calmada y decisivamente en una crisis de última hora. La crisis se aproxima, pero no se asuste. Continúe leyendo.

Las cosas no siempre suceden como se planean

Aquí viene. Usted no sabe dónde o cuándo o incluso qué, pero usted *sabe*. Va a ser diferente. Usted sólo puede contar con el cambio. Habrá problemas. El gerente inteligente no permitirá que un desastre se convierta en un *desastre*.

Puede haber un incendio, una inundación, un derrumbe del techo o puede suceder que un cliente muy grande se marche. El financiamiento puede escasear. Las tasas de interés pueden llegar al 21%. Los clientes pueden morir. Puede pasar. Todo puede suceder.

Así que usted tiene que encontrar una forma de amortiguar el impacto de una crisis en su compañía y en usted mismo.

El impacto en su compañía

¿Es una gran crisis? ¿O es simplemente un problema? ¿Cómo discernir la diferencia?

La diferencia entre una crisis y un problema

Crisis	Problema
Perder a su mayor cliente	Perder un par de clientes
El banco que requise el pago del préstamo	Disminución del flujo de caja
Un terremoto	Una huelga de corto plazo de la empresa de mensajería
La pérdida de su principal diseñador	Rotacion de personal
Perder la cobertura de su patente	El que copien su producto
El fracaso de uno de sus productos	Mala publicidad de su empresa o productos en una revista.
Información imprecisa en la computadora	La caída de su sistema de computadora o la disminución de la producción de la computadora.

La diferencia entre una crisis y un problema, que usted tiene que medir, determine a su vez, la estrategia y las reacciones que debe seguir. Las pequeñas indicaciones visuales en su radar necesitan tomarse como vienen y de manera ordenada.

Pero las grandes crisis que amenazan a toda la corporación requieren de una respuesta extraordinaria. Apártese de la rutina y actúe.

Últimas noticias

Los esquimales hacen canoas (*kayacs*) maravillosas, fabricadas de piel de foca y diseñadas para las aguas heladas del Ártico. Pero si hay un hoyo por debajo de la línea de agua, es una verdadera crisis. No tienen tiempo para reuniones de comité. Ellos saben cómo actuar. Nunca salen sin un plan de rescate. Actúan.

La mejor solución es tener un plan de apoyo por adelantado y medidas de protección como seguros, costos fijos limitados y fuente de apoyo alineada. No hay tiempo para elucubrar. Es demasiado tarde.

Usted tiene que hacer algo, quizás una acción radical. Su equipo quiere que usted tenga seguridad, pues ello le dará confianza. A continuación listo algunos pasos para mostrar su creencia en su habilidad de cambiar las cosas:

- Elabore un plan fácilmente entendible para solucionar el problema y asegurarse de que no vuelva a ocurrir otra vez.
- Cambie su rutina de administrar.
- No permita que otros caigan en la rutina durante una crisis.
- Haga que la gente se involucre en la solución de las cosas, el hacerlo ayuda a superar sus sentimientos de incompetencia.
- Asigne responsabilidades específicas y distribuya la carga de trabajo.
- Ponga énfasis a la urgencia marcando fechas límite de corto plazo.
- Mantenga a la gente ocupada pensando en los éxitos que se han logrado, pequeños o grandes. La seguridad es un combustible que uno mismo puede generar.

Rompetensiones
No grite que "viene el lobo" todo el tiempo. Existe una regla general que se aplica a los problemas: no se lo diga a la gente. Es otra de esas reglas 80/20, 80% no les importa y 20% están contentos de que tenga sus problemas.

El impacto en usted

Usted está en el escenario. Éste es su momento, la razón por la que fue contratado, así que si usted no se regocija en la crisis, entonces usted no está en su papel. Usted es la persona adecuada, así que apéguese a este papel y corra riesgos, riesgos inteligentes. Pero, así como la compañía tiene un plan de apoyo, así también usted, como gerente, debe contar con uno, pues no todos los riesgos que se adopten tendrán buenos resultados. Le sugiero un plan cuya base es mantenerse visible en el mercado:

- Haga un currículum vitae actualizado.
- Mantenga un diálogo continuo con la industria de los "headhunters" (quizás con la argucia de conseguir empleados o ayudarlos a encontrar empleados para otra empresa).
- Escriba artículos para publicaciones de la industria.
- Asista a los espectáculos de la industria.
- Hable en estos espectáculos.
- Establezca y mantenga líneas de crédito personal adicionales en caso de que usted necesite recurrir a ellos por algún tiempo sin tener un ingreso suficiente.

Rompetensiones
La seguridad en el mercado de trabajo hoy en día está disminuyendo, pero se aplica un axioma. Los mejores desempeñadores tienen la más alta oportunidad de mantener su trabajo y la mejor oportunidad de encontrar maravillosas oportunidades alternativas.

La crisis y el impacto en la gente

No hay tiempo para reflexionar en una crisis. La gente se asusta o corre a buscar ayuda. Y al final de ella usted aprenderá que la experiencia es lo que consigue cuando no obtiene lo que usted quiere. Usted aprende. Siempre aprende. Y así también la gente que trabaja para usted.

Las reacciones de la gente a las crisis con frecuencia son resultado de la eficacia del líder. En una crisis, el líder necesita estar al frente del grupo. La gente no sólo escuchará lo que usted dice, sino que buscará pistas para saber cómo se siente usted, y tenga por seguro que las encontrarán. Su cara y su manera de comportarse lo delatarán. Si tiene convicción, se sabrá.

El pánico llama al pánico. La calma genera calma. ¿Qué es lo que usted quiere? A continuación listo algunas sugerencias para mantener el sentido de la calma en una crisis:

- Utilice un estilo autocrático de administración. En las crisis, la democracia no funciona. Si quiere llegar a una meta grande y que aparenta ser inalcanzable, es obvio que usted tiene que hacerse cargo.
- Sea honesto con la gente. No endulce los temas, ya que tan pronto como aparezca lo negativo, su credibilidad quedará fulminada.
- Tome decisiones rápidas y sólidas. Tome las decisiones pequeñas y fáciles primero, pues esto provoca un sentimiento de progreso y restablece la confianza en usted.
- Sea decisivo. La gente quiere que se le diga lo que debe hacer.
- Enfóquese en sus mejores empleados. Normalmente son los que pueden irse de su compañía más fácilmente y los que usted necesita tener más cerca. Al hacer que se involucren en gran medida, usted aprovecha su tiempo y les da la oportunidad de demostrarles que su esfuerzo vale la pena. Si no son parte de la solución, pudieran volverse parte del problema.

Reduzca los costos del personal

La disminución de empleos es el precio de una mala administración. Es el resultado de una mala economía. En una crisis, se pierden trabajos. En una crisis, la primera necesidad es con frecuencia reducir los costos y esto por lo regular significa recortar personal. Llámelo adelgazamiento, reducción al tamaño adecuado, despido, reducción de costos generales, eliminación de la grasa, aseguramiento del barco, creación de una máquina afinada, cesantías o reducciones por temporada. Llámelo como le guste. El impacto es el mismo.

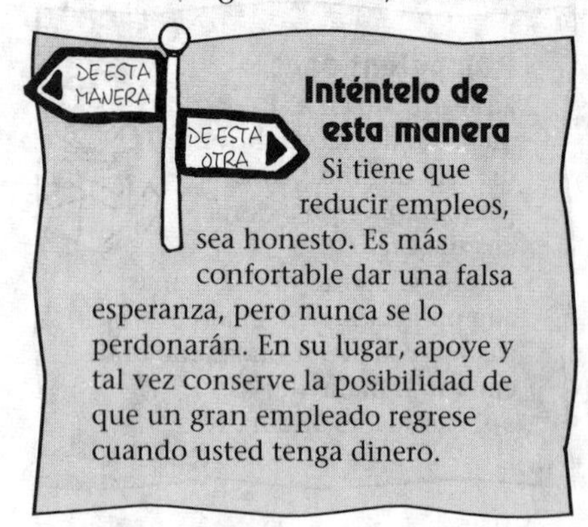

Inténtelo de esta manera

Si tiene que reducir empleos, sea honesto. Es más confortable dar una falsa esperanza, pero nunca se lo perdonarán. En su lugar, apoye y tal vez conserve la posibilidad de que un gran empleado regrese cuando usted tenga dinero.

Suele ocurrir. Probablemente ocurrirá. Es posible que usted tenga que manejarlo. Y cuando lo haga, causará un impacto vital en la salud de su compañía. Las culturas se construyen sobre la base de historias y las que hablan de despidos se conocerán por todos, y darán a saber cómo se siente usted acerca de su gente. Más aún, los despidos están reglamentados. Si se manejan inadecuadamente, corre el riesgo de un costoso litigio. Todo mundo, sobre todo quienes permanezcan en la empresa estarán observando.

Cuando reduzca el personal de su compañía, debe tomar en consideración la percepción y los derechos de muchos factores que intervienen como el gobierno, los sindicatos, las juntas de trabajo y las compañías de seguros. En muchos casos la ley laboral es compleja. Mejor sería que recurriera a un abogado laboral. A continuación presento un breve resumen de lo que debe atender una empresa en Estados Unidos, con respecto a este tema; puede servirle de guía de los temas que debe investigar en su país.

Gobierno federal

En Estados Unidos, como en otros países, las grandes compañías están obligadas a informar por escrito, con 60 días de anticipación, un despido masivo o una reducción grande en las horas de trabajo. El gobierno estadounidense utiliza la ley de ajuste del trabajador y notificación de entrenamiento (WARN, por sus siglas en inglés) para regular los despidos masivos o la reducción de horas de trabajo en las compañías con más de 100 empleados.

Sindicatos

La mayoría de los contratos de los sindicatos indican el procedimiento específico para tratar a los empleados en situaciones de reducción y recontratación. La antigüedad es un asunto común. Con frecuencia, la antigüedad en ciertos tipos de trabajos cuenta más. Desafortunadamente, esto puede hacer que despida a algunos de sus mejores empleados mientras que es forzado a mantener algunos trabajadores mediocres. Aunque desee retener a lo mejor de lo mejor, prevalecerá el contrato del sindicato.

Compañías de seguros

En Estados Unidos, aun cuando los empleados sean despedidos, siguen teniendo derecho al seguro médico, al menos por un tiempo. El gobierno aprobó la ley sobre reconciliación del presupuesto consolidado total (COBRA, por sus siglas en inglés), la cual requiere que las compañías con 20 empleados o más ofrezcan planes de seguro hasta por 18 meses. El empleado tiene que asumir la obligación de pagar una prima, la cual es la tasa de la compañía, usualmente mucho menor de lo que un individuo pudiera conseguir por su cuenta.

Juntas laborales de gobierno

También en ese mismo país, hay una preocupación de la sociedad respecto de la discriminación y se muestra en las leyes laborales del gobierno. Las juntas laborales, establecidas para hacer valer la ley, están interesadas particularmente en la discriminación en cualquier cesantía. Los recientes esfuerzos para contratar a las minorías han dado resultado. Pero la antigüedad del sistema claramente pone a las minorías en desventaja, así son las leyes. El problema es que las leyes tienen partes confusas y excepciones. El mejor consejo que le puedo dar es que consulte con su abogado laboral. Pudiera ser más barato en comparación con pretender saber.

El manejo de los despidos temporales

Los despidos temporales pueden ser de temporada o aleatorios, según las condiciones del negocio. Los despidos no siempre son negativos, aunque ciertamente pudieran serlo. Es posible que a veces los empleados en realidad quieran tiempo libre para hacer otras cosas, desde pintar la casa, visitar a sus parientes hasta ir de pesca.

¡NOTICIAS!

Últimas noticias

L. L. Bean, la compañía exitosa de venta de productos por correo, contrata más de 300 trabajadores de temporada cada temporada navideña. Son contratados para manejar el incremento en la actividad del negocio. En lugar de ser despedidos, la gente es contratada por un periodo corto y se va después de la temporada. La mayoría de los empleados regresan año con año.

He aquí algunas sugerencias para manejar los despidos temporales correctamente:

- Entregue a los empleados una nota escrita con dos semanas de anticipación.
- Si hay un contrato sindical, asegúrese de cumplirlo en su totalidad.
- Explique cualquier relación conocida que continúe (beneficios del seguro médico, tiempo y procedimiento de recontratación, procedimiento de liquidación) a los empleados.
- Déles las gracias a sus empleados por trabajar con la compañía.
- Sea breve. No les dé a los empleados ninguna razón para que piensen que ellos pueden hacer cambiar su parecer. Un despido es un despido.

Recontratación adecuada

La antigüedad, en estricto sentido, como base para el empleo tiene sus desventajas. Si usted despide de esta manera, puede arruinar los programas de acción afirmativa. Puede provocar la creación de departamentos con empleados sin experiencia. Puede romper los equipos de trabajo. Y ciertamente dar como resultado que despida algunos de sus mejores trabajadores.

Por tanto, Yo le sugiero que desarrolle una política de antigüedad mucho antes de que la necesite.

Finalmente, cuando tenga a los empleados que serán cesados, manténgase en contacto con ellos. Hágales saber que no los ha olvidado. Ayúdelos a entender su lucha. Hágales saber que están en sus planes para el futuro. Y luego, cuando pueda, finalmente hágalos regresar, ellos estarán más deseosos de ser parte de su equipo.

El manejo de los despidos permanentes

Los despidos permanentes, bueno, son permanentes, así que necesita comunicarles con un aviso completo. Aunque no está escrito en piedra (depende de cada país), la cortesía sugiere que un despido permanente demanda un periodo mayor de dos semanas para el aviso, quizás un mes. Cuando les dé la noticia a sus empleados, hábleles acerca de los beneficios que aún les correspondan en esta situación. Además, mantenga en mente estos puntos:

- Adhiérase firmemente a su sistema escrito de antigüedad. Si existe un contrato sindical, tómelo como una base.

- Ofrezca a los empleados una carta de recomendación. Tal vez pueda ofrecer ayudarlos a encontrar otro trabajo, o probablemente pagar a un reclutador para que les encuentre empleo.
- Haga que le regresen cualquier propiedad de la compañía. Cualquier herramienta, identificaciones, computadoras, llaves y claves.
- Realice una entrevista de salida. Usted puede aprender de ellos.
- Responda las preguntas de los empleados.
- Déles su cheque final, o arregle que les sea enviado, por los salarios y gastos.

¡NOTICIAS!

Últimas noticias

En Estados Unidos, si no paga al empleado lo que se debe el día que se va, usted está obligado a pagar continuamente su salario y beneficios hasta el día de su liquidación. La carga es para el patrón, pues tiene que probar cuándo se le pagó al trabajador y la cantidad correcta. Si puede hacer que el empleado firme una carta para este efecto, le ayudará en caso de tener que probar su caso.

- Déles las gracias a los empleados y deséeles buena suerte.

Finalmente, ya sea que la cesantía sea temporal o permanente, es útil que dos personas de la compañía estén presentes cuando usted le dé al empleado la noticia. Ayuda tener el registro adecuado y mantener una reunión difícil a nivel profesional.

Le puede pasar a usted

Cinco veces en siete meses, Mark Sevelovitz preparó los cheques para los empleados que aparecían en la hoja rosa de liquidación de International Designer Accessories Inc. Eso era parte de su trabajo. Obtenía la lista de la hoja rosa de liquidación y preparaba los pagos finales.

Así, siguió la historia, hasta que una semana Sevelovitz fue al departamento de nómina por la lista de los que pronto estarían en la hoja rosa. Pero esa semana, cuando la pidió, se le dijo que la lista de los empleados condenados aún no estaba disponible. Regresó al siguiente día, pero la lista todavía no estaba disponible.

A la mañana siguiente, la pidió otra vez.

"Nosotros te avisaremos cuando llegue el informe de recursos humanos", se le dijo.

Y, en ese momento, supo uno de los nombres de la lista: el suyo.

Alternativas a los despidos

Hay alternativas para los despidos. Ninguna es maravillosa, pero tampoco lo son los despidos. A veces usted tiene que tomar decisiones difíciles. En esos momentos, descubrirá de qué está formado su equipo. No se engañe. La gente no va a estar extasiada. Todo lo que puede pedir es que la gente lo escuche y trate de tener una mente tan abierta como sea posible.

Algunas alternativas a los despidos se listan a continuación:

- *Implemente una reducción en toda la compañía de la compensación fija.* Reduzca salarios en toda la junta, pero incluya una zanahoria mediante un programa específico para que el personal obtenga un bono al final del año para ganar parte, o toda la reducción si la compañía vuelve a enderezar el camino.
- *Implemente en toda la junta reducciones de salario.* Los porcentajes iguales funcionan mejor.
- *Ofrezca el retiro anticipado a los empleados.* Tiene que ser sólo un ofrecimiento, no puede forzar a la gente.
- *Implemente el trabajo compartido.* Esto mantiene la unión del equipo y tiene la ventaja psicológica adicional de un empleado que ayuda a otro. El hecho de que todos los empleados mantengan sus beneficios mantiene los costos altos, pero también trae mucho aprecio por parte del empleado.
- *Cierre por completo la instalación por algunas semanas.* Esto mantiene a los equipos unidos y trata a todo mundo de igual manera. También, si la razón del problema es una disminución en las ventas, esto ayudará a que los inventarios regresen a su nivel.

Utilice el sentido común. Los recortes salariales solamente funcionan si usted incluye a todo mundo, especialmente a la administración. Tendrá un desastre en sus manos si los afectados son sólo los de bajo rango.

El manejo de las crisis de última hora, una ocurrencia usual en el negocio

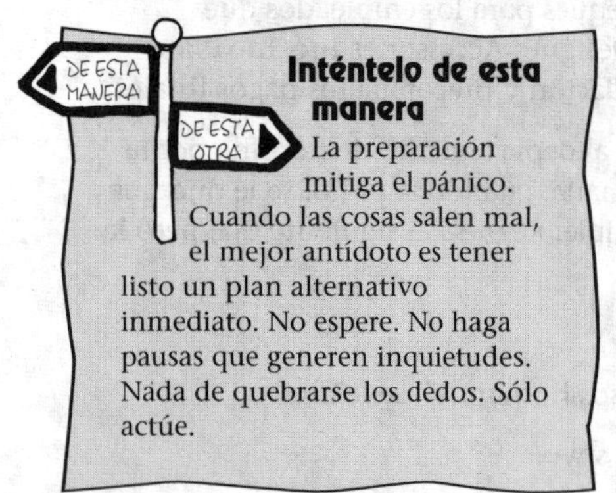

Inténtelo de esta manera

La preparación mitiga el pánico. Cuando las cosas salen mal, el mejor antídoto es tener listo un plan alternativo inmediato. No espere. No haga pausas que generen inquietudes. Nada de quebrarse los dedos. Sólo actúe.

Usted puede esperar una crisis de última hora, sólo porque parece que es cuando ocurren con más regularidad. Las cosas van mal justo antes de que se suponía que fueran bien. Es alguna clase de ley, creo.

Saber que ocurrirán es la clave para manejarlas. No se sorprenda de lo asombroso. Ahora ya puede aprender a anticiparse a lo inesperado. Si tiene la claridad y una calma interna cuando golpea la crisis, su equipo recibirá rápidamente su seguridad. Así que no actúe sorprendido.

El seguro, protección contra la adversidad

El programa más obvio y mejor para desastres desconocidos es el seguro. Éste, como muchas cosas en el negocio, es engañoso. A menos que sea lo suficientemente afortunado para tener un experto en seguros en el personal de su compañía, usted necesitará encontrar uno. Usualmente, eso significa encontrar un buen agente.

Existen programas de bajo costo para compañías con futuros temblorosos. Evítelos. Asimismo, usted puede ir de agente en agente. Pero eso es contraproducente.

Inténtelo de esta manera

Asegúrese en contra de esas ocurrencias que, si llegan a suceder, podrían mandar a la compañía al precipicio. Considere asegurarse por cualquier cosa. Los ejemplos de catástrofes para los que debe uno protegerse son: fuego, inundaciones, huracanes, terremotos, derrumbes de techos, el cierre de grandes cuentas y contra el hecho de que la gente se lastime usando sus productos.

Yo le recomiendo que mejor busque un agente en el que pueda confiar. Lo sé por mi experiencia con un fuego devastador, cuando mi leal agente peleó por mí y por mi compañía. Le había sido leal durante años. Él probó que yo estaba en lo correcto al ser leal.

Un poco de lealtad siempre vale la pena más que un trato rápido y barato. Haga siempre su tarea antes de que jure lealtad. Reúnase con el agente. Descubra cuál es su cobertura y desarrolle una relación con su agente. Probablemente necesite a esa persona. Si algo va mal, usted será responsable por escoger al agente, así que tómese su tiempo en desarrollar una confianza.

Claro, si alguien más en la compañía toma la decisión del seguro, su tarea es más difícil. Pero ciertamente, su punto de inicio es asegurarse de que se haya elegido el tipo correcto de seguro.

"Plan B"

Un plan de retirada es algo que no puede ignorar. Póngalo por escrito y déjelo a un lado hasta que lo necesite. Entonces, usted estará listo para actuar inmediatamente. Su necesidad inmediata en una crisis es enfocar la energía en obtener la ruta crítica para la solución del problema, no en el problema. Usted debe poner en práctica primero algunos pasos.

Últimas noticias

Tuvo que haber un optimista para construir un avión; pero tuvo que haber un pesimista para que se inventara el paracaídas. Usted necesita de ambos para tener éxito, pero asegúrese de que los optimistas, los posibles pensadores, sean la mayoría.

Claro, no puede anticipar nada, ni tiene que enfocarse en problemas y crear una profecía de autocumplimiento. Usted simplemente necesita contar con un plan que sea flexible, realista, simple y básico. Algo con qué empezar.

Una vez que termine el plan de retirada. Concéntrese en las tareas a la mano. En otras palabras, póngase a trabajar.

Lo mínimo que necesita saber

- Es posible que se enfrente a la adversidad, así que debe tener un plan para ella.
- Despedir a la gente por un corto o un largo plazos tiene toda clase de implicaciones legales. Consiga un buen abogado laboral para que le aconseje antes de finalizar su programa.
- Busque alternativas al despido que puedan ayudar a juntar a su equipo para solucionar el problema.
- Es común anticiparse a la crisis de última hora.
- Tener un plan de retirada listo para implementarse cuando las cosas vayan mal, a fin de enfocar la energía en otra cosa que no sea el problema. Enfóquese en soluciones y comience a tomar acciones.

Elimine los feudos y las agendas ocultas

En este capítulo

- Por qué la gente desearía derribarlo y qué hacer con esto
- Técnicas para manejar a los tomadores de poder
- El problema con los negativos y qué hacer con ellos
- Por qué disparar a veces es la única solución

¿Por qué?

Pudiera preguntarse. ¿Por qué los empleados lo complican todo cuando estoy tratando de facilitárselos?

¿Por qué? Porque...

Ésta es la naturaleza humana. Porque no todo mundo puede estar contento de que usted haya obtenido el trabajo de gerente. Porque... ésta es la forma de hacer los negocios. Habrá problemas, la gente no está de acuerdo con usted. Así es la vida. Ésa es la razón de que usted tenga un buen sueldo.

Es una cuestión cultural, en realidad. Aun en las grandes organizaciones no son lo suficientemente grandes para la mayoría de los estadounidenses. Todas las organizaciones tienen una falla: para trabajar eficientemente, ellas requieren de que la gente sublime su individualidad al mayor bien de la organización. Pero Estados Unidos es un país de individuos. La gente necesita creer que está actuando por voluntad propia.

Los derechos individuales. Son parte de la psique estadounidense.

Este capítulo trata de los derechos individuales y el bien mayor y por qué éstos pueden mezclarse. Se explicará que algunas personas abusan de los derechos individuales y que usted tendrá que tratar con ellas. Además, se ofrecerán alternativas para conseguir que la gente esté en la misma frecuencia.

¿Por qué? Porque somos humanos.

Naturaleza humana: el tiempo cambia todas las relaciones

Habrá ataduras personales en su compañía y pudieran no ser todas con usted. Usted debe entender que la amistad es algo bueno, pero cuando hay asociaciones y agendas ocultas, surge el problema. Usted camina sobre una línea muy delgada.

Su perspectiva dependerá mucho de su manera de actuar en su posición de gerente. Hay cuatro rutas básicas que los gerentes siguen al conseguir sus trabajos y que observaremos en las siguientes secciones. Cada una de ellas tiene una dinámica diferente, pero todas dan como resultado una mezcla volátil de emociones humanas. Todo cambia y evoluciona durante su primer año de gerente.

Un ascenso dentro de la misma compañía

La ventaja para el gerente que es ascendido desde una posición de menor jerarquía es que ya conoce el terreno. Ya conoce a los empleados. Se conocen las asociaciones y los secretos que no son tan secretos.

Pero la desventaja es que un empleado que sea ascendido de entre sus compañeros a una posición gerencial con frecuencia será sujeto de celos. Este gerente, que hasta hace poco era un igual, de repente tiene que infundir respeto y tal vez tenga que distanciarse de los que fueron sus amigos cercanos. Puede ser extraño. El cambio incómodo puede llevar a algunos a pensar que el nuevo gerente se ha vuelto "presumido".

Un movimiento lateral desde una posición similar en otro lado de la compañía

El gerente que es trasladado de una posición a otra del mismo nivel puede o no conocer a los miembros del equipo, pero si conoce a alguien, tal vez sea sólo de paso. La profundidad del conocimiento jugará un gran papel en determinar cuán rápido las piezas comienzan a unirse.

Si la relación es nueva, se pasará mucho tiempo en el despachador de agua tratando de descubrir qué clase de persona es el nuevo jefe y qué deben esperar los empleados. Las historias se compartirán.

Habrá un periodo de luna de miel de cambio y ajuste.

Un gerente contratado de fuera de la compañía para que maneje el desastre

En un desastre, la tensión es alta, existe una necesidad de una acción impresionante, así que se espera que el gerente externo actúe drásticamente. El externo tomará decisiones difíciles. Se podrán perder trabajos. Se endurecerán los sobrevivientes.

El reto de este gerente es convertir la relación en la que inicialmente se mezcla el temor, la ansiedad y la esperanza en una nueva relación de respeto y de trabajo en equipo. El reto es conseguir un compromiso completo. Una nota de precaución: la arrogancia con frecuencia es la enfermedad de las compañías exitosas. Con frecuencia lleva a un sentimiento de que nada necesita ser cambiado. Hace que la tarea del gerente nuevo arrastre la carga de la responsabilidad de cambiar las cosas lo que la hace muy desafiante. Éste puede ser el momento apropiado para llamar a un consultor externo con credibilidad para que sugiera cambios. Claro, ellos también pueden encontrar una resistencia real, pero cuando menos el punto focal de su antagonismo será alguien que no es usted.

Rompetensiones
Si puede moldear a su gente, los empleados que crean problemas pueden llegar a ser sus mejores colaboradores. Dramatizar es a menudo una manera de manejar las frustraciones por cosas que no se han hecho bien. Déle a la gente una oportunidad de luchar por la excelencia.

Un gerente contratado de fuera para que continúe con los buenos resultados

Feliz luna de miel. Ésta es una gran situación, es la entrada a una situación que ya es de ganancia. La gente aquí ya está segura de lo que está haciendo y ayudará a que las cosas evolucionen. Hay tiempo para establecer una positiva relación empleado-gerente.

¿Por qué, puede usted preguntar, traer a alguien nuevo si las cosas están yendo bien? Hay muchas razones para hacer esto: El gerente estrella es promovido, se retira, es contratado por otra compañía o pide que se le transfiera a otro trabajo donde hay nuevos retos.

Sin embargo, tenga cuidado, a veces un gerente ve que el futuro cercano no es tan bueno como el presente y se muda para continuar su carrera en progreso sin culpa. De manera superficial, las cosas se ven bien, pero... tenga cuidado porque quien quiera que esté "en observación" será el responsable cuando el desastre aparezca, aun cuando las causas no provengan de él. El presidente Herbert Hoover aprendió esta lección durante la Depresión.

¿Por qué cambian estas relaciones?

Usted tiene el poder. Es así de simple. Las relaciones cambian conforme cambia la base de poder. La autoridad difiere de la influencia, pero la meta debe estar siempre en su mente mientras usted decide cómo usar su nuevo poder. Y conforme usted decide, los empleados decidirán cómo reaccionar con usted.

En sus primeros meses, habrá un combate. Es de naturaleza humana que la gente trate y encuentre una manera de hacer que funcione la relación o que justifique por qué ésta no funciona. Usted no puede dejar que las cosas sigan su curso. Tiene que conocer las causas y el riesgo.

Algunas causas de fricción con el nuevo personal incluyen:

➤ *Los empleados que tienen una inseguridad personal.* Esta gente tiene miedo a lo desconocido y carece de confianza en ella misma.

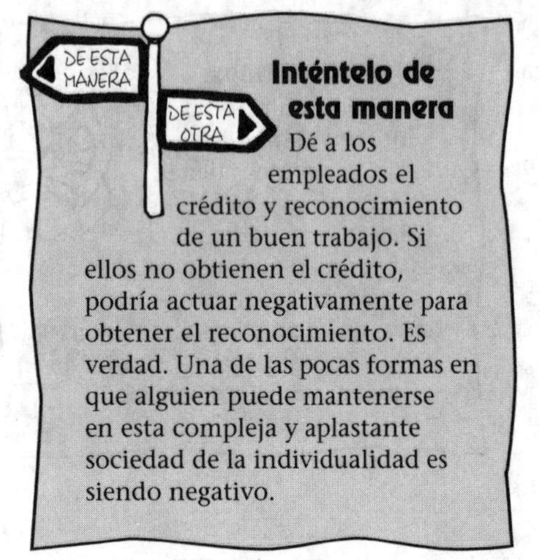

Inténtelo de esta manera

Dé a los empleados el crédito y reconocimiento de un buen trabajo. Si ellos no obtienen el crédito, podría actuar negativamente para obtener el reconocimiento. Es verdad. Una de las pocas formas en que alguien puede mantenerse en esta compleja y aplastante sociedad de la individualidad es siendo negativo.

- *Empleados que enloquecen por tener el control.* Este tipo de personal no puede soportar no tener el control, por lo que ven el cambio como dueño del control y como un nuevo elemento de incertidumbre.
- *Los empleados que buscan poder.* Usualmente ellos ven al gerente y a la compañía como una oposición a su búsqueda del poder.
- *Empleados que buscan el progreso personal.* La competitividad es un gran tema entre esta gente.
- *Cambios en estilo.* Una nueva persona tiene un nuevo estilo y una nueva personalidad, ése es el cambio.

Cambios directos hacia finales positivos

Las relaciones personales son un duro trabajo. Usted necesita trabajar para que la gente se desempeñe a su óptima capacidad y tenga resultados positivos. El ingrediente esencial es una clara comunicación abierta, un diálogo que es tanto formal como informal. Deberá haber reuniones uno a uno, sesiones informales como celebraciones de la compañía y actividades después del trabajo como el equipo de softbol o reuniones para tomar unas cervezas. Mientras más niveles de comunicación tenga abiertos, mejor. Mejor para usted, mejor para el empleado y especialmente mejor para los resultados de la compañía.

Últimas noticias

Muchas compañías de Silicon Valley, como Netscape y Oracle, tienen los viernes por la tarde bandas, cerveza y sodas para darle a los empleados la oportunidad de recargar sus baterías. Le permite a la gente relajarse y relacionarse unos con otros. Algunas compañías tienen estos eventos casi todos los viernes. Otras empresas los hacen durante los meses de verano. Otras más los hacen en los aniversarios de la compañía y para celebrar nuevos productos o éxitos de ventas. Inténtelo, ¡funciona!

Una red informal de trabajo es muy importante, así que no ignore este aspecto. Si su red informal funciona realmente bien, le informará acerca de los problemas mucho antes de que lo impacten. Usted también puede saber sobre oportunidades cuando estén justamente empezando a cuajar.

Redirección de la sed por el poder corporativo a fin de mejorar los resultados corporativos

La sed por el poder es un fenómeno común. La gente sedienta de poder lo retará como gerente todos los días. Éstas son personas problemáticas. Ellas pueden, de hecho, estar afuera y eliminarlo o conseguir su trabajo. Y si usted es uno de los gerentes que ha sido elevado de las bases, fomentará un celo residual. Tendrá que tratar todo esto, ya que ignorarlo puede ser fatal.

A veces, usted verá las acciones de los buscadores de poder, pues serán insolentes. Pero la mayor parte del tiempo, aquéllos trabajarán tras de bambalinas, de manera que usted tendrá que estar alerta a sus motivos. O probablemente su red de trabajo informal le avisará a usted. No importa cómo lo descubra, una vez que lo haga, tiene que tomar acciones antes de que las acciones lo tomen por sorpresa. No espere a que ocurra la estratagema. Aplástela como un insecto.

Inténtelo de esta manera

Si tiene reuniones para discutir percepciones e ideas, no deje que los negativos intervengan demasiado; de lo contrario, aquéllas se convertirán en sesiones de quejas.

He aquí algunas herramientas que puede usar para suprimir las acciones de los buscadores de poder:

- ➤ *Haga reuniones y pida a todo mundo que diga sus opiniones.* Cualquiera que no habla pero que se queje tras bambalinas empezará a perder credibilidad con sus compañeros.
- ➤ *Construya equipos de golpe para solucionar problemas.* Rote constantemente el liderazgo de éstos. Esto esparce el poder y ayuda a dividir las asociaciones.
- ➤ *Mantenga reuniones de planeación estratégica.* Ponga las posiciones de la gente en numerosos temas y luego trabaje hacia un acuerdo en la dirección de la compañía. Tanto como sea posible, muéstrele a la gente que sus ideas son incorporadas en el plan. Si no tiene tiempo de terminar el plan, cuando menos intente terminarlo.
- ➤ *Defina lo que es importante y lo que no es tan importante.* Delegue a su equipo el derecho de tomar las decisiones no tan importantes. Satisfará a algunos en la búsqueda de poder. Le ahorrará un poco de trabajo. No se agregará a sus riesgos. Es una situación de ganar-ganar.
- ➤ *Dé pasos de bebé cuando tome sus decisiones iniciales.* Busque la alta probabilidad de éxito. Esto minimiza la oportunidad de que alguien lo mine a usted o que critique su liderazgo. Comienza a fomentar la credibilidad y el respeto hacia usted dentro del equipo y con su jefe.
- ➤ *Explique a su gente por qué la compañía no puede darse el lujo de esperar la información perfecta.* Hágale saber que espera que tome decisiones, así usted sabrá que se sentirán obligados a decidir antes de que sepan todos los hechos. Eso está bien. Usted quiere la urgencia y el impulso, no la perfección.

- *Elimine las asociaciones rápidamente, o nunca estará usted verdaderamente a cargo.* Si usted duda, no sobrevivirá. Las asociaciones desarrollan una vida propia y parecen obtener su poder siendo exclusivos o negativos. Esto crea una división destructiva en su equipo.

> **Últimas noticias**
>
> Jack Simplot, el empresario exitoso de Idaho y el muy conocido rey de la papa de Estados Unidos, dice: "Nada se lograría nunca si todas las objeciones posibles tuvieran que superarse primero".

Trato con los elementos negativos

La forma más simple de eliminar a los *individuos negativos* es no contratarlos, en primer lugar. Si usted está en proceso de contratación y tiene dudas sobre una persona, no la contrate. Siga buscando. El tiempo extra en la búsqueda se justifica sobremanera con el tiempo que ahorrará al no tener que deshacerse de un mal empleado.

> **En pocas palabras...**
>
> Los empleados *negativos* son gente negativa que siempre se queja, pero que nunca ofrece resultados.

Pero si ya tiene algunos elementos negativos en su equipo, sepa que no se irán a propósito para que usted tenga el poder. Si se les deja sin vigilancia, pueden ser devastadores, tanto para la moral como para los resultados de grupo. Los individuos negativos pueden crear una malaria en la organización. Si usted no es cuidadoso, ellos pueden establecer el ritmo.

Usted no puede permitir semejante acontecimiento, si es que quiere ser exitoso. Trate con esta gente. No deje que tomen el control. En estas situaciones es cuando usted debe trabajar para tener a todo mundo de su lado y no en el lado de los negativos:

> **Rompetensiones**
>
> No se exponga a la crítica al tratar de solucionar las cosas que no puede resolver. Usted no solucionará todos los problemas, así que no les dé a los negativos armas para que lo destruyan.

- Recompense a la gente positiva con mejores oportunidades. El simbolismo no se perderá en su gente.
- Dedíqueles más tiempo personal a aquellos que son buenos empleados. Evite la búsqueda de atención de parte de los empleados negativos.
- Tenga reuniones cara a cara con todos los empleados. Alábelos en público, reprímalos en privado. Siempre escuche.
- Tenga un periodo de "pensamiento de posibilidades" en todas las reuniones. No deje que se vociferen objeciones ni que alguien sea negativo durante este periodo.
- Siempre aparte a los individuos negativos cuando forme equipos. Manténgalos en la minoría.

La cirugía, a veces aun la cirugía radical, salva al paciente

No siempre funciona, no para todos. Así que, tiene que recordar que su papel de gerente no es dirigir un experimento social ni salvar a todo mundo. Su trabajo es hacer que funcionen las cosas. Si las cosas no funcionan bien, tiene que encontrar la causa. La causa, desafortunadamente, es a veces una persona. En ocasiones, será necesario deshacerse de alguien. Recuerde lo que decía Somerset Maughm: "la gente mediocre siempre hace su mejor esfuerzo".

Pero en el mundo actual de los sindicatos, las demandas por discriminación y la intromisión del gobierno en el negocio, puede ser difícil deshacerse de alguien aun por razones legítimas. Los que más probablemente usen los recursos en contra de usted son también los que probablemente están mas en problemas. Sea inteligente. Siga estos consejos:

- Considere transferir a la persona problemática a otro departamento. Esto sólo funciona si el problema es entre usted y el empleado. Si usted transfiere un empleado mediocre a otro gerente, puede estar seguro de que éste le hará lo mismo a usted algún día.
- Discuta el asunto con su jefe antes de hacer algo. Consiga que su jefe lo apoye o que disminuya sus expectativas de sus resultados. Si el jefe no lo apoya después de un par de incidentes, pula su currículum. Es tiempo de irse.
- Considere ofrecer un paquete atractivo de separación. Reconozca, sin embargo, que cualquier cosa que usted haga establece un precedente.
- Mantenga registros cuidadosos. Como mencioné en el capítulo 14, si usted tiene que despedir a alguien, hágalo de la forma adecuada. Documente los temas legítimos y luego confronte al empleado con los hechos.

Lo mínimo que necesita saber

- Su relación con los empleados cambiará con el tiempo. Depende de usted manejar positivamente la relación.
- No todos sus subordinados querrán ayudarlo. Algunos se sentirán celosos; otros desearán poder ayudarlo y algunos más no se sentirán atraídos por su estilo. Anticípese a estos problemas y suprímalos.
- La negatividad es una profecía de autocumplimiento que usted no puede permitir que florezca.
- A veces despedir a los empleados es la única forma de conseguir resultados. No rehúya este asunto, pero cuando lo haga asegúrese de hacerlo bien.

Suba al siguiente nivel, la calma después de la tormenta

En este capítulo

- Cómo convertir un fracaso en una buena experiencia
- Qué hacer después de que ha sobrevivido a la crisis
- Métodos para que regrese su creatividad
- Formas de revitalizar su organización para el siguiente paso
- Mantener la visión fresca

Aprender a convertirse en un gran gerente toma tiempo. Es un viaje. Francamente, un viaje sin final. Cada empleado, cada competidor y cada reto nuevos constituyen un paso a lo largo del camino.

Ésas son las malas y las buenas noticias. Ser un gerente es un reto constante, pero esto es parte de lo que mantiene el trabajo fresco e interesante.

Usted tendrá éxito o fracasará, y si fracasa sólo tendrá que rebotar nuevamente. Y usted continuará, en el camino, a lo largo de la vida, aprendiendo lecciones, ganando dinero y descubriendo que mientras más aprenda, más ganará.

Usted sabe que no será fácil. Ésta no es mi promesa. Yo le prometo lo opuesto. Usted trabajará duro. Muy duro.

Usted fracasará de vez en cuando conforme avanza a lo largo del camino. Pero si es un verdadero gerente, si ha aprendido la filosofía y las técnicas que necesita, convertirá el trabajo duro y las lecciones en un gran éxito. Pero aun entonces usted no descansará en sus laureles. Al contrario, agregará a sus laureles el trabajo duro y las lecciones para crear aún más éxito. Y *es divertido*. Es divertido ganar y sentirse como un ganador. Y es divertido tener dinero.

Este último capítulo trata de los pasos que usted tiene que dar más allá de la crisis y de regreso al camino del éxito. Usted aprenderá acerca del rejuvenecimiento y lo que las importantes lecciones del fracaso pueden enseñarle. Por fin sabrá por qué es imposible conseguir la gloria sin antes haberla perseguido y por qué la gloria es parte del viaje, no el fin. El trabajo no termina cuando consigue sus primeros resultados. El reto crece y usted puede crecer con ellos. Mientras más aprenda, más gana.

Después de la crisis

¿Ahora qué? Ésta es la pregunta. Logró su meta (o quizá no), pero, ¿ahora qué?

No termina con el resultado. En realidad usted tiene que continuar, sin importar qué se haya obtenido.

Después de que cualquier crisis se soluciona, existe la tendencia humana a no hacer nada, a respirar un aire de alivio y relajarse durante un tiempo. No hay más adrenalina. Las largas horas de la crisis lo han cansado y la euforia de la victoria lo hace complaciente.

Como expliqué en otro lado, las crisis en los negocios son como la hierba. Crece donde sea. Los mejores gerentes son los diligentes, los que constantemente están en alerta y que se anticipan a la mayoría de los problemas.

Fracaso benéfico

Sí, fracaso benéfico. Éste es el concepto que me encanta y que quisiera que adoptara cada gerente. Lo que implica es cometer errores, aprender de ellos y seguir adelante. El gerente que no comete errores nunca ha intentado algo, al menos nada nuevo ni aventurero.

Mientras que el costo del fracaso sea tolerable para la organización, los beneficios de intentar algo, aprender y avanzar significan más que los costos del fracaso.

Mickey Rooney solía decir en broma: "siempre se pasa por el fracaso en el camino al éxito". Pero no es broma.

El fracaso ocurre. Ocurre todos los días y las lecciones son por lo general grandiosas. Es brutal, triste y sobre todo interesante, pero los ganadores siempre aprenden de ello.

Los ganadores fracasan. Así es. Todos lo ganadores han fracasado, ésa es una de las pocas características que comparten. R. H. Macy fracasó varias veces antes de que su tienda se volviera popular. Babe Ruth fue ponchado 1,330 veces antes de lograr batear 714 home runs.

¡NOTICIAS!

Últimas noticias

En las olimpiadas de 1953, Milt Campell ganó la medalla de plata en el decatlón. Cuatro años más tarde, Campell ganó la medalla de oro y Rafer Johnson ganó la de plata. Cuatro años más tarde, Johnson ganó el oro y C. K. Yang ganó la plata. Y, cuatro años después, Yang estableció un nuevo récord mundial al ganar la medalla de oro. El principio del fracaso benéfico se ejemplifica perfectamente en esta progresión: Piense, planee y persevere, con el tiempo tendrá éxito.

Usted está en una mejor situación si ha tratado de tener algo y ha fracasado que si no ha tratado algo, aunque tenga éxito. El fracaso está más cerca del éxito que la mediocridad. La parálisis, por supuesto, no es una opción.

Habrá algunos escépticos. Siempre hay escépticos después de un revés. Y habrá empleados que se vuelvan perros de ataque, pero no puede permitirles que interfieran en su camino. Lo expliqué en el capítulo anterior. Sólo crea y luego haga que suceda. Enfóquese en revitalizar a los ganadores. Los que lo "logran" irán con usted al siguiente nivel.

No elimine lo malo. Puede ayudarle en su carrera. Superar los reveses y aun el fracaso, es considerada una experiencia altamente deseable en administración.

Cuando usted escape de la crisis

Probablemente haya trabajado noche y día para superar los obstáculos que han amenazado sus negocios y ahora finalmente ha encontrado el camino hacia la luz. Probablemente está cansado, enfermo y cansado.

Llámelo agotamiento. Llámelo abandono. Llámelo como quiera, pero es mejor llamarlo de alguna manera que usted pueda enfrentar. Porque eso existe: probablemente necesite revitalizarse.

Tal vez descubra que usted está atrapado en un pensamiento de un sentido. Atrapado en una caja, si usted quiere, ¿cómo va a salir? ¿Cómo continuará? Le sugiero lo siguiente:

- Analice el costo de mantener el *status quo*. Muchas personas solamente miran los costos de nuevos proyectos, pero el *status quo* tiene costos que también deben compararse. Son diferentes, pero con frecuencia muy caros.
- Analice qué hacer para salir de la caja. Cambiar la forma de pensar o de hacerlo causará perturbaciones. El cambio crea fricción y la meta que usted debe tener es establecer el cambio de manera elegante.
- Analice qué hacer cuando esté fuera de la caja. No sólo cambie por cambiar o porque está cansado de hacerlo de "la misma manera". El cambio debe tener la meta de hacer mejor las cosas y de entender que con el cambio llega una serie completa de retos a lo que usted necesita anticiparse.

➤ Analice el costo de salir de la caja. Como dije, repetidamente, al principio en este libro, el negocio consiste en números, y el papel del gerente es controlarlos. Los costos y los beneficios de cambiar deben estimarse antes de continuar, para asegurar que el cambio lo vale, para asegurar que los recursos estén en el lugar adecuado, para ejecutar adecuadamente el plan y para evitar el ser sorprendido por costos no planeados. La sorpresa es el enemigo más grande del gerente.

Ponga nombres, números y fechas al ejercicio. Puede ser intelectualmente liberador, algo que necesita hacerse, pero sin la urgencia de una crisis.

¡NOTICIAS!

Últimas noticias

Había una vez una compañía que pasaba por problemas operativos. Así que decidió construir una caja mucho más fuerte. Programó 365 reuniones (una al día) para el siguiente año. La empresa mantuvo las reuniones, pero perdió su lugar en el mercado. La compañía se declaró en bancarrota y las reuniones subsecuentes se cancelaron.

Diríjase mensajes usted mismo. *La vida es la suma total de sus experiencias y ahora está usted mejor preparado.* Continúa con su crecimiento. Crecimiento del flujo de efectivo, crecimiento de las ganancias, crecimiento de usted.

Revitalícese a través de la creatividad

Como gerente, usted sabe que necesita ideas. Necesita saber cómo reaccionar con creatividad. Sabe que tiene la necesidad de tener nuevos pensamientos. Probablemente necesite crear una nueva visión. Usted necesitará, cuando menos, revitalizar uno ya existente.

Depende de usted. Usted es el gerente.

Y así, usted no puede ignorar la necesidad del crecimiento personal. Especialmente después de un momento tenso, usted necesitará un poco de tiempo para el pensamiento y la reflexión. Descubrirá que escapar para descansar puede ser lo más productivo que puede hacer por su compañía y por usted mismo. O bien, puede que descubra que fantasear intelectualmente con los miembros de su equipo puede ser la clave. Probablemente sólo necesite recargarse. Pero, como en todo, debe ir con un plan, aun si es simplemente para absorber.

Al construir la organización, usted encontrará estrellas que lo revitalizarán. No vendrán de cualquier lado. Usted es el líder.

Si usted golpea la pared, necesita recargarse. Tomar algo de tiempo y pensar. Tratar de reír. Siéntese con los miembros clave del equipo e intente hacer una tormenta de ideas, el pensamiento de posibilidades. Vea las cosas desde nuevas perspectivas. Tire las viejas suposiciones. Comience nuevamente mediante el pensamiento de adoptar un riesgo positivo. Es hora, una vez más, de lograr su meta.

Inténtelo de esta manera

Si quiere interactuar con todo mundo, trate de imitar a Harry Quadricci de Quad Graphics: él instaló su oficina entre la sala de espera de los visitantes y los baños. Ve a todos en el transcurso del día.

A continuación presento algunas sugerencias para estimular la ocurrencia de juicios creativos:

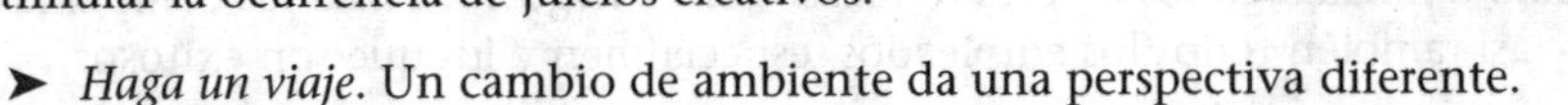

- *Haga un viaje.* Un cambio de ambiente da una perspectiva diferente.
- *Busque las respuestas equivocadas.* A veces las respuestas equivocadas se vuelven las respuestas correctas.
- *Cambie la escala de las cosas... pequeño* versus *gigante.* Lo inusual siempre sugiere nuevas ideas.
- *Contemple los opuestos.* Los extremos tienen poder.
- *Actúe como un niño.* Observe, pregúntese, dude y deje de creer. Usted se asombrará de las cosas ilógicas que simplemente acepta.
- *Haga juegos de palabras.* Le surgirán ideas con las respuestas.
- *Busque el humor en todas partes.* La risa genuina es buena para el cuerpo, la mente y el alma. Ría. Es bastante gracioso.
- *Haga algo creativo.* Escriba, pinte, cante o haga una historia. Invente. Vaya más allá de su mente y dentro de su corazón.
- *Use la libre asociación en una discusión de grupo.* Las buenas ideas pueden surgir de repente.
- *Busque incongruencias.* Éstas ofrecen métodos únicos para situaciones comunes.
- *Experimente.* Piénselo y luego inténtelo.

Últimas noticias

En la universidad de Cornell, hubo un examen de pensamiento lateral y toma de decisiones para los estudiantes. Había dos grupos que hacían el mismo examen. Un grupo no hizo nada especial. El otro grupo vio cintas de Mickey Mouse y leyó revistas de *MAD*. El grupo de Mickey Mouse, por supuesto, obtuvo una calificación mucho mejor, lo divertido funciona. La diversión estimula el pensamiento creativo y trae la felicidad y la espontaneidad al trabajo que ayuda a la gente a sobrevivir.

La creatividad no sólo ocurre. Es trabajo. Pero es un trabajo *divertido*, y lo divertido es una herramienta para rejuvenecer a todo mundo. ¿Tiene una sonrisa? ¿Está riendo? ¿Se sabe un buen chiste? ¿Tiene una buena idea para que todos hagan algo juntos? ¿Está usted en el camino de rejuvenecer usted mismo y su compañía?

Sólo necesita aprender a lograr cosas. La única regla de la creatividad es que no hay reglas.

Ármelo todo otra vez

No hay nada malo o inusual en los reveses o fracasos en el negocio. Todas las compañías los experimentan y así también todos los empleados, especialmente los que son exitosos.

Pero quizá su gente no lo entienda. Tal vez su más reciente revés sea el primero en su lista. Es posible que sus empleados sólo se estén lamiendo sus heridas o estén temerosos de continuar. Su trabajo como gerente es hacer que su personal continúe. No deje que caigan en una parálisis de autoanálisis. Todavía hay trabajo qué hacer y no puede dejar que el orgullo se interponga en el comercio.

Al contrario, opte por resucitar la seguridad en uno mismo. La gente quiere sentirse como ganadora y los gerentes tienen el poder de ayudarla a darse cuenta de que es ganadora. Los reveses, claro, no convierten a las personas en ganadoras. Pero manejarlos exitosamente sí lo hace. La gente nunca aprende algo si nunca hace algo mal.

Un buen primer paso es explicarle a su personal que una crisis es común. Ayúdelo a perder su preocupación. Ayúdelo a entender que la clave de una crisis es solucionarla. Larry E. Griener, profesor de la escuela de negocios de Harvard, inventó una gráfica que explica esto bastante bien.

Aunque esta gráfica trata sobre las crisis de la administración, está muy lejos de ser comprensiva o de cubrir todas las crisis que una compañía puede enfrentar, pero cumple su propósito de enseñar. En general, la gráfica se resume en lo siguiente:

- Debido a la evolución del negocio, toda compañía tiene la garantía de tener algunas crisis.
- Aun si usted acaba de darle fin a una crisis, puede surgir otra. Esté preparado.
- Está bien tener una crisis, mientras la maneje y no se paralice, como se explicó en el capítulo 25.

Use las mismas herramientas, pero refrésquelas

Así que logró salir a flote. Ha pasado la crisis y ahora quiere continuar y usar las mismas herramientas con las que comenzó, pero desea refrescarlas. Su deseo debe ser llegar a la excelencia, ya que si no pretende llegar hasta arriba, podría detenerse.

Es tiempo de una nueva meta, una meta audaz e inspiradora. Conciba un objetivo que implique un gran reto y que borre las preocupaciones acerca de la historia haciendo que todo mundo se enfoque en el futuro. La excelencia por lo regular se debe a acciones radicales.

Es tiempo de comenzar nuevamente desde el principio, como al inicio de este libro, pero ahora es momento de usar la nueva experiencia y sabiduría. No cometa los mismos errores. Los nuevos yerros son mucho mejor.

Inténtelo de esta manera
Cuando usted quiera que todo mundo se mueva al siguiente nivel, debe crear metas grandes, salvajes e inductoras de adrenalina. Vaya hasta la luna.

No sólo saque su viejo plan de negocios y diga "*hagámoslo*". La gente espera que usted cambie las cosas, que las mejore, que les dé una razón para luchar. Utilice las viejas herramientas, pero úselas de nuevas maneras. Ajústelas. Fomente el sentimiento de que está entrando a una era nueva y próspera, ya que usted está ahí. Deje que su mente vuele. Aquí hay algunas de mis ideas para su siguiente reunión (agregue sus propias ideas):

- Realice una reunión fuera de su empresa, en un lugar donde nunca haya estado antes.
- Considere actividades físicas como cursos de boxeo, correr por el río y paseos en bicicleta de montaña.
- Traiga conferenciantes y líderes. Aprenda acerca del budismo, la meditación y otras culturas. Imagine cómo aplicar diferentes estilos y prácticas puede elevar su negocio.
- Establezca premios y nuevas motivaciones. Considere cambiar los títulos y la base de la compensación.
- Considere una nueva línea de negocio.
- Considere eliminar líneas establecidas del negocio.
- Ponga un enorme montón de efectivo en la mesa enfrente del salón y dígale a todo mundo que éste será su bono si llegan a la meta.
- Imagine la meta más grande, la más problemática, la más grandiosa, la más inspiradora que pueda y luego alcáncela.

Renueve la visión

En concreto, la gerencia debe tener una visión, una razón que estimule y que deba ser transferida a aquellos que son administrados. Impulse a la gente. Prepárese para dar el gran batazo. Viva la vida. Disfrútela. Es como escalar los Himalayas, cuando alcanza un pico, busca el siguiente y continúa escalando.

Claro, mezcle sus nuevas experiencias y su sabiduría, pero nunca pierda su sueño. Fantasee. Visualice. Imagine. Después en sus instintos, sienta la emoción y el correr de la adrenalina pura.

Ésta es la nueva vida corporativa que tiene que construir. Se hace con su sudor y su devoción a la grandeza. Así que disfrútelo. Crezca con ella. Luego, haga todo otra vez. Póngale el toque final y empiece todo de nuevo con los cuatro conceptos de la gran administración:

1. *Simplificación*. Mantenga las cosas simples y entendibles.
2. *Urgencia*. Céntrese en lograr su meta ahora mismo.
3. *Sentido común*. Piense. Sólo piense.
4. *Pasión*. Sólo necesita querer algo, cualquier cosa, y luego tiene que poner todo lo que tiene para lograrlo.

¡NOTICIAS!

Últimas noticias

Henry Kaiser estableció la primera organización de mantenimiento de la salud (HMO, por sus siglas en inglés) de Estados Unidos. Él explicó: "es bastante simple. Si mis trabajadores no están saludables, no pueden trabajar y no gano dinero". Como Kaiser entendió, el negocio es la gente, es su corazón y su alma. Aunque esto es bastante simple, es muy valioso.

La pasión, el sentido común, la urgencia y la simplificación son las piedras angulares de una administración maravillosa. Éstas son todas las cosas que residen en cada uno de nosotros. No están cimentadas por la educación, la raza, el género, el lenguaje o la salud. Conciernen al interés y la honestidad.

Todas consisten en lo que está dentro del gerente. Los triunfadores tienen estos sentimientos de impulso dentro y no tienen miedo de sacarlos enfrente de todo mundo. No tiene miedo porque saben que la búsqueda por ser el mejor proporciona los resultados y los sentimientos que cambian al mundo para que sea mejor. Después de todo, ¿no es "eso" de lo que todo se trata?

Lo mínimo que necesita saber

- Es natural tener un momento de descanso después de una crisis. El trabajo del gerente consiste en rejuvenecer a la organización y hacerle ver al personal que siempre sale el sol.
- Lo primero que debe hacer como gerente para motivar a los empleados para que tengan nuevas metas es revitalizarse usted mismo. Lo cual es más fácil de hacer con el uso juicioso de la creatividad y el pensamiento de las posibilidades.
- El proceso del establecimiento de la meta y la motivación es el mismo que cuando empezó, pero para que sea eficaz debe realizarse de maneras frescas.
- Establecer una meta nueva, enorme, inspiradora y audaz es la clave para hacer que todo mundo vaya al siguiente nivel.

Glosario

Administración Un proceso para hacer que las cosas se hagan, en su mayor parte por medio de la toma de decisiones para distribuir la gente y el dinero. La administración también sirve como una fuente de inspiración para conseguir la máxima productividad de los empleados.

Administración de la cultura grande Un estilo de administración que es muy empleado, aunque no siempre, en una gran compañía. Se caracteriza por muchas reuniones, equipos y responsabilidad compartida. Hay muchas capas de administración, las decisiones formales se toman con la aprobación de los superiores, el espacio de autoridad se define claramente y aun la introducción de producto se realiza en una forma ordenada y aprobada por mucha gente.

Administración emprendedora Un estilo de administración que cree en la maximización de la oportunidad. El empresariado trata de tomar decisiones rápidas con información limitada. Tiene una alta tolerancia al riesgo y una fuerte capacidad para tratar la ambigüedad.

Administración por excepción Un estilo de administración que funciona de esta manera: usted establece los estándares que quiere cumplir. Luego designa una variación permitida (digamos 5%). Se ignora cualquier cosa que venga con la variación permitida. Su trabajo dentro de este sistema es observar de cerca sólo aquellas cosas que varíen ampliamente.

Administración por objetivos Ésta es similar a la administración por excepción. La idea aquí es fijar objetivos a los subordinados. Debe evitarse la microadministración y quitarse la autoridad o el incentivo. Lo importante en este sistema son los resultados.

Alianzas estratégicas Éstas ocurren cuando una organización hace equipo con otra organización. Una organización utiliza los servicios de la otra en alguna área, como contabilidad, que solían hacerse en la misma empresa.

Análisis de amortización Un método utilizado para calcular el tiempo que toma recuperar el costo de las inversiones. Usualmente las inversiones con la amortización más rápida son clasificadas como las mejores.

Bonos del Tesoro de Estados Unidos (t-bills) Éstos son similares a los certificados de depósito, excepto porque son emitidos y respaldados por el gobierno federal de Estados Unidos. Debido a que éste los garantiza, la mayoría de la gente considera que ofrecen más seguridad que los certificados de depósito. Por lo regular, los bonos del Tesoro son emitidos a un plazo mayor que los certificados de depósito.

Cartas de crédito Compromisos formales mediante un banco para pagar una obligación en beneficio de una compañía en algún momento dado en el futuro. Designan específicamente qué bienes van a ser comprados y cuándo. Lo normal es que no se extiendan más allá de 180 días. El recipiente cobra directamente al banco. El banco, a su vez, cobra a la compañía que emitió la carta de crédito.

Centros de costo Aquellas áreas de una compañía donde la administración solamente tiene el control de los gastos, no de los ingresos o ganancias. Esto incluye a los departamentos como finanzas, administración de la oficina o embarque.

Centros de ganancias Aquellas áreas de responsabilidad donde un individuo es responsable de los ingresos como también de los costos. Por tanto, pueden ser responsables de tener una ganancia o una pérdida de un cierto grupo de la compañía. Dos ejemplos son el subgrupo geográfico de su división o una división como ventas y mercadotecnia. Esta forma puede ser utilizada para una medición regular y como guía para sus empleados.

Certificados de depósito (CD) Bonos que pueden comprarse a un banco y que pagan mejor interés que las cuentas de ahorro tradicionales. Esto requiere que el comprador invierta ese dinero por un periodo fijo, pues son respaldados por el mismo banco.

Competencia central Aquello que usted hace mejor. El núcleo central está dentro de su gente. Es el nervio central, la respuesta a "¿por qué estamos aquí?"

Costo por millar (CPM) La metodología utilizada para comparar los diferentes medios para anunciar. Toma el costo del anuncio y divide ese número entre el número legítimo de observadores (expresados en términos de miles) del anuncio (no siempre se considera la audiencia total, ya que no todos son compradores potenciales). El número resultante es entonces utilizado para comprar y clasificar diversas opciones.

Costos distribuidos Aquellos que provienen de otro departamento y que se distribuyen sobre alguna base por el departamento de contabilidad a varios departamentos. Por ejemplo, el departamento de gráficas puede trabajar para una serie de divisiones. Los contadores llegarán a dispersar en forma equitativa estos costos a varias divisiones.

Costos fijos Aquellos costos que permanecen constantes, sin importar la fluctuación en el negocio. Los ejemplos son la renta y los salarios de la administración.

Costos semivariables Aquellos costos que tienen elementos de *costos fijos* y de *costos variables*. Por ejemplo, algunos costos, como el teléfono, la electricidad y el agua, tienen un costo base que es fijo, pero además poseen un elemento variable basado en el uso.

Costos variables Aquellos costos que cambian en concierto con algunos cambios en el negocio. Lo más común y fácil de medir en busca de variaciones es lo relacionado con el volumen de ventas, por ejemplo, las comisiones de ventas o los costos de embarque.

Descripción del puesto Una fotografía de cómo ve usted un trabajo en particular en cierto momento. Es casi un contrato: *Esto es lo que esperamos y esto es lo que usted tiene.*

Despido espontáneo Un despido inmediato debido a una causa específica. Las causas abarcan acciones como el fraude, el robo y la deshonestidad. Muy pocas cosas reúnen lo necesario para un despido espontáneo. Revise esto con su abogado laboral antes de ser "espontáneo".

Días por cobrar Una medida de cuán rápido se están cobrando las ventas que se han hecho. Se puede calcular esto dividiendo las ventas anuales entre el número de cuentas por cobrar pendientes. Esto le dice el número de veces que usted convierte las cuentas por cobrar en un año. Le mostrará exactamente cuánto tarda la gente en pagarle.

El principio de Pareto Aquel que establece que el 80% del negocio proviene del 20% de los clientes.

Empleo a voluntad Un término legal estadounidense que se refiere a que un empleado puede ser contratado o despedido a discreción de la administración. (En algunos países equivale a empleo de confianza.) Aclara que un trabajador que no tiene contrato de empleo, escrito o implícito, simplifica grandemente el proceso de despido. Esta información debe estar incluida en todas las comunicaciones del empleado, la forma de solicitud del empleado, la carta de bienvenida del empleado y todos los manuales personales para evitar una litigación costosa en el evento de un despido.

Entrevista Medio por el cual se hacen preguntas exploratorias para entender las motivaciones y las habilidades de un candidato a un trabajo.

Establecimiento de precios con base en el costo incremental Se cobran diferentes precios en diferentes mercados que requieren de un apoyo diferente. Por ejemplo, un producto que ha sido ya desarrollado y vendido dentro de un país puede ser vendido internacionalmente a un menor precio, ya que el precio no tiene que soportar la investigación y el desarrollo o la publicidad doméstica.

Establecimiento de prioridades La práctica de listar las tareas y organizarlas desde la más importante (en términos de resultados de la organización) hasta la menos importante. Enfocarse en las tareas que aparecen al principio de la lista, a expensas de las del final. Si puede, entregue las tareas menos importantes a otras personas. Algunas cosas simplemente no se harán.

Estado de ganancias y pérdidas Un documento que registra los egresos y los ingresos durante un periodo determinado. Esto no se basa en el tiempo de los pagos reales. En su lugar, usa las convenciones de contabilidad de acumulaciones para esparcir los costos a lo largo del tiempo.

Estrategia de empujar Una estrategia que pone el énfasis en tratar de que lleguen los productos a los anaqueles del detallista. Se utiliza normalmente en la introducción de un producto o cuando la compañía no es tan conocida como sus competidores.

Estrategia de jalar Una estrategia que pone el énfasis mercadológico en el consumidor final. Se recurre a ella normalmente cuando su producto está establecido, el mercado es grande y se busca una representación mucho mayor del detallista. Con frecuencia, se emplea en la expansión de la diferenciación del producto.

Factorajes Organizaciones que prestan dinero con garantía en las cuentas por cobrar. Son más audaces que el banco y prestan a un alto porcentaje. Los factorajes hacen sus propios cheques de crédito y no necesariamente aprueban todas las cuentas. Cuando prestan en contra de las cuentas por cobrar, toman posesión de éstas como seguro.

Flujo de efectivo Un término utilizado para describir el flujo de efectivo de dentro y fuera de la compañía, incluyendo los préstamos y el dinero invertido. Con frecuencia es más importante que la ganancia ya que puede determinar la supervivencia.

Gastos generales Cualquier costo de los bienes o servicios que no está directamente relacionado con su producción. Las cuentas de electricidad, luz, salarios e hipotecas son algunos ejemplos.

Impresión en conjunto El proceso de imprimir al mismo tiempo muchos proyectos diferentes. Ahorra tiempo y dinero al reducir el tiempo de formación, mejorando la longitud de la corrida de impresión y obteniendo economías de escala en la compra del papel.

Investigación de mercado La recolección formal de información sobre los mercados y los clientes a los que pretende llegar una organización. Esto ayuda a las compañías a tomar decisiones. Usualmente, los datos son cuantitativos y estadísticos y miden la hipótesis de los gerentes.

Ley contra discriminación por la edad Una ley estadounidense que protege claramente a la gente de más de 40 años en contra de la discriminación.

Ley de estadounidenses con discapacidades (ADA, por sus siglas en inglés) Esta ley dicta que en Estados Unidos los exámenes médicos sólo pueden hacerse después de que se ha tomado la decisión de contratar a la persona; de lo contrario, el contratante se expone a una demanda por discriminación.

Ley de reconciliación del presupuesto total consolidado (COBRA, por sus siglas en inglés) Una ley de Estados Unidos que exige que las compañías con 20 o más empleados continúen ofreciendo planes de seguro durante 18 meses, después de la separación del empleado. Éste tiene que asumir la obligación de pagar la prima, pero es a la tasa de la compañía, usualmente mucho menos de lo que un individuo podría conseguir por su propia cuenta.

Liderazgo La habilidad de motivar y dirigir a otros hacia metas predeterminadas.

Líderes de pérdidas Ésta es una técnica de fijación de precios que consiste en que pocos productos tienen precios bajos para hacer que los clientes compren. La suposición es que el cliente continuará comprando tales productos una vez que lo empiece hacer.

Maquila Contratar individuos o empresas externas a la compañía para hacer el trabajo de ésta que normalmente harían los empleados internos. Cualquier actividad, como almacenaje, embarque, contabilidad o mercadotecnia, puede ser maquilada. La idea es ahorrar dinero, reducir los costos fijos y tener un pequeño equipo interno enfocado solamente en la naturaleza de la empresa, en la esencia.

Opciones El derecho a comprar acciones en una compañía a cierto precio. Esto permite al poseedor beneficiarse si la compañía se desempeña bien, y, al menos en teoría, ayuda a alinear los intereses de los empleados con los de los propietarios debido a que aquéllos son esencialmente los propietarios.

Opciones calificadas En su forma más simple, consiste en el derecho de comprar acciones registradas, vendibles sobre el ejercicio. Estas opciones tienen un precio de compra que los empleados pagan por ellas. Una vez que han sido ejercidas, el empleado tiene las acciones como todos los demás accionistas.

Opciones fantasma Opciones que no están registradas con los funcionarios del mercado de valores. Son simplemente un compromiso de la compañía de dar los derechos para actuar como acciones (y, por tanto, subir o bajar el valor de las acciones). Pueden ser cobradas a la compañía sin tener que comprar o vender acciones en realidad.

Opciones no calificadas Opciones de acciones que requieren el registro antes de que sean vendidas y, por tanto, no son tan líquidas como las *opciones calificadas*.

Organigrama Un cuadro que muestra quién reporta a quién en una organización.

Pensamiento de posibilidades Cuando usted alienta a sus empleados a llegar con lo que pudieran ser ideas fuera de este mundo: "¿Qué pasaría si...?" "Qué pasaría si" es una gran herramienta. Puede superar a los tan llamados expertos que siempre encuentran razones para que algo no funcione. Pregúntese: ¿qué tal si los expertos están equivocados?

Precios de economías de escala La técnica para establecer precios cuando éstos se basan en el volumen que se espera vender. Los precios están basados en eficiencias de grandes volúmenes que ocurrirán una vez que se haya alcanzado el alto volumen esperado, no lo que cuesta hoy en día.

Presupuesto de base cero Una técnica en la cual todo concepto en el presupuesto inicia en cero. Las cifras se calculan con ese punto de partida. Esto es diferente de la técnica normal de empezar con los números del año pasado y ajustar los cambios esperados. La idea es ser capaz de eliminar cualquier cosa que no esté justificada. Todo empieza en cero.

Programa de retiro 401K Un programa estadounidense de jubilación, en el cual los empleados, por lo regular ponen fondos dentro de una cuenta de retiro. El dinero no está bajo ningún impuesto y se acumula y se compone durante años sin que se le descuente impuestos hasta que los fondos se distribuyen. La compañía tiene la opción de igualar una parte de los fondos, también sin impuestos para los empleados, hasta su distribución.

Programas de opción de acciones para empleados (ESOP, por sus siglas en inglés) En Estados Unidos, un programa que permite que todos los empleados sean propietarios de la compañía. El concepto es que ésta compra de nuevo sus acciones a los propietarios existentes y le vende las acciones a los empleados. La reventa a los empleados puede ser inmediata o a lo largo del tiempo, pero todas las acciones se mantienen juntas y son realizadas por un administrador externo. Esta compra de acciones del empleado puede ser por salario, bonos o inversión del propio empleado. Existe un tratamiento fiscal especial para este programa.

Punto de compra Materiales utilizados en el punto de venta en una tienda. Son utilizados para estimular el interés en un producto y convertir el interés del cliente en una venta. Su objetivo es obtener atención, información o ambas.

Rendimiento sobre la inversión Una técnica que compara el rendimiento de vida de varias inversiones posibles.

Rotación de inventario El número de veces al año que se vende (invierte) el inventario. Se calcula dividiendo el costo anual de los bienes vendidos entre el inventario en almacén. Generalmente, es mejor agregar el inventario inicial y el inventario final y dividirlo entre dos para llegar al inventario promedio, antes de su cálculo. Esto evita la distorsión en analizar el negocio que está creciendo o que se está contrayendo.

Sistema de activación reticular La parte del cerebro humano que filtra la información del conocimiento. Es donde la información se disemina y donde se toman las decisiones. Incluye el "instinto" y la "voluntad", partes del proceso de su pensamiento. Le permite a usted enfocar sus esfuerzos en un asunto en particular.

Sistemas de información administrativa (MIS, por sus siglas en inglés) La descripción actualizada de los sistemas de computadora que se encuentran en una compañía. A esto se le llamaba procesamiento de información.

Toma de decisiones a la japonesa Un sistema en el cual todo mundo en la compañía es consultado antes de tomar una decisión. También se llama sistema de anillo; está basado en el concepto de un anillo en el cual todo mundo es consultado en las varias facetas de la compañía, antes de la decisión. Por tanto, las cosas se mueven lentamente en la fase de decisión, pero la ejecución es delicada.

Toma de decisiones a la occidental Un sistema en el cual un individuo, consultando a pocas personas, toma una decisión. La gente lo sabrá, lo retará y se ajustará en un modo de retraso y proceder. El resultado es una ejecución irregular conforme avanza a través de los niveles específicos de una organización.

Índice

A

B

C

D

E

F

G

H

I

J

L

M

N

O

P

R

S

T

U

V

corte aquí

Tarjeta de referencia

Consejos para la administración del tiempo

1. Realice reuniones de pie, nadie querrá prolongarlas.
2. Penalice con un dólar por minuto el llegar tarde a las reuniones. Ponga el dinero en una urna para hacer una fiesta al final del año.
3. Use papel de diferente color para los diversos informes, así los reconocerá mejor (por ejemplo, el azul para los presupuestos finales, el amarillo para las copias, el verde, para los memorandos, etcétera).
4. Use el simbolismo para comunicar sus ideas.
5. Forme alianzas estratégicas para delegar algunas actividades que no sean esenciales para su trabajo.

Palabras sabias

1. Todas las cosas tardan el doble y cuestan tres veces más de lo que se piensa.
2. Es necesario hacer cinco llamadas antes de hacer una venta.
3. El 80% de su negocio proviene del 20% de sus clientes.
4. El 80% de su negocio proviene del 20% de sus productos.
5. Un cliente satisfecho hablará bien con cinco personas acerca de usted. Un cliente insatisfecho hablará mal con 25.
6. Toda compañía puede reducir los costos otro 5%.
7. No tomar una decisión es ya una decisión, una *mala* decisión.
8. Si usted no hace nada, eso es lo que ocurrirá: nada.

Utilice el sentido común

1. Consiga un número *y* una fecha, de lo contrario no obtendrá un compromiso.
2. Desarrolle dos presupuestos, uno para propósitos internos y otro para los externos.
3. Trabaje duro para conservar a sus clientes actuales, ellos son sus mejores clientes.
4. Ponga un punto final en cada plan. Así, las cosas terminarán automáticamente a menos que haya una razón de fuerza para continuar.
5. Enfóquese en algo específico.
6. Elabore un plan considerando el caso de tener una crisis de última hora.

Reduzca los costos

1. Establezca su propia agencia de publicidad, de esta forma obtendrá el 15% de descuento que por lo regular se le da a las agencias.
2. Trueque, intercambie su excedente de mercancía que no se haya vendido o sus servicios con otras compañías. Iguale el exceso con las necesidades. Esto con frecuencia es más barato que destruir el inventario.
3. Use la tecnología, consiga más información, viaje menos y tenga menos secretarias y ayuda administrativa.
4. Reduzca el número de empleados, así reducirá más que salarios. Las reducciones ahorran costos de prestaciones salariales, costos telefónicos, costos de provisiones, costos de espacio e inversiones en activos fijos.